土木構造力学

玉田和也 編著
三好崇夫・高井俊和 著

学芸出版社

はじめに

構造力学は、土木・建築に関する構造物の設計に際し、その基盤となる重要な教科の一つです。そのため、幾多の構造力学の教科書が発刊されていますが、新たに本書を発刊するにあたり次のコンセプトを考えました。

まず、問題が解けることを目指します。理解を助ける図や表を多用していますので、問題を解ける喜びを感じ取ってもらって、苦手意識を払拭してください。そして、「なぜ解けるのか？」「この解法の基本となる考え方は何なのか？」に思いを馳せたなら、次のステップに進みましょう。

次に、本書が対象とする読者としては、①構造力学の初学者、②入試・就職・資格・公務員試験を目指す者、③構造力学を勉強したことがあるものの苦手意識をもっている学生・技術者等を想定しています。一見、難しそうな問題でも、解き方の基本を忠実に適用することで、だんだんと解けるようになってきます。

最後に、構造力学を暗記教科として乗り越えようと必死で努力している方に特に本書をお勧めします。遠回りに思われるかもしれませんが、本書を活用して解き方の基本をきちんと理解していきましょう。各章に設けている練習問題・応用問題には、入試・就職・資格・公務員試験の類題も組み込んでいます（該当の問題には㊍のマークを付けています)。

本章は、以下の各章で構成しています。

1章では、構造設計から見た構造物の建設に必要な事柄と計算の流れを示しています。各章で解説する事項が構造物の建造にどのように関わっているのかを確認してください。

2章では、構造力学を学ぶ上での暗黙の了解をとりあえず修得してください。そして、反力や断面力、変形の計算ができるようになった後に再度2章を熟読しましょう。そこで疑問が生じた場合は、より詳しい内容が解説されている参考文献を紐解いてさらに詳しく勉強してください。

3章では、構造物の反力と断面力の求め方について解説しますが、ここでは「力のつり合い条件」を完璧に理解し、自分のものにしてください。「力のつり合い条件」を自由自在に使えるようになれば、この先の構造力学は比較的楽に取り組めます。この「力のつり合い条件」の修得が構造力学攻略の最大のポイントです。ここをないがしろにして先に進んでも無駄であると言い切ってもよいぐらいです。3章の最後には逆問題を載せています。どれだけ自分自身が理解できているのかをここで試してみましょう。

4章では、断面に発生する応力の計算法について学びますが、ここでは積分の知識が必要となってきます。積分が苦手な方は7章に微積分の解説がありますので参照してください。

5章では、構造物の変形の計算方法を3種類解説しています。微分方程式が出てきますので、7章の解説を参考にして勉強を進めてください。

6章では、5章までの内容に加えてもう1歩踏み込んで解説すべき構造力学の内容を記述しています。座屈と単位荷重法の元となるエネルギー法については、ここでぜひ学習してください。
7章では、構造力学で用いる数学について概説しています。

できる限りの努力によって本書を著作したところではありますが、推敲の不足、内容の不備については諸賢の叱責を得て本書を進化させていくことができれば、著者として望外の喜びであります。
ここに本書を発刊するにあたり、今日まで指導された多くの師・友人、多くの参考文献著者に対し深謝いたします。

令和元年12月10日

著者を代表して
玉田和也

もくじ

1章 なぜ構造力学を学ぶのか

構造力学は、土木・建築分野において構造物をつくっていく上で欠かすことのできない教科です。世の中では「素敵で使い勝手が良くて長持ちして丈夫な構造物」が求められています。すなわち、構造物が具備すべき要件としては「意匠性」「使用性」「耐久性」「安全性」が挙げられますが、これらのうち構造力学は主に「安全性」に関わります。

安全性を考える際には、構造物に作用する外力を考えなければなりません。自重やトラック・列車などの重量による人為的な外力に加えて、風(台風)、地震、雪などの自然現象による外力

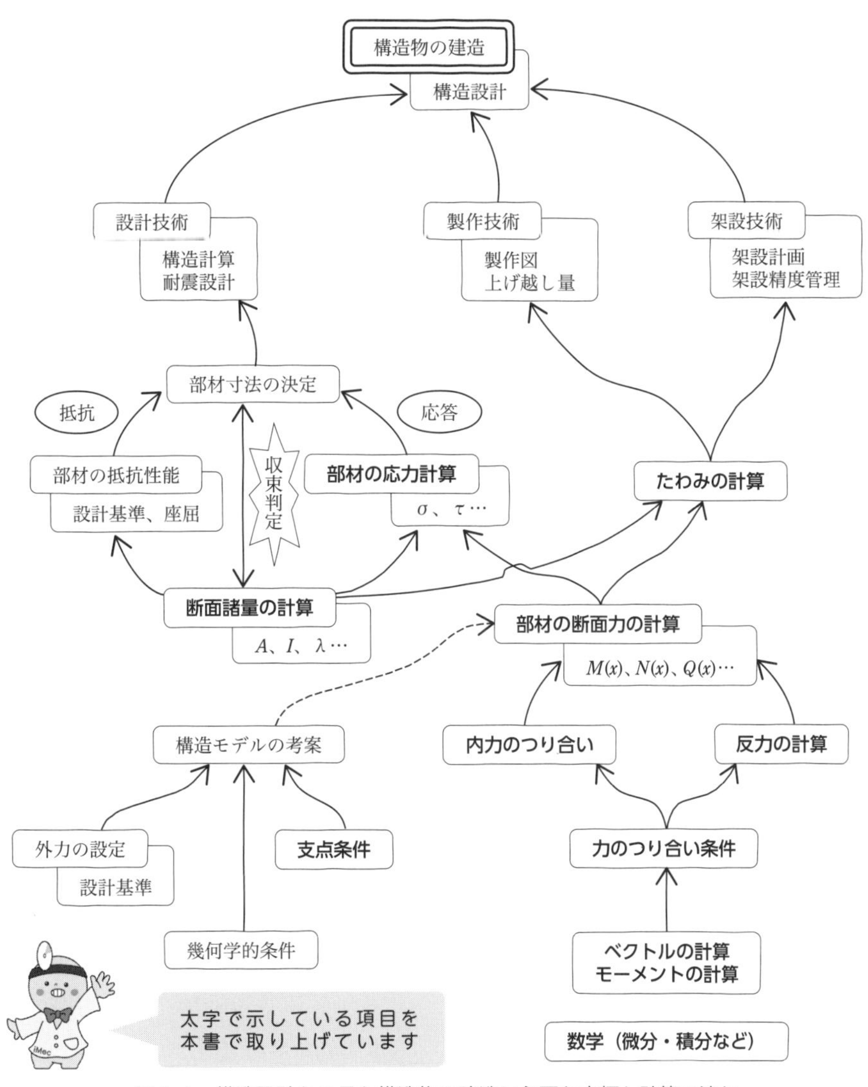

図1･1　構造設計から見た構造物の建造に必要な事柄と計算の流れ

などは設計基準に規定されています。これらの外力が構造物に作用しても十分に安全で丈夫な構造となるように部材の配置や寸法を決めていくのが構造設計です。構造設計の立場から構造物をつくるために必要な事柄と計算の流れをまとめたものが図1･1になります。

設計結果を図面にした設計図面では、完成したときの形状や寸法が示されています。これに対して、実際の構造物を製作するには、自重によるたわみをあらかじめ考慮した部材をつくる必要があります（土木の用語で「上げ越し」といいます）。また、構造物を現地で組み立てるときにも、完成時の形状を想定しながら作業を進めていく必要があります。これらの際には「たわみの計算」が求められます。

たわみの計算を理解して構造物の変形をイメージできるようになると、部材内部に働く断面力についてもイメージできるようになってきます。コンピューターによる計算結果の妥当性を判定する際にも、この能力は重要です。ある1点のたわみの値の正否だけでなく、全体の変形形状にも気を配りましょう。

この教科書で取り扱う構造計算の主な流れとしては、図1･1の右下に示す「力のつり合い条件」を用いて「部材の断面力」を算定し、「部材の応力計算」を行うことで外力の作用による構造物の応答を求めることになります。この際、部材の性能を表す「断面諸量の計算」が必要となりますが、部材の抵抗性能や部材寸法の決定においてより活躍する項目になります。

図1･1の左上部分の「部材寸法の決定」では、各種構造物ごとに定められている設計基準に準拠して部材の抵抗性能を求め（鋼構造学、コンクリート構造学）、応答（構造力学）と比較することで部材寸法や材料を決定していきます。抵抗性能は対象とする構造物や使用する材料によって様々なバリエーションがあり、専門性の高い知識が必要となります。一方、構造物の応答を求める構造力学は普遍的であり、橋に限らず、建物、タワー、クレーンなどあらゆる構造物に、そして鋼、コンクリート、ガラス、アルミニウムなどあらゆる材料を対象とすることができます。

この教科書で、まずは構造力学の基本中の基本である「力のつり合い」を確実に理解し、自分のものにしてください。構造物を建造するために必要な知識や技術は広大ですが、その礎である構造力学を学んでいきましょう。

2章
構造力学の基本事項

構造力学を学ぶにあたっては、何よりもまず「**力のつり合い**」について理解しておく必要があります。また、前もって知っておくべき様々な定義やルール、前提条件があります。これらの取り決め事には諸分野に共通する絶対的な事柄とそうでない事柄があり、他の構造力学の教科書や機械工学分野の材料力学では異なる表し方で示されている場合もあります。しかしながら、解明する対象物や事象は不変であり、その挙動の表現方法が異なるにすぎません。ここでは、それらの基本事項について説明していきます。

2･1 ルールおよび前提条件

構造力学を学習する際に押さえておくべきルールおよび前提条件を以下に示します。まずは、これらを十分に理解しておくことが大切です。

2･1･1 座標の設定

この教科書で用いる座標は、図2･1(a) に示すx、y、zの3次元空間を想定しています。はりの場合であれば、部材軸方向を正とするx軸、x軸に直交し鉛直下向き方向を正とするy軸を考えます。そのx軸、y軸に対して、図2･2に示す「**右手系のルール**」にしたがってz軸を設定します。通常のはりの平面表記は、図2･1(b) のように側面図としてx–y平面を表します。また、はりの断面形状を表記する場合には、図2･1(c) のように$+x$側の視点から$-x$方向を見た状態を断面図として示します。図2･1(b) の図中にある⊗印は、手前から奥に向かうz軸を示しています。同様に、図2･1(c) の図中にある⊙印は奥から手前に向かうy軸を示しています。図2･2に示す「右手系のルール」を頭にたたき込みましょう。

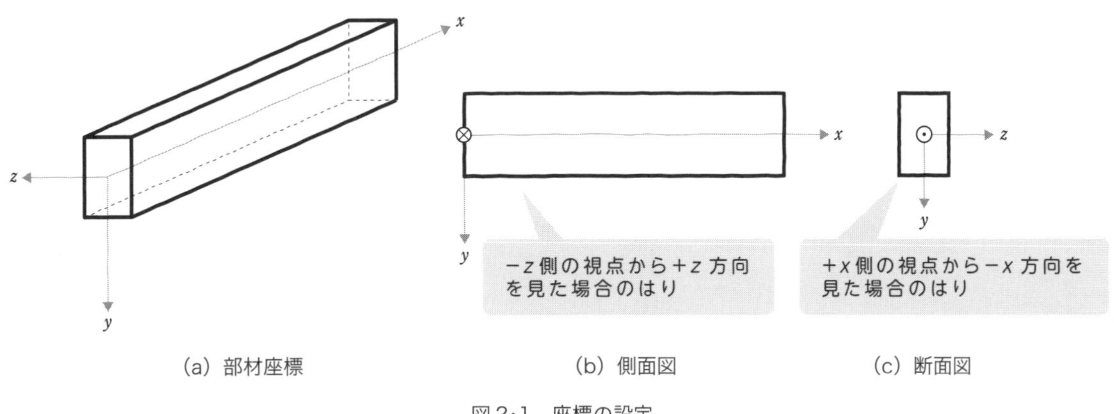

(a) 部材座標　(b) 側面図　(c) 断面図

図2･1　座標の設定

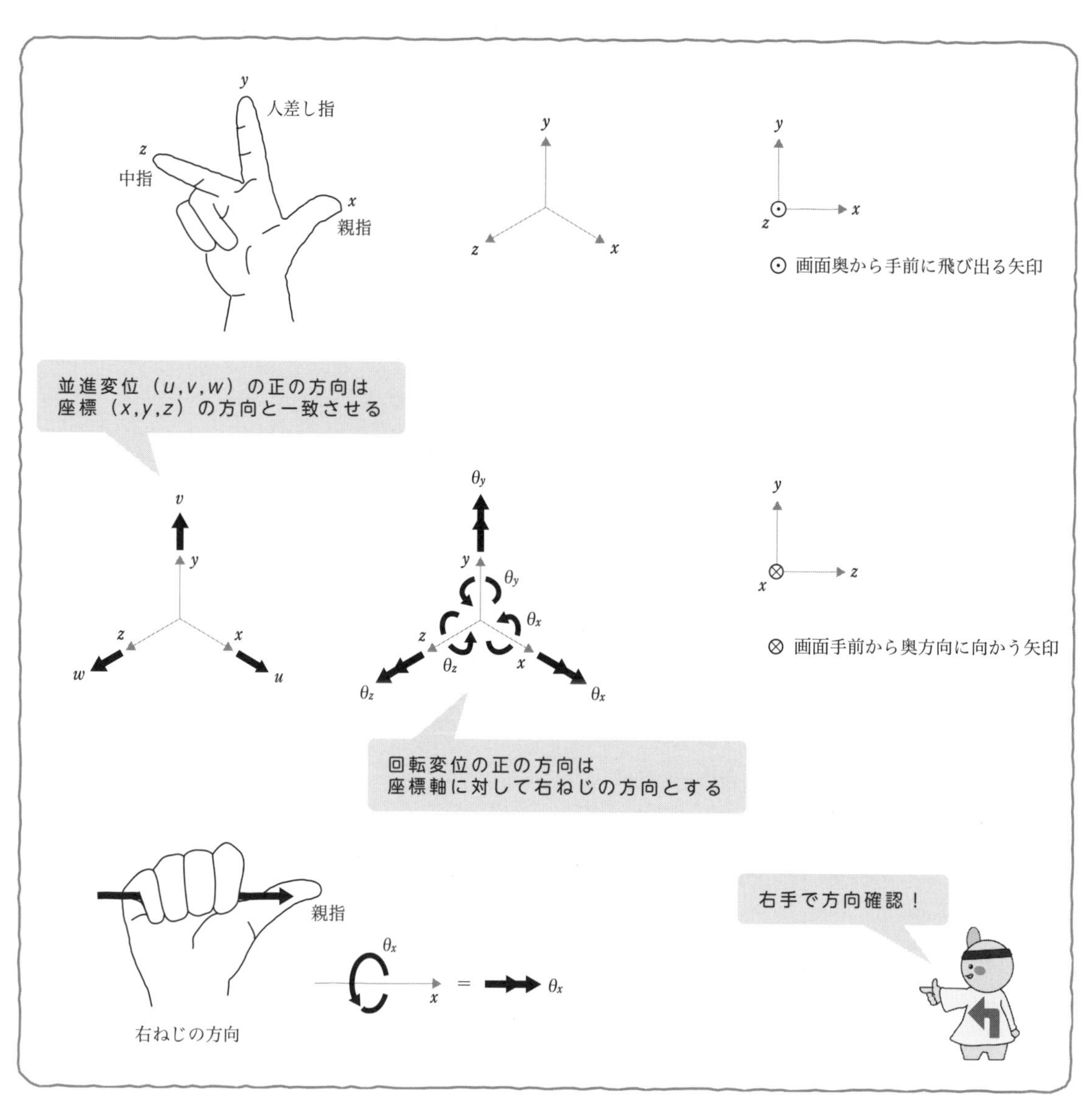

図2·2　右手系のルール

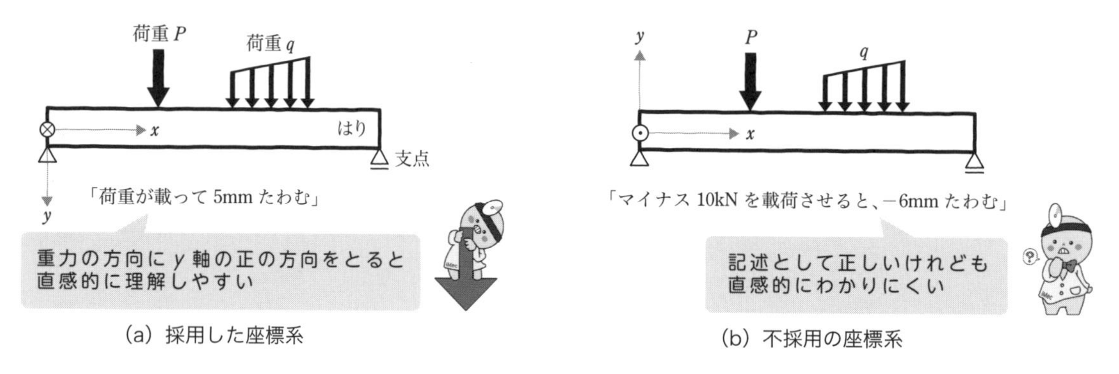

図2·3　y 軸の向きの設定

図2･1(b) ではy軸を鉛直下向きに設定していますが、これは重力が作用する下方向のたわみがプラスになるように定めたためで、荷重の方向とたわむ方向を同じプラスとすることで直感的に理解しやすくしています（図2･3）。

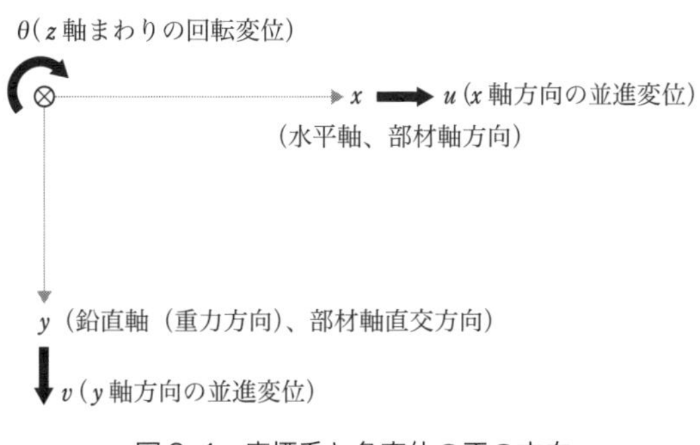

図2･4　座標系と各変位の正の方向

通常のはりを解く場合には、図2･4に示す座標系のもと、**並進変位**（位置をずらすこと）および**回転変位**（回転すること）の正の方向を図のように設定することにします。この場合、合計3つの変位を考えることになりますが、これを「自由度が3である」といいます（自由度については2･2節で解説）。

2･1･2　はりのモデル化

実際のはりや柱はI形やH形、箱形の断面をしていますが、断面の寸法に比べて部材の長さが比較的長い場合が多いため、構造力学では1次元の棒モデルとして取り扱います（図2･5）。棒モデルには、長さL、そして**ヤング係数**Eと**断面２次モーメント**Iの積である**曲げ剛性**EIが具体的な形状や寸法の代わりに部材の属性として与えられます（ヤング係数E、断面2次モーメントI、曲げ剛性EIについては4章で解説）。

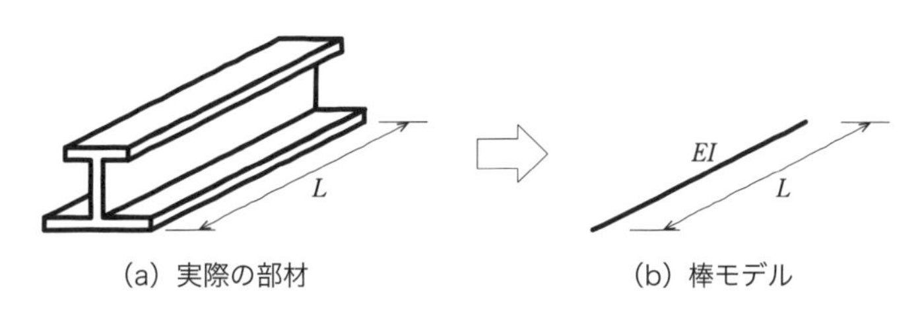

図2･5　１次元棒モデル

まだ耳慣れない言葉も出てくるかもしれませんが、モデル化には以下のようなルールがあります。

①棒モデルは、はりの断面の重心を貫通するように設定する。

②はりの変形は微小であり、変形前の状態で力のつり合いを考えることが可能である。

→変形前と変形後の力のつり合いを考えたとき、その差は極めて小さい（図2･6）。

③**ベルヌーイ・オイラーはり**とする。ベルヌーイ・オイラーはりとは、3次元のはりを1次元の棒部材に置換する際に、**平面保持**と**法線保持**の仮定が成立するはりのことである（図2･7）。

→変形前の部材軸に垂直な平面は、変形後においてもその軸線に対して垂直であり、かつ平面を保つ。

→**せん断変形**を無視することになる。せん断変形を考える場合は**ティモシェンコはり**という。

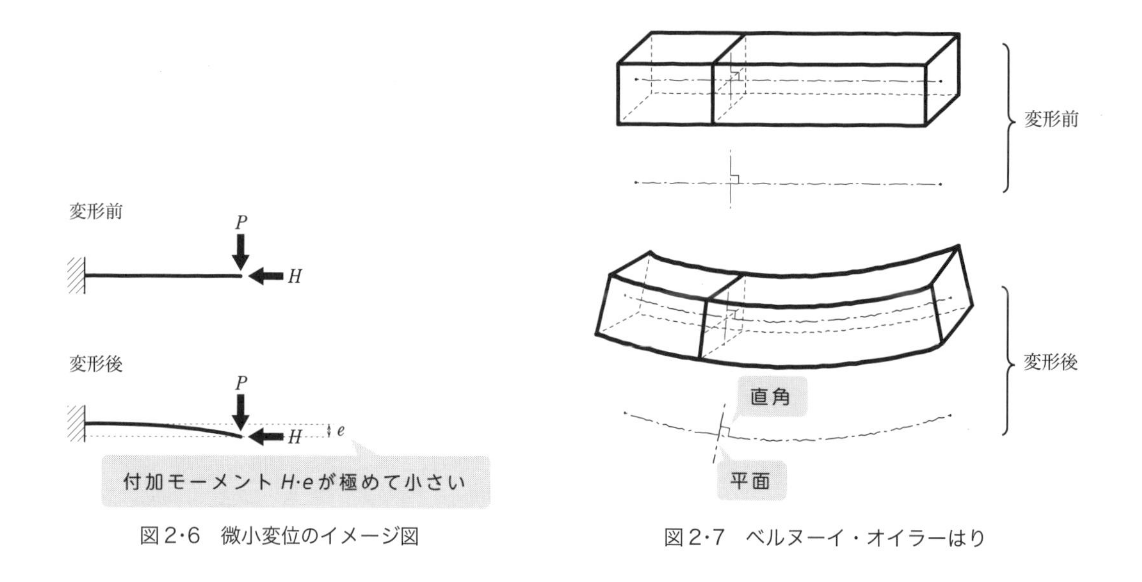

図2･6　微小変位のイメージ図

図2･7　ベルヌーイ・オイラーはり

構造力学を学ぶ際には、折に触れてこれらのルールや前提条件が必要になりますので覚えておいてください。

2･2　力のつり合い

構造力学とは力のつり合いを理解するための教科といっても過言ではありません。ここでは、図2･4に示したx–y平面における力のつり合いを考えてみましょう。

図2･8(a)に示すような水槽に浮かべた発泡スチロールの板を思い浮かべてください。何もしなければ発泡スチロールの板は水面に静止したままですが、1本の棒で突っつくと発泡スチロールの板は動きます。おそらく、図2･8(b)に示すように回転しながら位置がずれるように動くことになるでしょう。このような運動の状態を表すのに必要な変数の最小個数を「**自由度**」といいます。この水面上の発泡スチロール板の例では、縦方向と横方向の2つの並進変位と回転変位を合わせて、自由度は3になります。また、発泡スチロール板のことを「**自由物体**」と呼びます。自由に動きうる物体ということです。

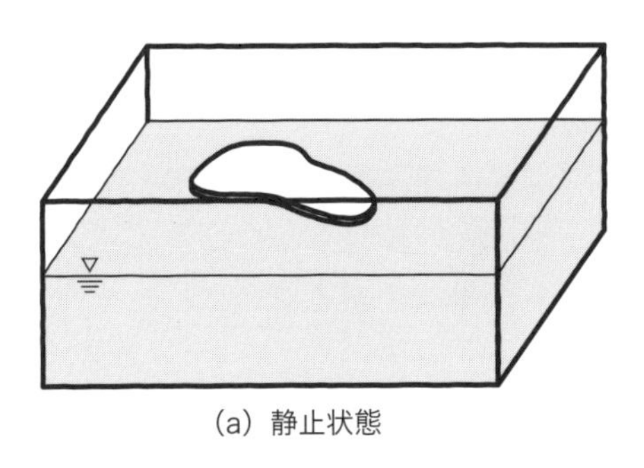

(a) 静止状態

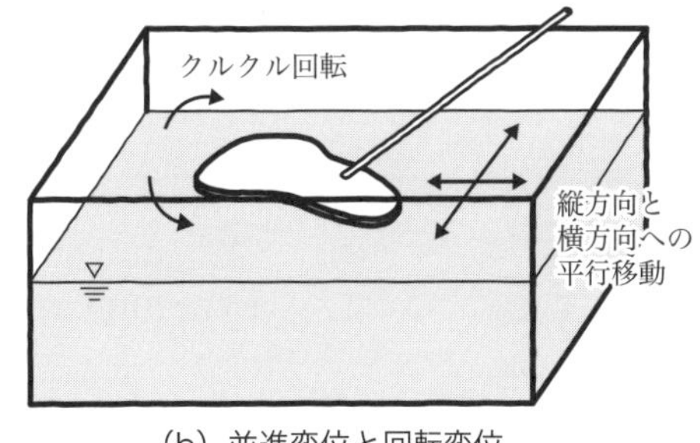

(b) 並進変位と回転変位

図2・8　平面上の自由度

次に、図2・9(a)のように複数の棒で発泡スチロール板を突っつく場合を考えてみましょう。発泡スチロール板を静止させるためには、最低3本の棒が必要になりますが、その数は平面における自由度の数と一致しています。3本以上の棒で突きながら静止させることができた状態を「**つり合い状態（安定）**」にあるといい、逆に静止しない状態を「**不安定**」といいます。

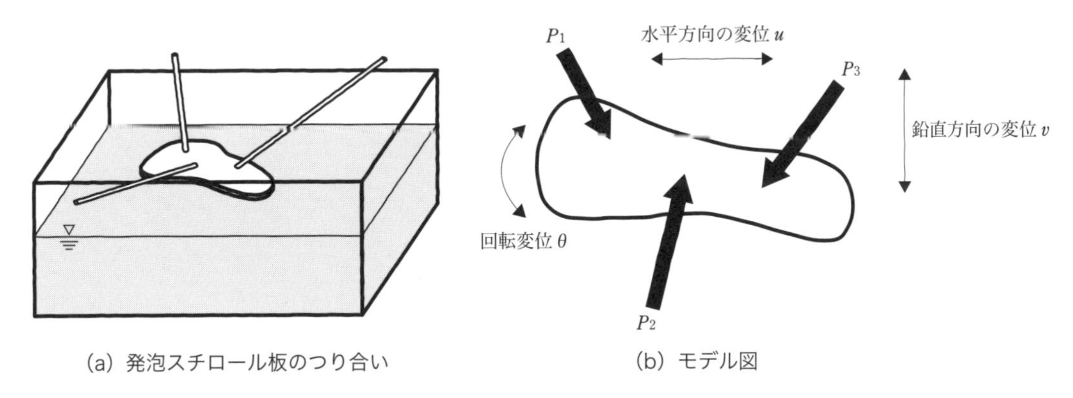

(a) 発泡スチロール板のつり合い　　(b) モデル図

図2・9　つり合い状態

ここからは水面を真上から見ることにします。つり合い状態にある自由物体のモデル図が図2・9(b)です。つり合い状態になるためには、式2・1～2・3に示す3つの**力のつり合い条件式**を満足する必要があります。

$\Sigma H=0$（水平方向の力の合計がゼロ）　式2・1

$\Sigma V=0$（鉛直方向の力の合計がゼロ）　式2・2

$\Sigma M=0$（回転方向の力（モーメント）の合計がゼロ）　式2・3

つり合い状態にあるとき、図2・9(b)に示すP_1～P_3の水平方向の力の成分の合計がゼロであることを示しているのが式2・1です。この条件を満たすことで、水平方向の並進変位uは発生しません。同様に、鉛直方向vのつり合い条件は式2・2で表されます。また、回転変位θが発生しないという条件は式2・3で表され、任意点に対するP_1～P_3によるモーメントの合計がゼロであることを示しています。

ここで登場した「**モーメント**」とは物体を回転させる能力を表す物理量のことで、「力」と「モーメントアーム長」という距離とをかけ合わせることで求められ、単位はN・mmやkN・mになります。モーメントアーム長は、図2・10(a)に示すように力の作用線とモーメントを求めたい任意点との最短距離をとります。図2・10(b)のように、同じ1つの力であっても、モーメントを求める点をA点にするのかB点にするのかによってモーメントアーム長が異なるため、モーメントの値は異なってきます。また、図2・10(c)のように任意点が力の作用線を通る場合には、モーメントアーム長がゼロになるため、モーメントもゼロとなります。

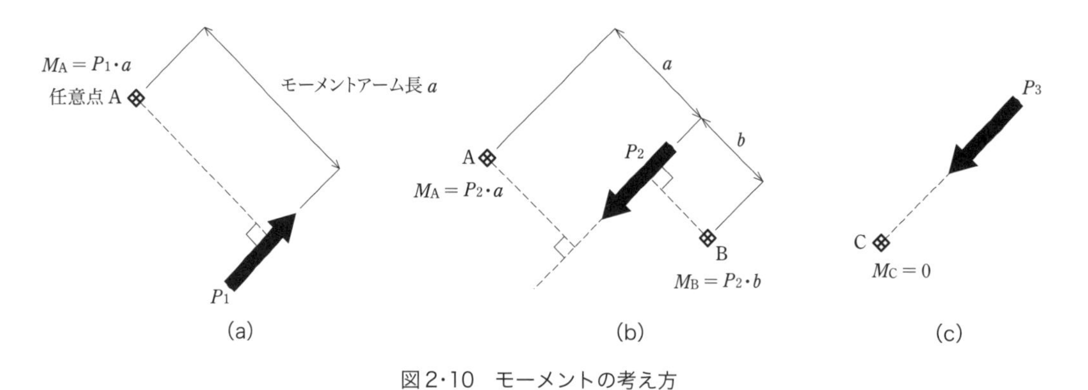

図2・10　モーメントの考え方

基本問題①　図2・11に示す自由物体が静止していることを確認しましょう。

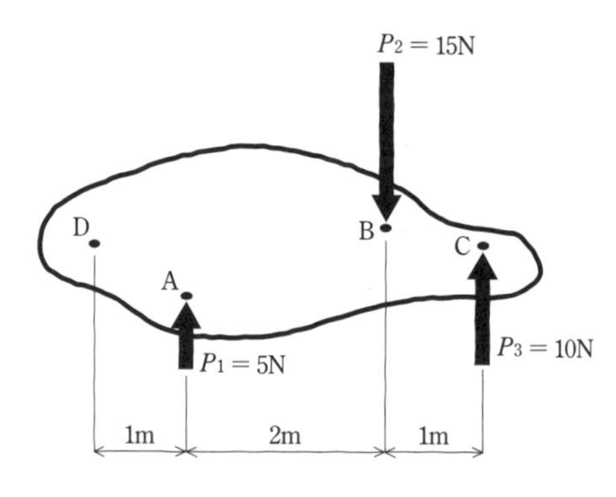

図2・11　静止している自由物体

解答例

①水平方向の力の成分はゼロなので、

$\rightarrow \Sigma H = 0$

②鉛直方向の力の成分は下向きの力を正とすると、

$\downarrow \Sigma V = -5N + 15N - 10N = 0$

このように、力や並進変位の方向については、そのつど正の方向を定義して、式の先頭に矢印で明記することで計算の間違いを減らすことができます。

③モーメントについては、D点まわりの右まわりのモーメントを正として考えると、

$\curvearrowright \Sigma M_{\mathrm{at\,D点}} = -5N \times 1m + 15N \times 3m - 10N \times 4m = 0$

となります。

以上より、この自由物体は3つのつり合い条件式を満足しており、静止していることが確認できました。

ちなみに、A点、B点、C点まわりのモーメントについても考えてみると、

$$\curvearrowleft \Sigma M_{\text{at A点}} = -5\text{N}\times 0\text{m} + 15\text{N}\times 2\text{m} - 10\text{N}\times 3\text{m} = 0$$

$$\curvearrowleft \Sigma M_{\text{at B点}} = +5\text{N}\times 2\text{m} + 15\text{N}\times 0\text{m} - 10\text{N}\times 1\text{m} = 0$$

（P_1によるモーメントの符号がプラスに変わった）

$$\curvearrowleft \Sigma M_{\text{at C点}} = +5\text{N}\times 3\text{m} - 15\text{N}\times 1\text{m} - 10\text{N}\times 0\text{m} = 0$$

（P_2によるモーメントの符号がマイナスに変わった）

となり、物体が静止している場合には任意点まわりのモーメントの合計はゼロになることが確認できます。

2章 構造力学の基本事項

2･3　静定構造と不静定構造

本書では「**静定構造物**」を主な対象としています。静定構造物とは力のつり合い条件式を用いてすべての反力を求めることができる構造物であり、3つのつり合い条件式に対して3つの反力がある構造物を指します。それに対して、不静定構造物はつり合い条件式だけでは反力を求めることができません。

図2･12に静定構造と不静定構造の例を示します。つり合い条件式については次節で説明していますが、大切ですので完璧に理解するようにしてください。

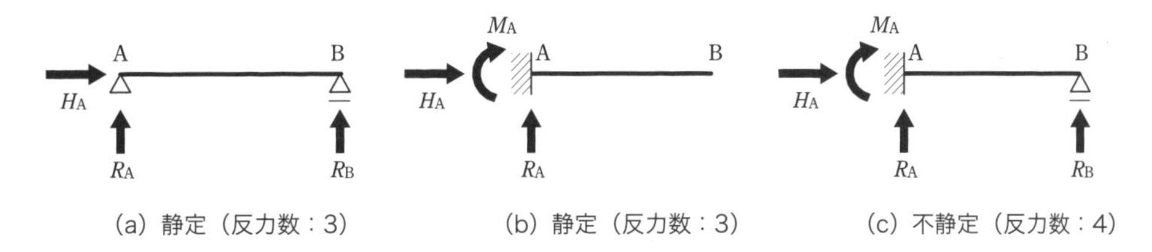

図2･12　静定構造と不静定構造

2･4　荷重・反力・断面力

図2･13(a)に示すような、トラックが上に載ったはりの例を考えてみましょう。トラックのタイヤの位置に作用する荷重を「**集中荷重**」といい、記号としては大文字のPなどで表示し、単位にはNやkNを使います。また、自重や図2･13(b)に示す雪荷重のように、はりの長さ方向に分布している荷重を「**分布荷重**」といい、小文字のqやpで表示し、単位長さあたりの荷重としてN/mなどの単位を用います。

ここで図2･13を見ると、実際にはトラックも雪も奥行方向への広がり（幅）があるはずです。

しかし、構造力学では、はりの奥行方向をぎゅっと圧縮して長さ方向だけを考えます。例えば、図2・13(b)のはりの幅が6.0mで雪が高さ方向に1.2m積もっている場合、雪の平均単位重量を$3.5kN/m^3$とすると、図中にある分布荷重qの値は、

$$q=3.5kN/m^3\times1.2m\times6.0m=25.2kN/m=25{,}200N/m$$

となります。このように求めた分布荷重をはりの長さ方向に載荷した図が図2・13(b)ということになります。

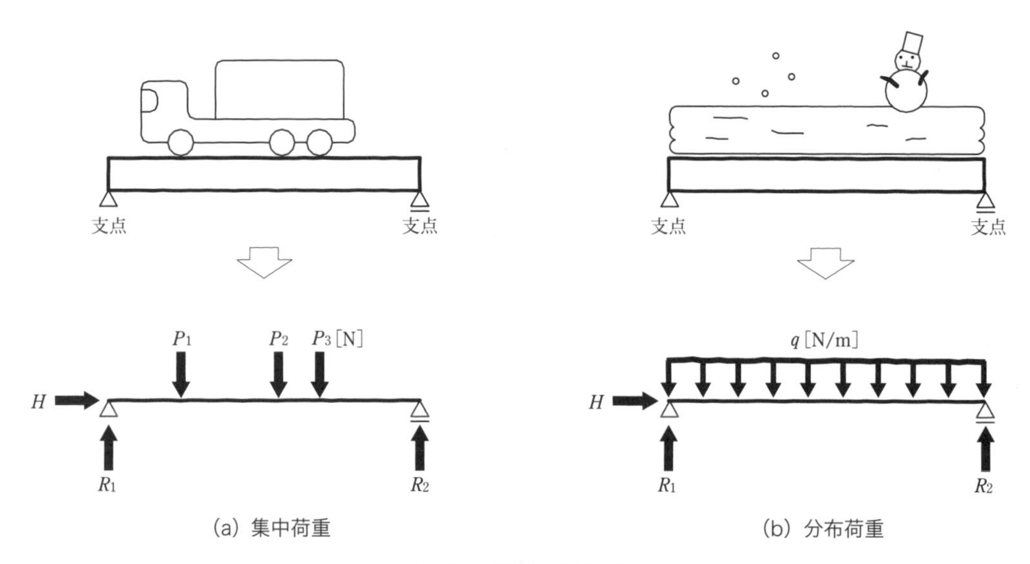

図2・13　荷重のモデル化

これらの荷重は、はりに作用して、はりの支点を通って地面すなわち地球に伝わっていきます。この図の場合では、両端の支点から下向きの力として地球に伝えられることになります。

この下向きの力に対してはりが静止するためには、地球が上向きの力ではりを支える必要があります。このように、はりを自由物体と考え、はりが静止するために支点に発生する力のことを「**反力**」と呼びます。鉛直方向の反力は大文字のR、水平反力は大文字のHで表され、その大きさはつり合い条件式から求めることができます。

また、荷重と反力は自由物体であるはりの“外”から作用する力であり、この2つを合わせて「**外力**」と呼びます。外力には、並進方向の力（「**横力**」という）のほかに、モーメント荷重やモーメント反力があり、大文字のMで表します。

次に、これらの荷重や反力すなわち外力が作用しているはりの内部に発生する力について見ていきましょう。そのようなはりの“内”に発生する力は、外力に対して「**内力**」と呼びます。

鋼橋やコンクリート橋にトラックが載ると、わずかではありますが橋は変形します。そして、トラックが通り過ぎると、また元の形に戻ります。このように外力が働くと変形し、外力を取り除くと元の形に戻る性質をもつものを「**弾性体**」と呼びます。この弾性体に外力が作用すると、その内部には内力が発生します。内力は力の向きに応じて「**軸力**」「**せん断力**」「**曲げモーメント**」の3つに分けられ、これら3つを一般に「**断面力**」と呼びます。その概念と正方向の定義を

図2･14に示します（詳しくは3章で解説）。

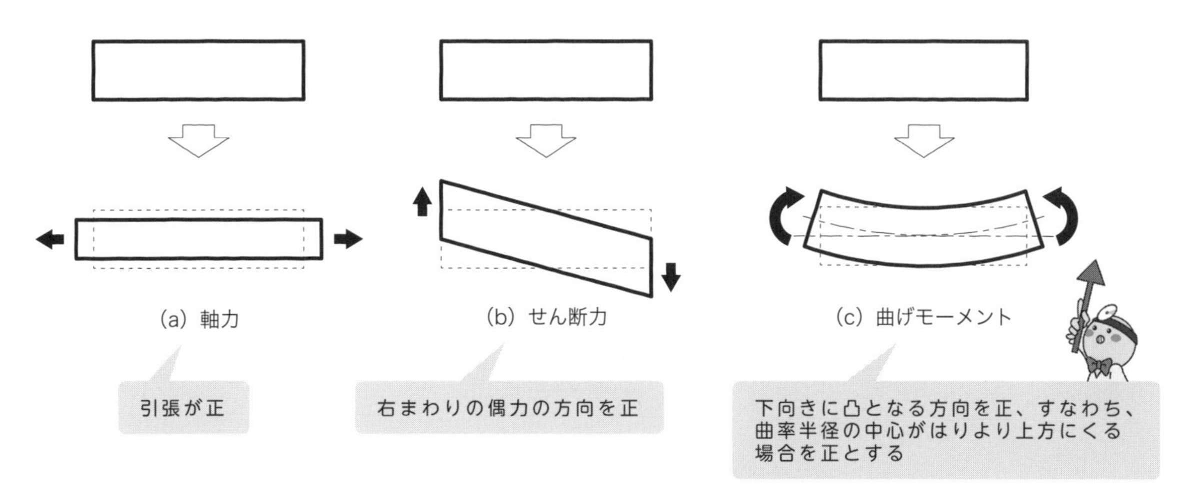

図2･14　3つの断面力（内力）と正方向の定義

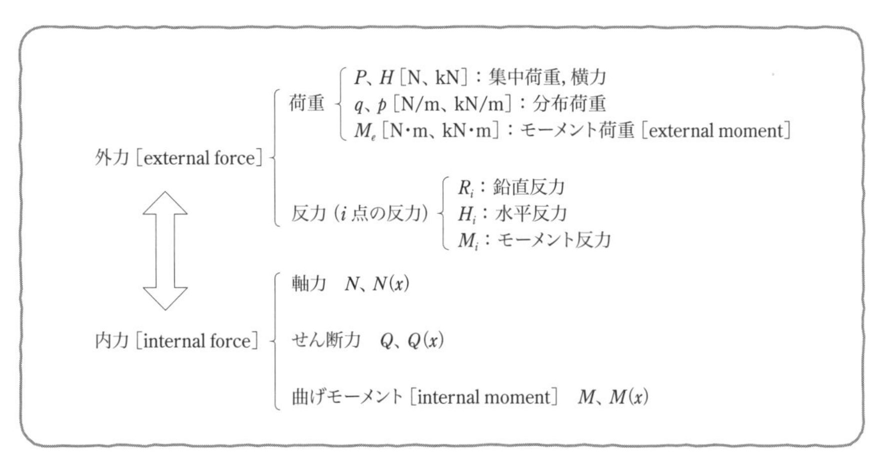

図2･15　本書で用いる外力および内力に関する記号

ここで、本書で用いる記号について整理すると、図2･15のようになります。

これらの記号のうち、モーメントについては、荷重・反力・内力（断面力）のいずれにおいても同じ大文字のMを使用しています。これが構造力学を学習する上でつまずくポイントの1つであり、同じMであっても、添字や前後の文脈、図などから、荷重なのか、反力なのか、内力なのかを識別することが必要になりますので、気をつけてください。これに加えて、つり合い条件式においてもHやMが使われていますので、混乱しないようにしましょう。

図2･16を例に解説すると、外力のM_eは右まわりの任意の大きさを持つモーメント荷重です。ですから、図2･17に示すようにM_eは右まわりの＋48kN･mかもしれませんし、右まわりの－36N･mかもしれませんが、一定の大きさのモーメントを示しています。固定支点であるA点に発生する右まわりのモーメント反力M_Aも外力ですが、つり合い条件より$M_A = -M_e$となります（固定支点については次節で解説）。

荷重や反力のモーメントは、右まわりを正の方向とすることが多いのですが、図や文中で左まわりを正と定義することも可能です。しかし、内力については曲げモーメントの正の方向の定義を厳密に守ります。図2･16の場合、内力である曲げモーメント図はマイナスで、その大きさはM_eとなります（曲げモーメント図については3章で解説）。同じ問題でM_eを＋48kN･mと−36N･mにした場合の例を図2･17に示します。プラス・マイナスが入り乱れていますが、3章を勉強するうちに解読できるようになります。

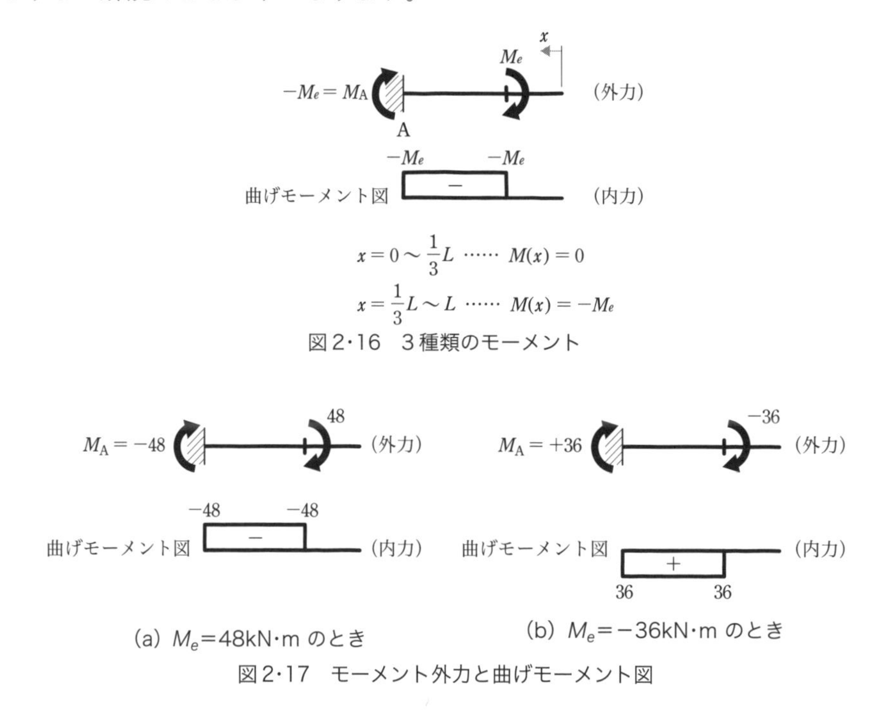

図2･16　3種類のモーメント

(a) M_e=48kN･m のとき
(b) M_e=−36kN･m のとき

図2･17　モーメント外力と曲げモーメント図

2･5　境界条件

構造物を支える支点には、拘束する変位の成分によって「**ピンローラー支点**」「**ピン支点**」「**固定支点**」の3種類があります。また、はりの中間に**ヒンジ**（蝶番のように回転変位を拘束しない連結方法。2･5･3項で解説）を挿入すると、その位置で曲げモーメントの伝達が行われず、ヒンジをはさんだ両側の回転変位はそれぞれ独立します。

このような境界条件は、変位の拘束や反力の有無に関わるため、構造を解析（反力、断面力、変形を求めること）する際に、まず最初に確認すべき要件です。また、構造解析モデルの支点の設定と実際の構造物の挙動が一致していることを確認しておくことも重要です。

2･5･1　支点

(1) ピンローラー支点

ピンローラー支点の特徴を表2･1に示します。この支点は、水平力とモーメントには抵抗せずに鉛直反力だけを伝える性能を有しています（鉛直変位を拘束）。

表2･1　ピンローラー支点の特徴

	モデル図	A点の反力	A点のはりの内力
端支点	A 端支点	鉛直変位のみ拘束 （水平変位と回転変位は自由） ↓ 鉛直反力のみ発生 （水平反力、モーメント反力はゼロ） ↓ 地面には 鉛直力のみ 伝達される	はりがA点で終わるため、内力はすべて反力として地盤に伝えられる。ここで、水平反力とモーメント反力はゼロなので、内力である軸力と曲げモーメントもゼロになる。そのため地盤に伝えられる反力は鉛直反力のみとなる。
中間支点	A 中間支点		はりはA点を通り抜けているため、内力も伝達される。せん断力は鉛直反力として地面に抜けていくため、A点でギャップが生じる。軸力と曲げモーメントは水平反力とモーメント反力がゼロであるため、地面に抜けることなく、部材内に伝達される。

(2) ピン支点

ピン支点の特徴を表2･2に示します。この支点は、モーメントには抵抗せずに鉛直反力と水平反力を伝える性能を有しています（鉛直変位と水平変位を拘束）。

表2･2　ピン支点の特徴

	モデル図	A点の反力	A点のはりの内力
端支点	A 端支点	鉛直変位と水平変位を拘束 （回転変位は自由） ↓ 鉛直反力と水平反力が発生 （モーメント反力はゼロ） ↓ 地面には 鉛直力と水平力が 伝達される	はりがA点で終わるため、内力はすべて反力として地盤に伝えられる。ここで、モーメント反力はゼロなので内力である曲げモーメントもゼロである。せん断力と軸力は鉛直反力と水平反力として伝達される。
中間支点	A 中間支点		はりはA点を通り抜けているため、内力も伝達される。せん断力と軸力は鉛直反力と水平反力として地面に抜けていくため、A点でギャップが生じる。曲げモーメントはモーメント反力がゼロであるため、地面に抜けることなく、部材内に伝達される。

ピンローラー支点とピン支点の例を図2･18に示します。A点（端支点）がピン支点、B点（中間支点）がピンローラー支点であり、反力や内力の様子の違いを表2･1、表2･2を参照しながら確認してください。

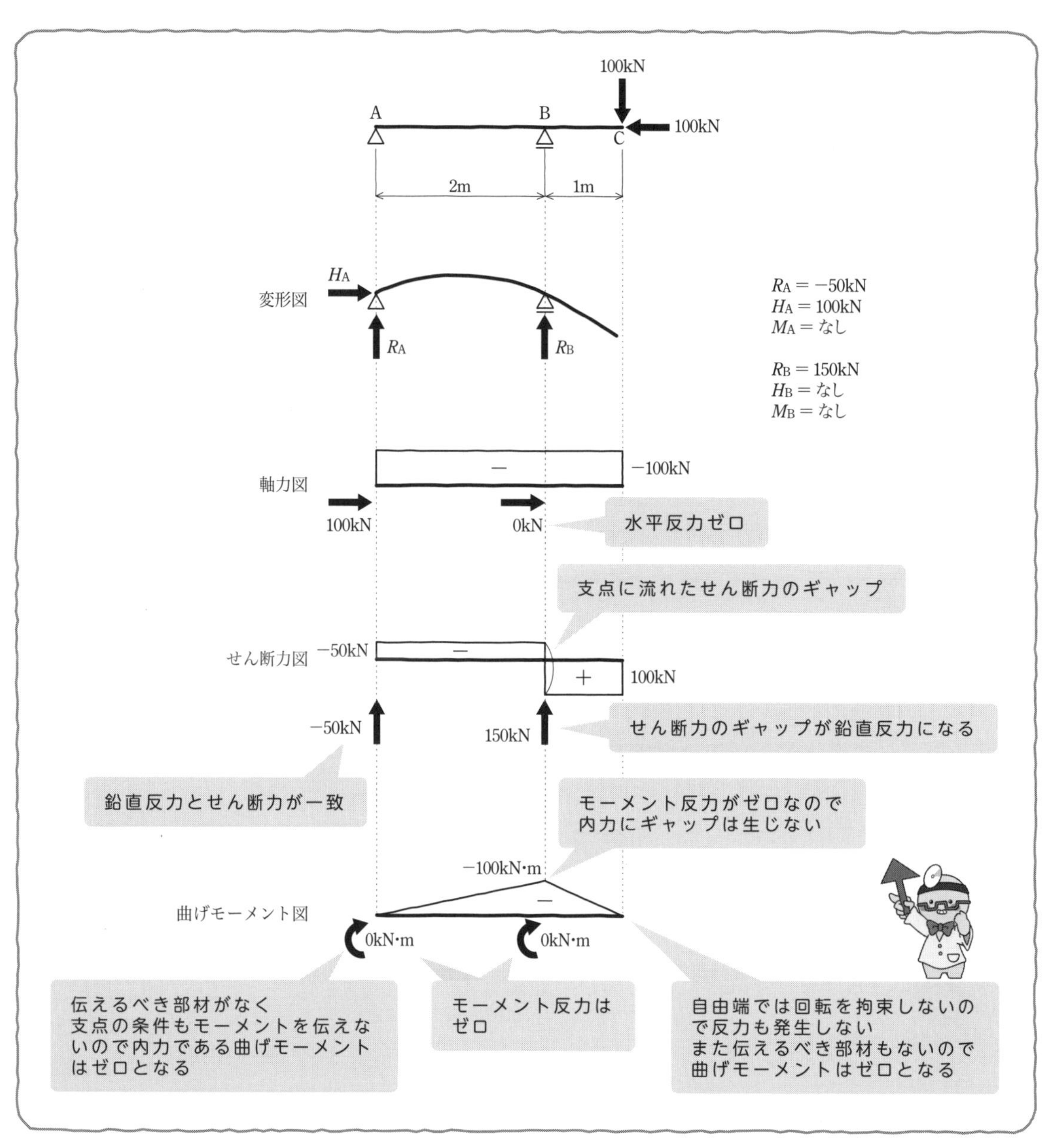

図2·18　ピンローラー支点とピン支点の例

(3) 固定支点

固定支点の特徴を表2･3に示します。この支点はすべての変位を拘束するため、鉛直反力、水平反力、モーメント反力を伝える性能を有しています。なお、固定支点は「**固定端**」とも呼ばれます。

表2･3　固定支点の特徴

	モデル図	A点の反力	A点のはりの内力
端支点	A	鉛直変位、水平変位、回転変位を拘束 ↓ 鉛直反力、水平反力、モーメント反力が発生 ↓ 地面にはすべての反力が伝達される	はりがA端で終わるため、内力はすべて反力として地盤に伝えられる。そのため、軸力、せん断力、曲げモーメントの内力はすべて発生する。

固定支点の例を図2･19に示します。固定支点であるA点における反力と内力の様子を、表2･3を参照しながら確認してください。

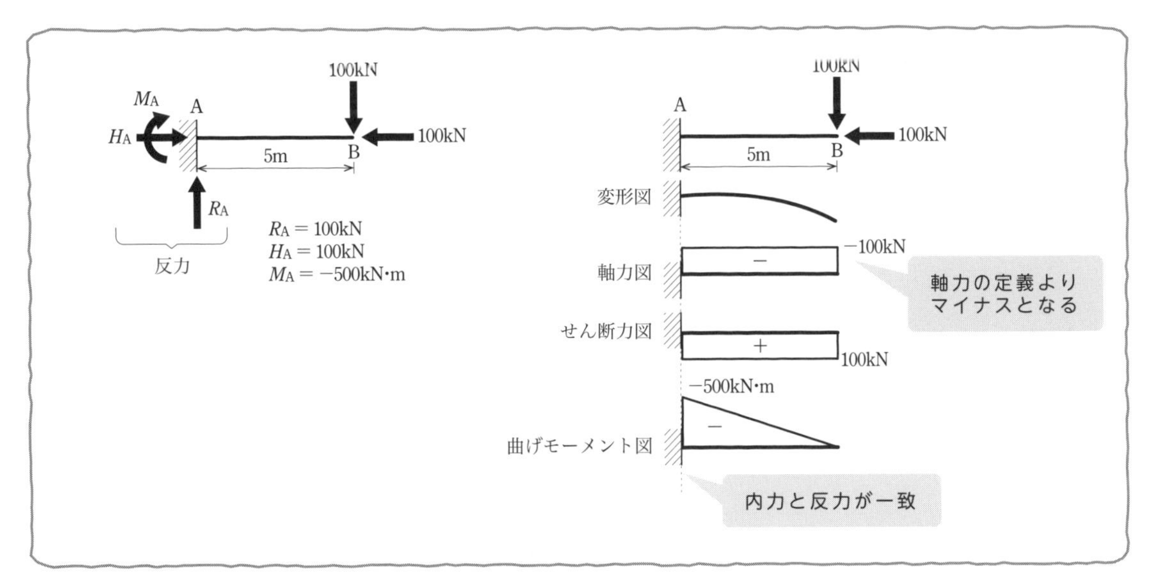

図2･19　固定支点の例

2･5･2　自由端

変位や回転を拘束しない端部を「**自由端**」といいます。自由端は支点ではありませんが、表2･4に示す性質があります。図2･18のC点、図2･19のB点も同じく自由端です。自由端では変位を拘束しないので、内力は基本的には発生しませんが、自由端に直接鉛直荷重が作用した場合にはせん断力のみが、また自由端に軸力が作用した場合には軸力のみが発生します。モーメント荷重の場合も同様です。

表2·4　自由端（載荷図のＢ点）の性質

載荷図	荷重	発生する変位	内力	断面力図
P A B	鉛直荷重	鉛直変位 回転変位	せん断力 曲げモーメント	せん断力図 ＋ P 曲げモーメント図 − 0
A B H	水平荷重	水平変位	軸力	軸力図 − $-H$
A B M_e	モーメント荷重	鉛直変位 回転変位	せん断力 曲げモーメント	せん断力図 0 曲げモーメント図 − $-M_e$

2·5·3　部材の連結方法

通常、部材同士は剛に結合されていると考えますが、表2·5に示すように拘束の一部を自由にする連結方法があります。最も一般的なヒンジ結合は、回転変位の拘束を外して回転を自由にすることで、このヒンジの位置で曲げモーメントがゼロになります。この性質を使って合理的な構造物を設計することがあります。

表2·5　部材の連結方法と特徴

モデル図	変位の拘束			内力の伝達		
	鉛直変位	水平変位	回転変位	せん断力	軸力	曲げモーメント
剛結	拘束	拘束	拘束	伝達	伝達	伝達
ヒンジ	拘束	拘束	自由	伝達	伝達	ゼロ
スライダー	拘束	自由	拘束	伝達	ゼロ	伝達
せん断リンク とも描く	自由	拘束	拘束	ゼロ	伝達	伝達

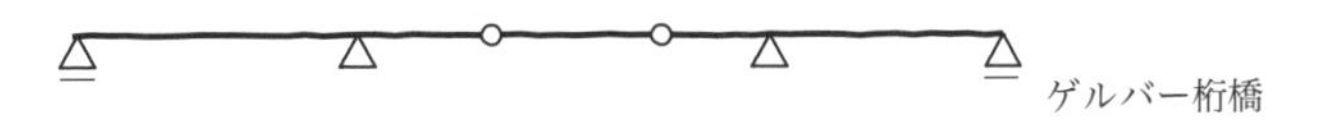

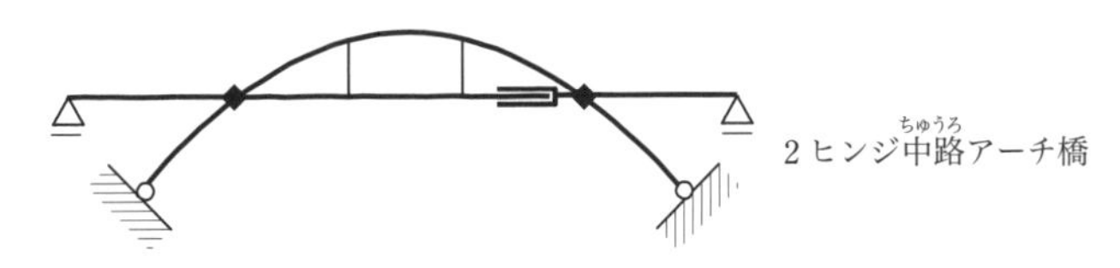

図2･20　ヒンジやスライダーを適用した例

ヒンジやスライダーが用いられた事例としては、図2･20に示すゲルバー桁橋や中路（ちゅうろ）アーチ橋が挙げられます。

2･6　力の表記方法

ここで、荷重と反力すなわち外力（横力とモーメント）の表記方法について整理しておきます。図2･21(a)に示すように下向きに荷重を載荷した場合を考えてみましょう。P=10kNの場合、下向きの10kNに対して上向きに5kNの反力がR_AとR_Bに発生します。一方、図2･21(b)のように荷重の値がマイナスになった場合を考えると、P=−10kNとなるので、下向きに−10kNということなので、上向きに10kNの力が作用していることになります。そのため、反力も−5kNになります。図2･21では、(a)(b)ともに左側が正規の表記によるものであるのに対して、右側は実際に作用している方向を表しています。

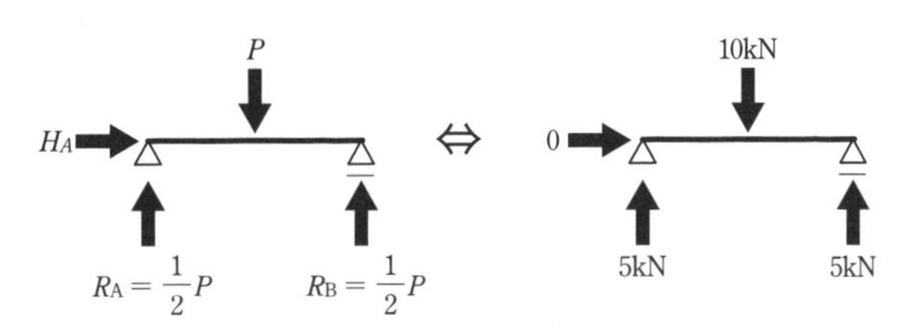

(a) P=10kNの場合

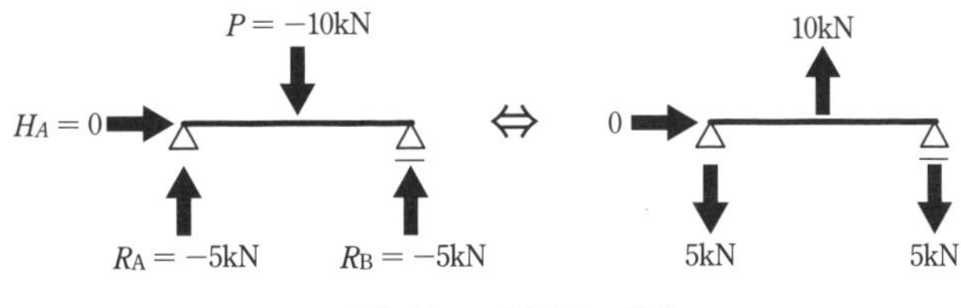

(b) P=−10kNの場合

図2･21　横力の表記方法

同様に、右まわりを正とするモーメント荷重について考えてみましょう。図2･22(a)においてM_e=100kN･m、L=5mの場合であれば、R_Aには－20kN、R_Bには20kNの反力が発生します。一方、図2･22(b)のように荷重の値がマイナスになった場合を考えると、M_e=－100kN･mとなるので、右まわりに－100kNのモーメントが作用していることになり、R_Aには20kN、R_Bには－20kNの反力が発生します。図2･22の(a)(b)も図2･21と同様に左側が正規の表記によるもので、右側は実際に作用している力の方向を表しています。

構造力学が苦手になっていく大きな原因として、力のプラス・マイナスをしっかりと把握していないことが挙げられます。まずは、注意深く力の方向を考えるようにしましょう。

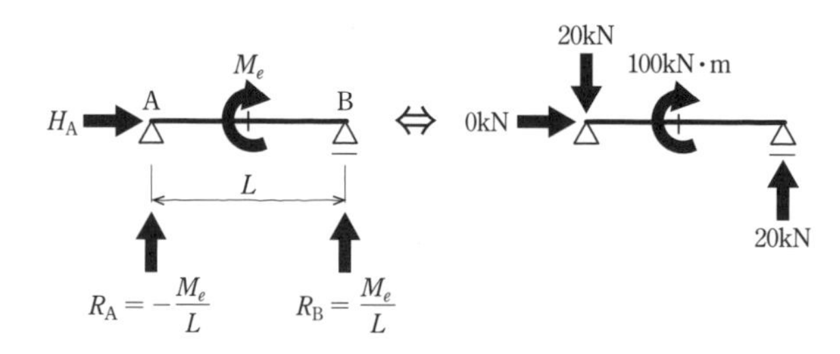

(a) M_e=100kN･m、L=5mの場合

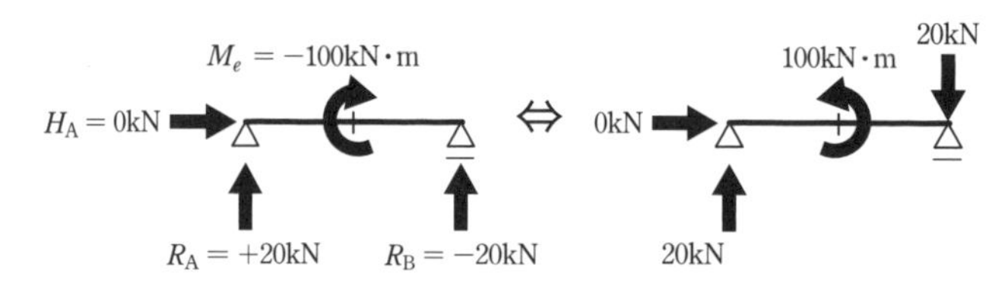

(b) M_e=－100kN･m、L=5mの場合

図2･22　モーメントの表記方法

3章

静定構造物の反力・断面力

構造解析または構造物を解くということは、荷重の作用を受けた構造物に発生する反力や断面力、応力（4章にて解説）、変形を数値的に求めるということです。本章では、反力と断面力の考え方や計算の方法、断面力図の描き方について説明します。

構造力学の研究者であった鷹部屋福平（たかべやふくへい）（1893～1975年）は、構造力学について次のように述べています。

「構造力学は、構造物を構成している材料の弾性、強さ、変形等を研究し、構造物に加わる外力の種類、大きさに応じて構造部材の内部に誘導される内力の種類及び大きさを決定する。そしてこれによって構造物を製作する際に、その構造材料の配置に無駄がなく、各部材が適当な強さと安定さと適当な剛さを備えているように合理的なかつ最も経済的な設計を考える学問である。」（『構造力学 第2（材料強弱篇）』彰国社、1953年）

ここで、外力とは荷重や反力のことであり、内力とは部材の内部に発生している断面力のことをいいます。この内力を求めることが構造物の設計につながっていくわけです。

また、本章で対象とする静定構造物については、土木学会では次のように定義しています。

「静定構造とは、静定条件すなわち力のつり合い条件のみにより解析できる構造。支点反力が静定条件のみから決定できる構造を外的静定構造、逆に決定できない構造を外的不静定構造という。また、部材力が静定条件のみから決定できる構造を内的静定構造、決定できない構造を内的不静定構造という。」（土木学会編『土木用語大辞典』技報堂出版、1999年）

本章では外的にも内的にも静定な構造物を対象としていますので、力のつり合い条件をしっかりと理解して使いこなせるようになれば、反力や断面力が求められるようになります。ですから、力のつり合い条件の理解と適用の訓練を繰り返し行うようにしてください。それが構造力学攻略の基礎となります。

本章で取り扱う静定構造物の様々なモデルを図3･1に示します。また、写真3･1～3･9に実際の橋梁の写真を掲載していますが、写真3･1～3･3が外的にも内的にも静定な構造物、写真3･4および3･5が外的には静定で内的には不静定な構造物、写真3･6および3･7が内的には静定で外的には不静定な構造物、写真3･8および3･9が内的にも外的にも不静定な構造物の事例になります。このように、実際の構造物には、静定構造物ばかりでなく、不静定構造物も多数あります。これらの不静定構造物の解析にも力のつり合い条件の理解が必要となりますので、確実に習得するようにしてください。

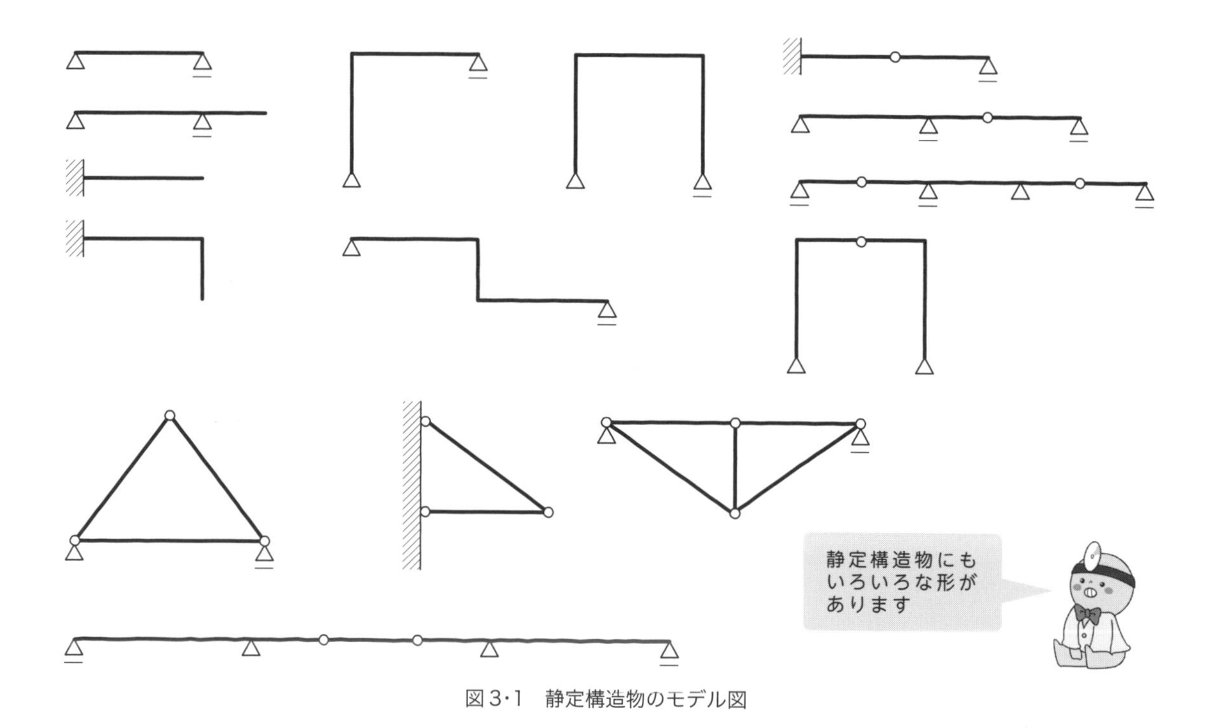

図3･1　静定構造物のモデル図

写真3･1　単純桁橋

写真3･2　ゲルバー桁橋

写真3･3　トラス桁橋

写真3･4　フィーレンデール橋

写真3･5　ニールセンローゼ橋

写真3･6　連続桁橋

写真3･7　π形ラーメン橋

写真3･8　吊橋

写真3･9　斜張橋

3･1　反力

3･1･1　力のつり合い条件

構造力学で取り扱う構造物は、外力を受けて変形しますが、構造物そのものは移動しません。物理でいうところの静止状態にあることを前提としています。前章でも解説したように、構造物が外力を受けて静止する状態であるためには3つの力のつり合い条件を満足することが必要です。その条件を式に表すと、式3･1～3･3となります。図3･2に沿って**力のつり合い条件式**の内容を具体的に見ていきましょう。

$$\Sigma H=0 \quad \text{式3·1}$$

$$\Sigma V=0 \quad \text{式3·2}$$

$$\Sigma M=0 \quad \text{式3·3}$$

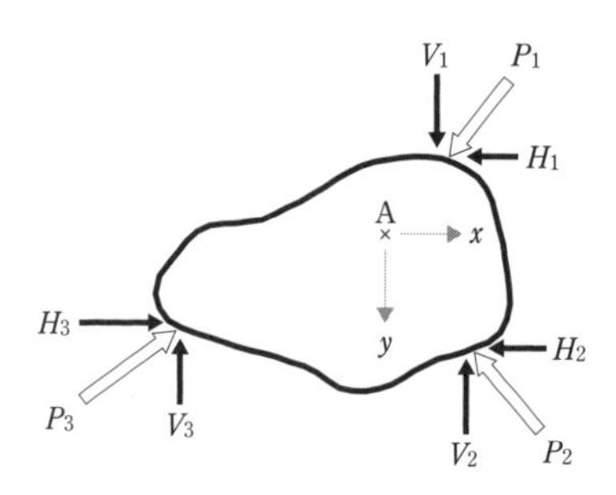

図3·2　自由物体のつり合い条件

図3·2に示す物体には、P_1～P_3の外力が作用しています。物体は自由に動きうる自由物体であり、式3·1～3·3はそれぞれ、この物体が静止している場合にはP_1～P_3の水平成分H_1～H_3の合計がゼロ、鉛直成分V_1～V_3の合計もゼロ、そして任意の点まわりのモーメントの合計もゼロであることを示しています。具体的には、水平成分では右向きの力を正とし、鉛直成分では下向きの力を正とする場合、式3·1と式3·2は、

$$\rightarrow \Sigma H=-H_1-H_2+H_3=0$$

$$\downarrow \Sigma V=+V_1-V_2-V_3=0$$

となります。また、右まわりのモーメントを正としてA点まわりのモーメントを考えると、式3·3は、

$$\curvearrowright \Sigma M_{\text{at A点}}=-H_1\times y_1+H_2\times y_2-H_3\times y_3+V_1\times x_1-V_2\times x_2+V_3\times x_3=0$$

となります。ここで、x_i、y_iはそれぞれの力に対応するA点までのモーメントアーム長（プラスの値）とします。

基本問題①　図3·3に示す物体が静止している場合のP_A、P_B、P_Cを求めましょう。

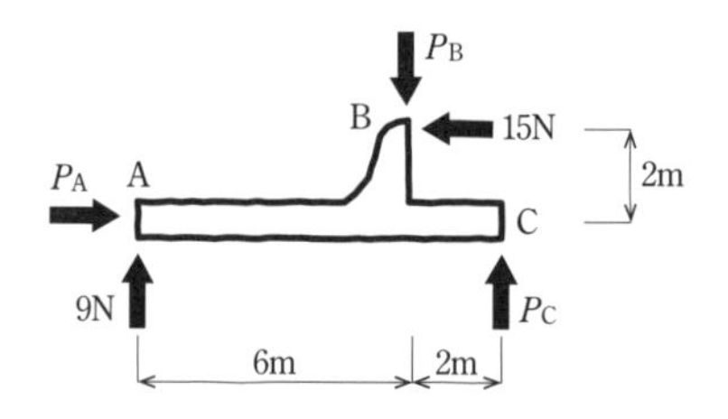

図3·3　静止する物体に作用する外力

解答例

$\rightarrow \Sigma H=0$ より、$P_A-15\mathrm{N}=0$ ………(a)

(a) より、$P_A=15\mathrm{N}$

$\downarrow \Sigma V=0$ より、$-9\mathrm{N}+P_B-P_C=0$ ………(b)

A点まわりのモーメントを考えると、

$\curvearrowright \Sigma M_{\text{at A点}}=0$ より、$P_B\times 6\mathrm{m}-15\mathrm{N}\times 2\mathrm{m}-P_C\times 8\mathrm{m}=0$ ………(c)

(b) を変形させると、$P_C=P_B-9\mathrm{N}$ ………(d)

(d) を (c) に代入して整理すると、

$P_B=21\mathrm{N}$ ………(e)

(e) を (d) に代入して、

$P_C=12\mathrm{N}$

練習問題① 一辺の長さがLの正方形の物体に図3･4(a)(b) に示す力が作用して静止している。それぞれの場合のP_A、P_B、P_Cを求めましょう。

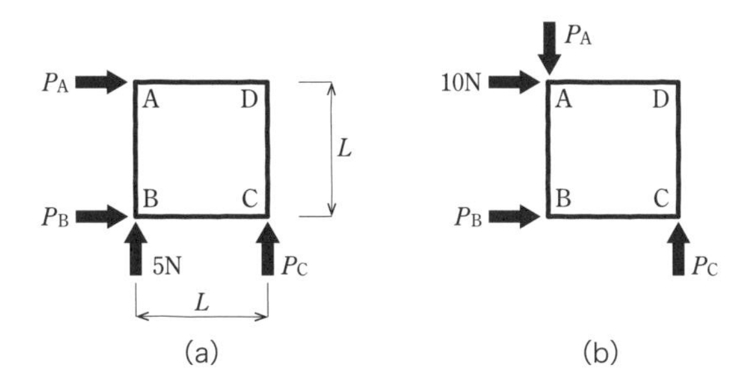

図3･4 静止する正方形物体に作用する外力

応用問題① 図3･5(a)(b) に示す物体が静止している場合のそれぞれのP_A、P_Bを求めましょう。解くにあたっては、A点まわりのモーメントを考えてみましょう。

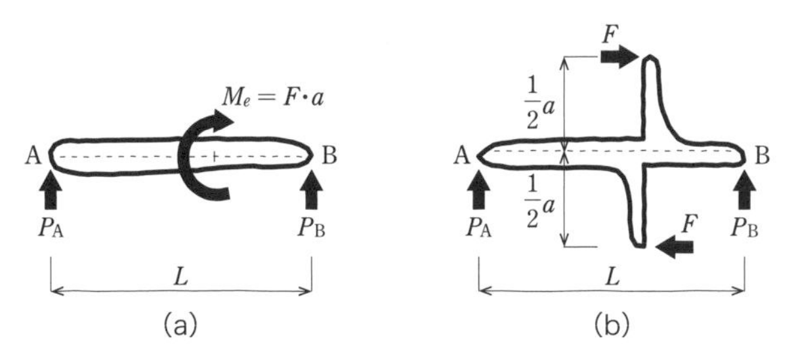

図3･5 静止する物体に作用する外力

3·1·2　反力の計算

静定構造物に荷重が作用すると、つり合い条件を満足する反力が発生します。その反力を求めることが構造解析の第一歩となります。前章で解説した支点条件を見極めて、反力の種類と方向を考えながら力のつり合い条件を適用して反力を求めましょう。

基本問題②　図3·6に示すはりのすべての反力を求めましょう。

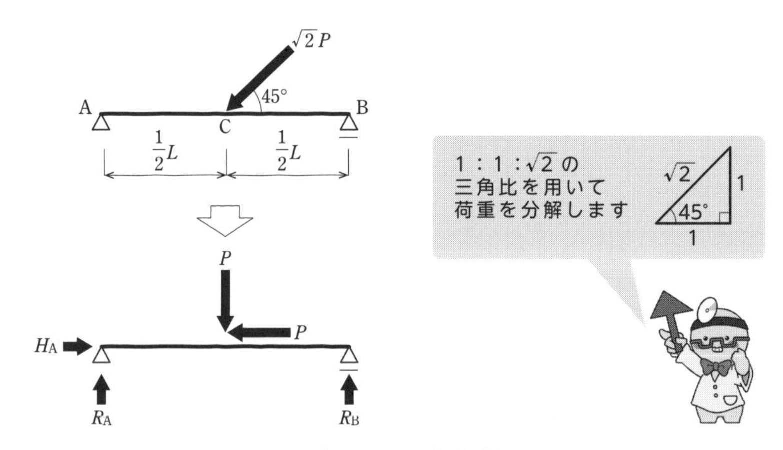

図3·6　単純ばりに斜めの荷重が作用する場合

解答例

ピン支点であるA点には水平反力H_Aと鉛直反力R_Aが発生し、ピンローラー支点であるB点には鉛直反力R_Bのみが発生します。C点に作用する荷重$\sqrt{2}P$は、水平力Pと鉛直力Pに分解して考えます。

$\rightarrow \Sigma H=0$ より、$H_A-P=0$ ………(a)

$\downarrow \Sigma V=0$ より、$-R_A+P-R_B=0$ ………(b)

A点まわりのモーメントを考えると、

$\curvearrowright \Sigma M_{\text{at A点}}=0$ より、$P\times\frac{1}{2}L-R_B\times L=0$ ………(c)

(a) より、$H_A=P$

(c) より、$R_B=\frac{1}{2}P$ ………(d)

(d) を (b) に代入して、$R_A=\frac{1}{2}P$

基本問題③　図3･7に示すはりのすべての反力を求めましょう。

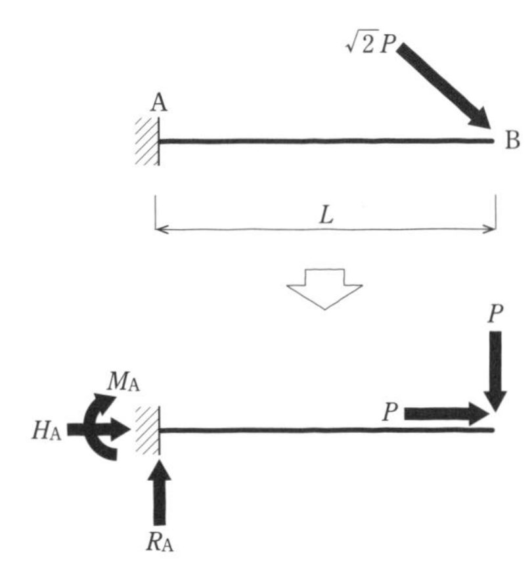

図3･7　片持ばりに斜めの荷重が作用する場合

解答例

固定支点であるA点には水平反力H_A、鉛直反力R_A、モーメント反力M_Aが発生し、自由端であるB点には反力は発生しない。B点に作用する荷重は、水平力と鉛直力に分解して考えます。

$\rightarrow \Sigma H=0$ より、$H_A+P=0$ ………(a)

$\downarrow \Sigma V=0$ より、$-R_A+P=0$ ………(b)

B点まわりのモーメントを考えると、

$\curvearrowright \Sigma M_{\text{at B点}}=0$ より、$M_A+R_A\times L=0$ ………(c)

(a) より、$H_A=-P$

(b) より、$R_A=P$

(c) より、$M_A=-PL$

基本問題④　図3･8に示すはりのすべての反力を求めましょう。

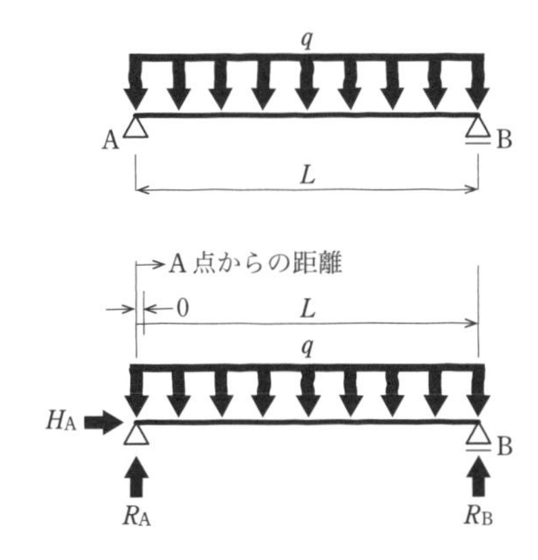

図3･8　単純ばりに等分布荷重が作用する場合

解答例

$\rightarrow \Sigma H=0$ より、$H_A=0$ ………(a)

$\downarrow \Sigma V=0$ より、$-R_A-R_B+q\cdot L=0$ ………(b)

次に、A点まわりのモーメントを考えます。等分布荷重qについて、A点まわりのモーメントを考えるときのモーメントアーム長は0からLまで変化するので、そのモーメントアーム長の平均値$\frac{1}{2}L$と全荷重$q\cdot L$を乗じることで等分布荷重によるA点まわりのモーメントを計算します。

↷ $\Sigma M_{\mathrm{at\,A点}}=0$ より、$q\cdot L\times\frac{1}{2}L-R_B\times L=0$ ………(c)

(a) より、$H_A=0$

(c) より、$R_B=\frac{1}{2}qL$ ………(d)

(d) を (b) に代入して、$R_A=\frac{1}{2}qL$

基本問題⑤　図3·9に示すはりのすべての反力を求めましょう。

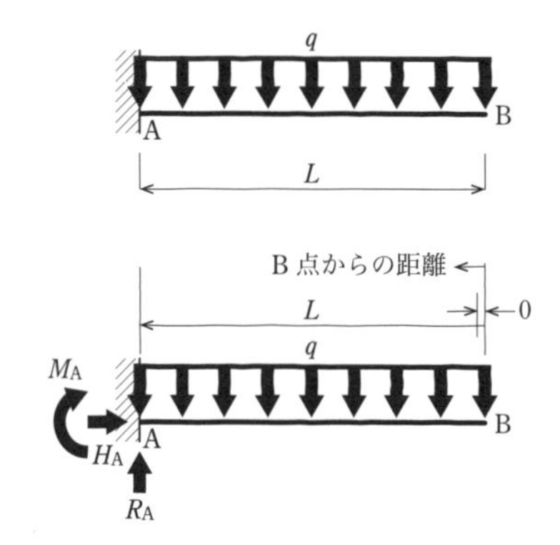

図3·9　片持ばりに等分布荷重が作用する場合

解答例

$\rightarrow \Sigma H=0$ より、$H_A=0$ ………(a)

$\downarrow \Sigma V=0$ より、$-R_A+q\cdot L=0$ ………(b)

B点まわりのモーメントを考えると、

↷ $\Sigma M_{\mathrm{at\,B点}}=0$ より、$M_A+R_A\times L-q\cdot L\times\frac{1}{2}L=0$ ………(c)

(a) より、$H_A=0$

(b) より、$R_A=qL$ ………(d)

(d) を (c) に代入して、$M_A=-\frac{1}{2}qL^2$

続く練習問題②、応用問題②では
難しく見える問題もありますが、
力のつり合い条件式に
忠実にあてはめることで
必ず解けます

練習問題② 図3・10～3・23に示すはりおよびラーメン構造について、すべての反力を求めましょう。

(1)

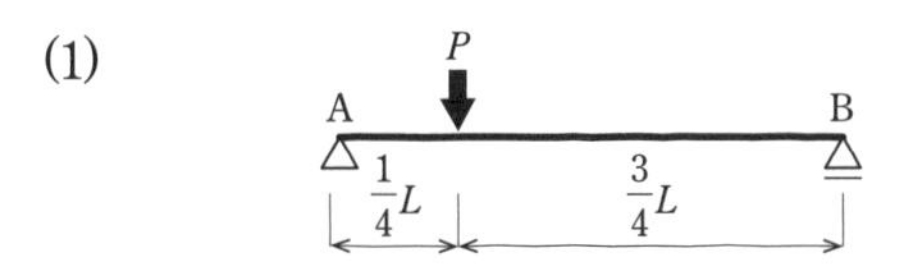

図3・10 単純ばりに集中荷重が作用する場合

(2)

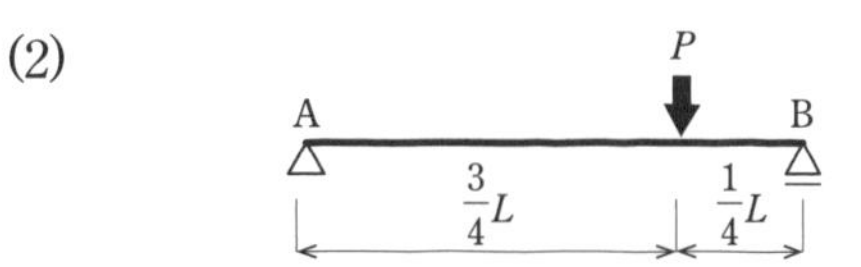

図3・11 単純ばりに集中荷重が作用する場合

(3)

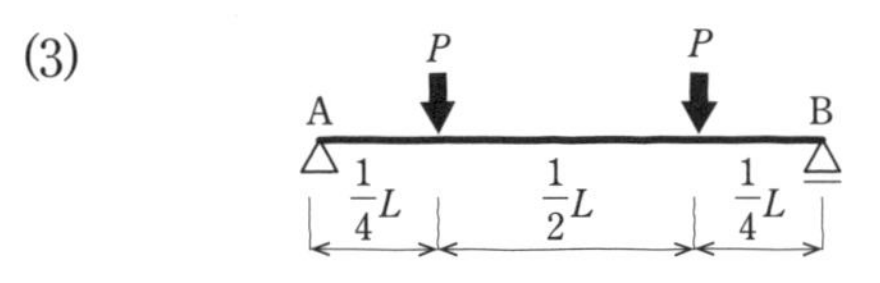

図3・12 単純ばりに集中荷重が複数作用する場合

(4)

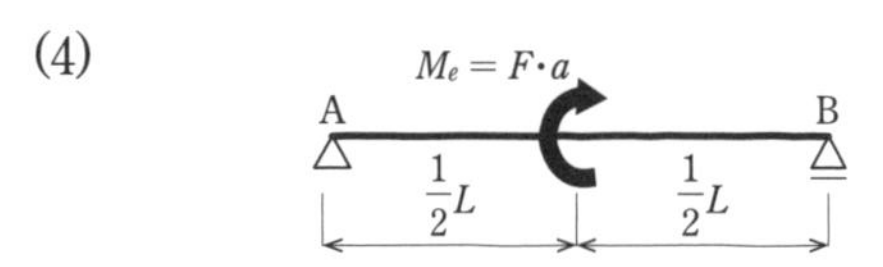

図3・13 単純ばりにモーメント荷重が作用する場合

(5)

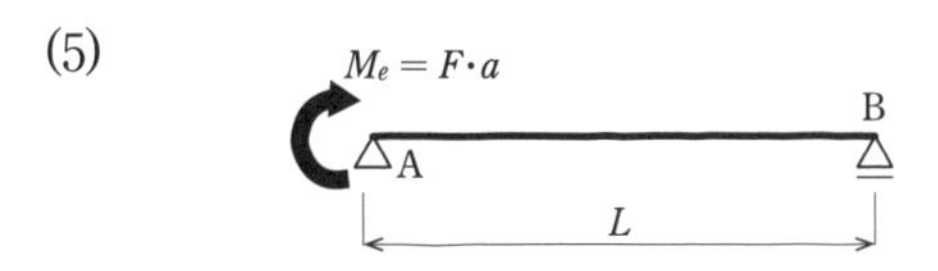

図3・14 単純ばりにモーメント荷重が作用する場合

(6)

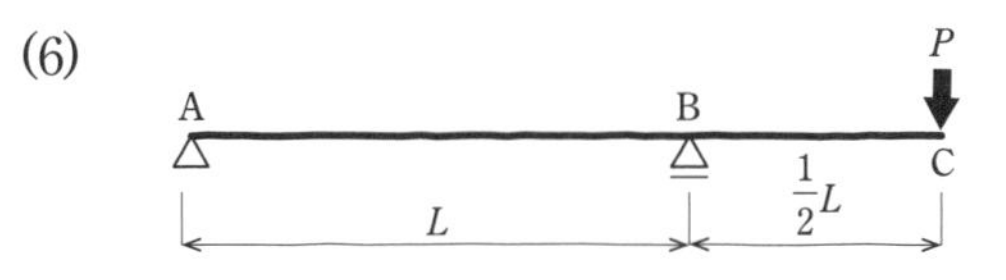

図3・15 張出ばりに集中荷重が作用する場合

(7)

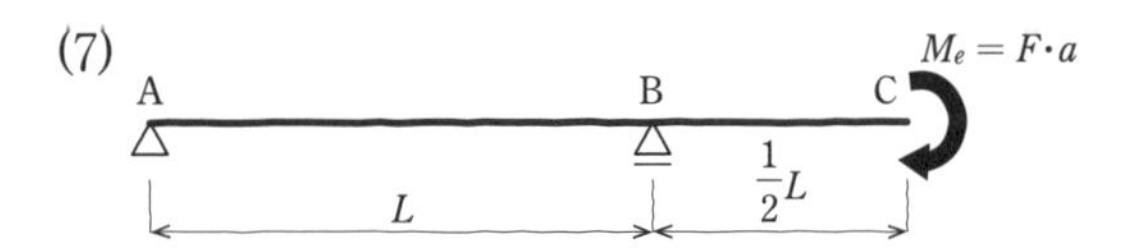

図3・16 張出ばりにモーメント荷重が作用する場合

(8)

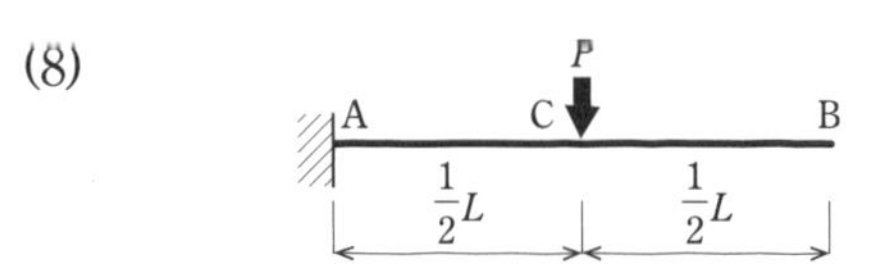

図3・17 片持ばりに集中荷重が作用する場合

(9)

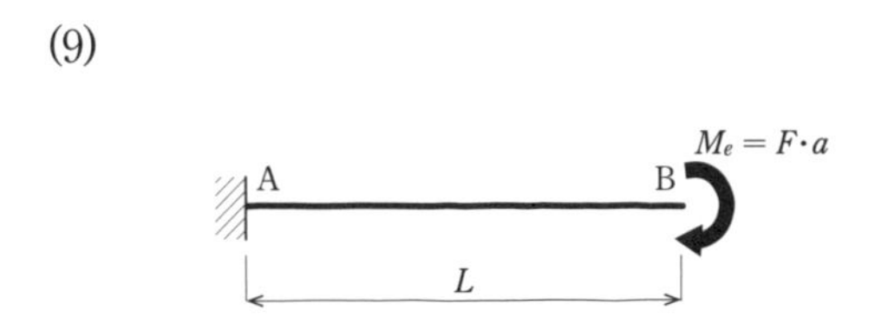

図3・18 片持ばりにモーメント荷重が作用する場合

(10)

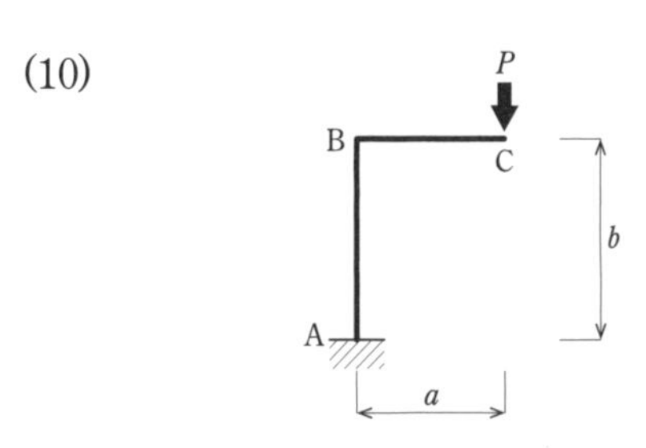

図3・19 ラーメン構造に集中荷重が作用する場合

(11)

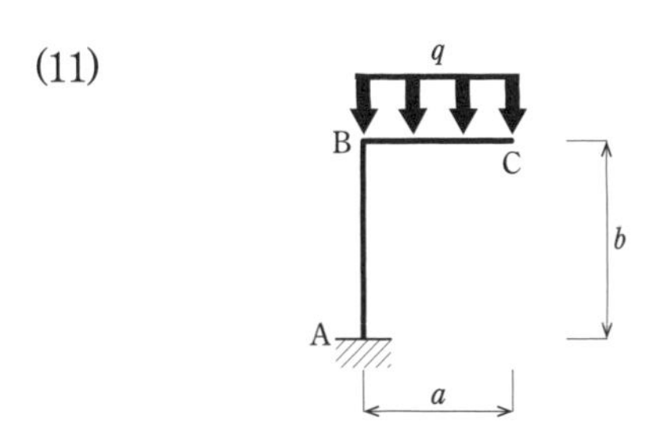

図3・20 ラーメン構造に等分布荷重が作用する場合

(12)

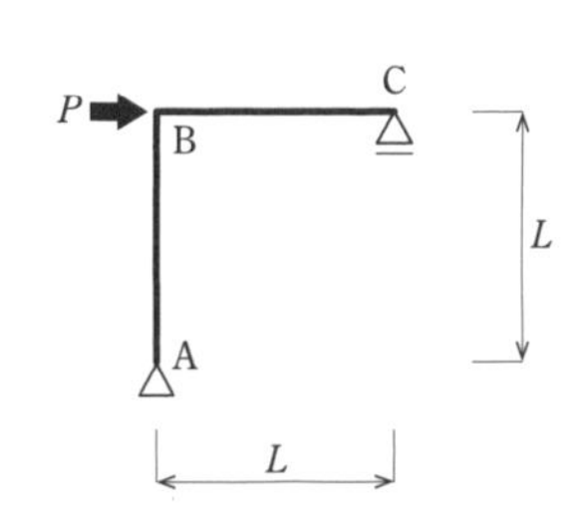

図3・21 ラーメン構造に集中荷重が作用する場合

(13)

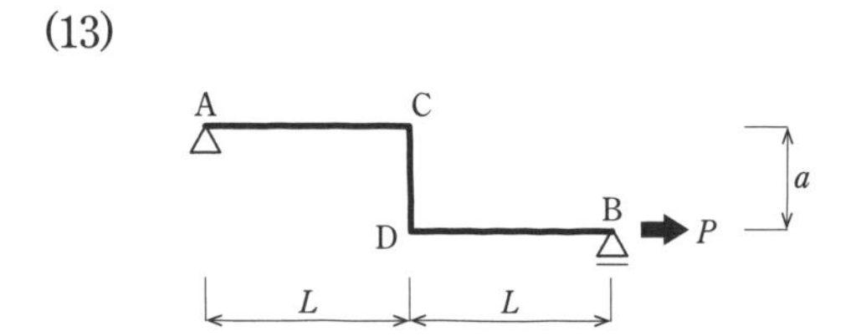

図3·22　ラーメン構造に集中荷重が作用する場合

(14)

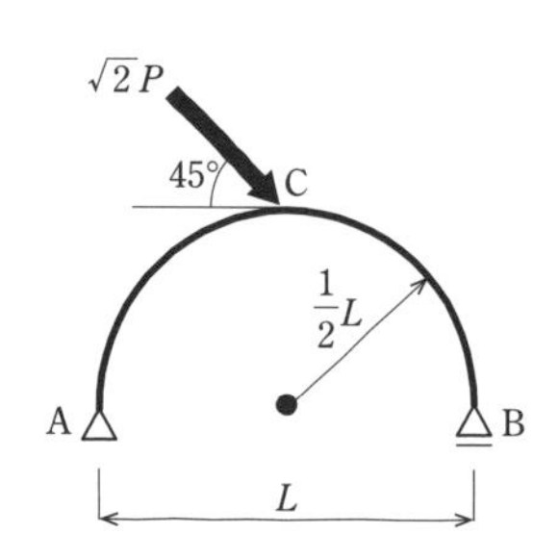

図3·23　ラーメン構造に集中荷重が作用する場合

応用問題②　図3·24～3·33に示すはりおよびラーメン構造ついて、すべての反力を求めましょう。

(1) ㊥

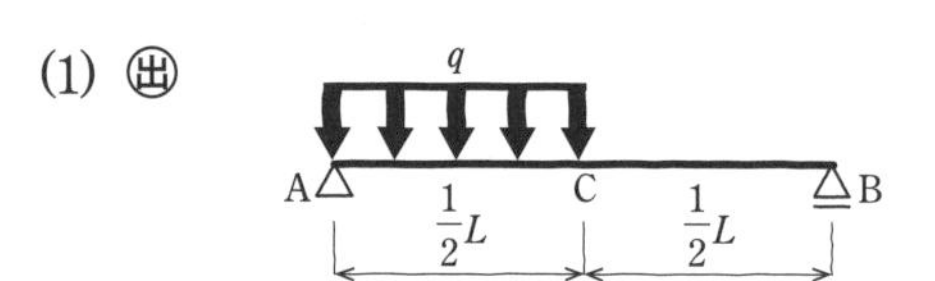

図3·24　単純ばりに等分布荷重が半載する場合

(2) ㊥

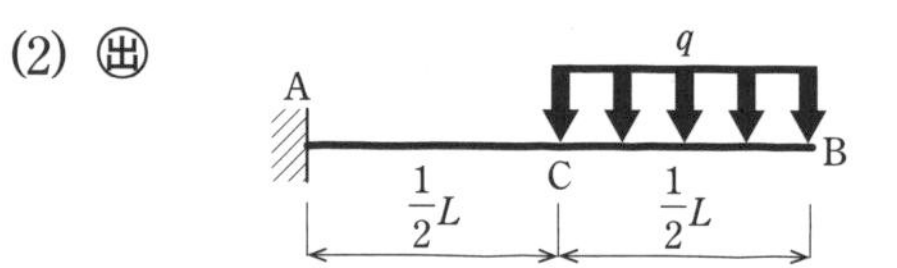

図3·25　片持ばりに等分布荷重が半載する場合

(3)

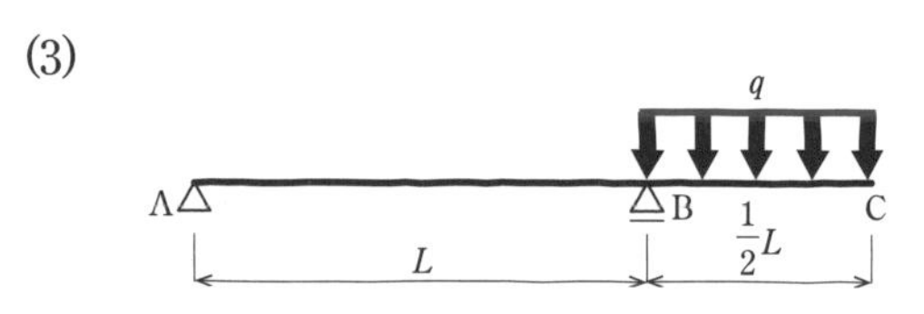

図3·26　張出ばりに等分布荷重が作用する場合

(4) ㊥

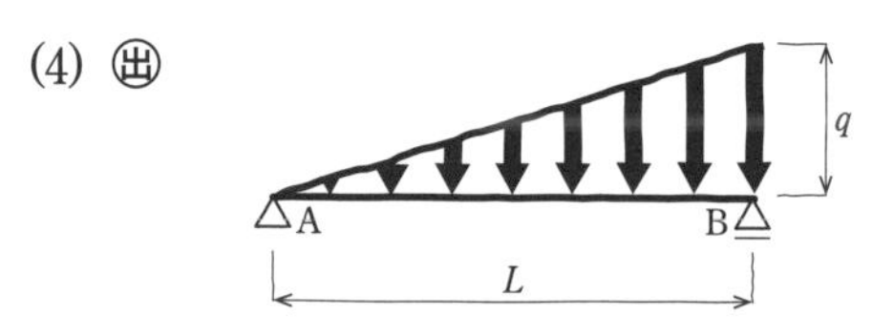

図3·27　単純ばりに三角形分布荷重が作用する場合

(5)

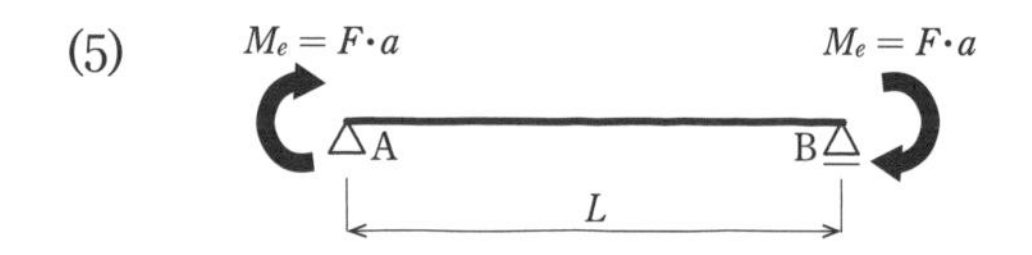

図3·28　単純ばりにモーメント荷重が複数作用する場合

(6)

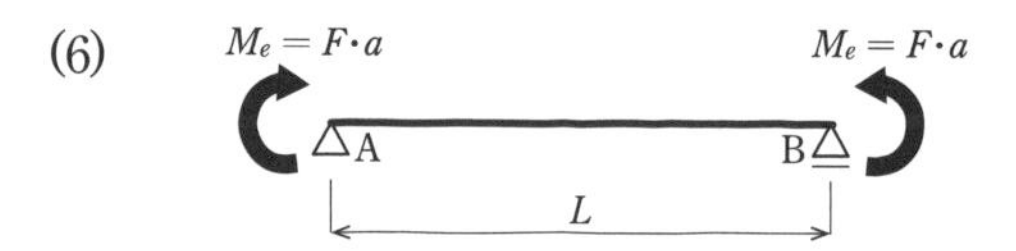

図3·29　単純ばりにモーメント荷重が複数作用する場合

(7)

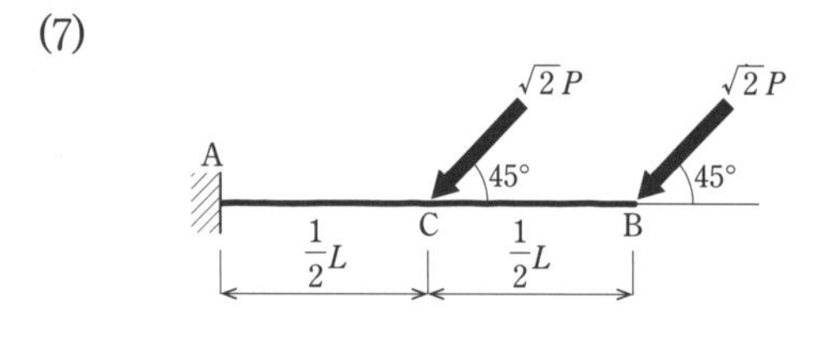

図3·30　片持ばりに集中荷重が複数斜めに作用する場合

(8)

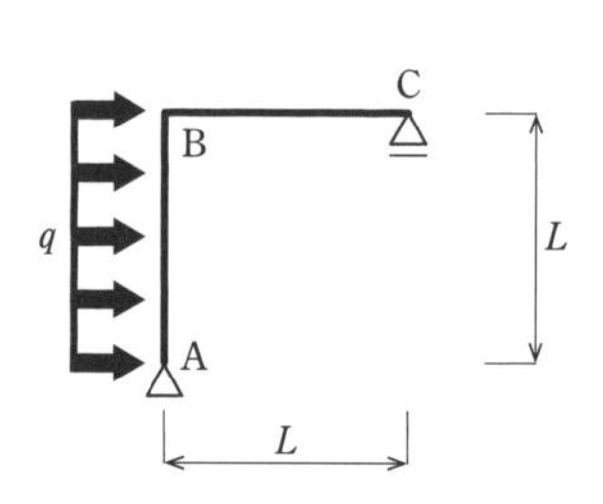

図3·31　ラーメン構造に等分布荷重が作用する場合

(9)

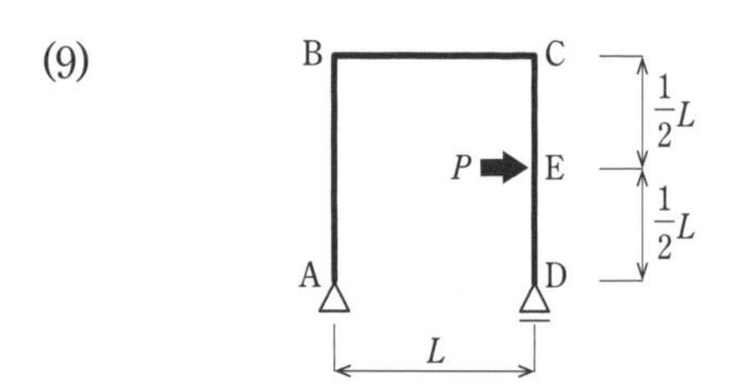

図3·32　ラーメン構造に集中荷重が作用する場合

(10) ㊥

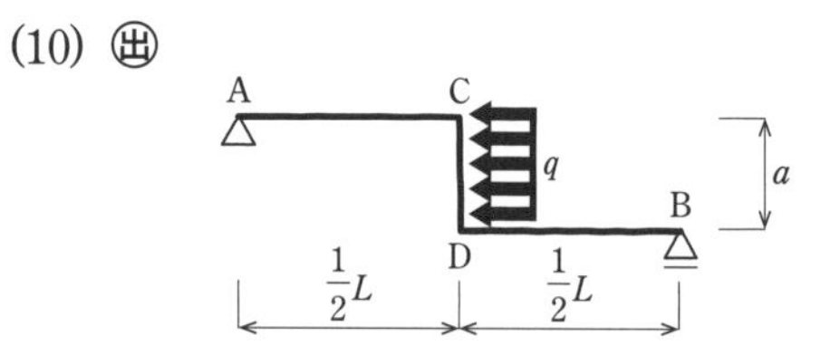

図3·33　ラーメン構造に等分布荷重が作用する場合

3・2　内力

荷重と反力がつり合った状態の構造物の内部には力が作用しています。ここで、つり合った状態で少し変形している構造物の1カ所を切断するとどうなるか考えてみましょう。しなりながらも荷重を支えているはりを単に切断した場合には、図3・34のように1本だったはりは2本になり、しなっていたはりはまっすぐになってしまいます。はりが切断されることで、内部にたまっていた力が解放され、しなっていた元の形状が保てなくなるのです。

次に、図3・35のように、変形したままのはりの形状を保ちつつ切断する状況を考えてみましょう。変形したままの形状を保つためには、切り口に内部でたまっていた力に相当する「**内力**」を考える必要が生じます。そして、この内力と荷重や反力などの外力がつり合うことにより、分断されたはりの形状が保たれ、力のつり合い条件も満足することになります。ここで取り扱う内力は「**せん断力**」「**曲げモーメント**」「**軸力**」の3種類で、切断面の左右で大きさは同じで方向が逆の断面力が発生します。

これら3つの断面力の正の方向を図3・36に示します。せん断力は右まわりの偶力方向を正とします。曲げモーメントは、はりの場合には下に凸に変形する方向を正とし、ラーメン構造の柱などの場合には図3・37のようにはりの鉛直下向き方向と同様の方向を正とします。軸力は引張り方向を正とします。

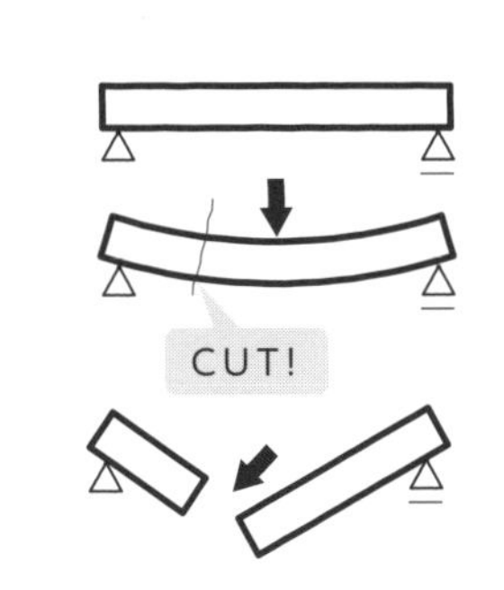

図3・34　変形したはりを切断する

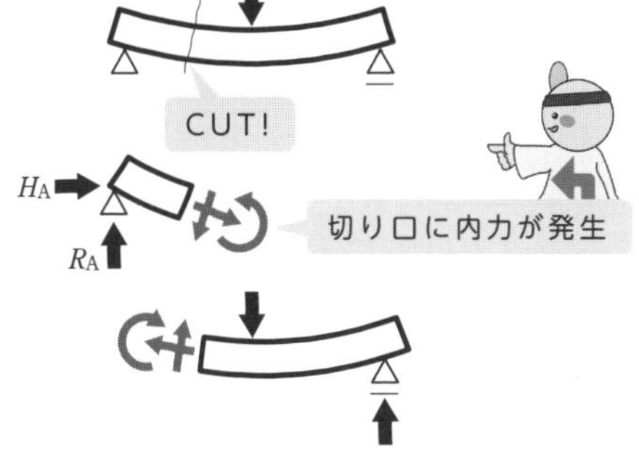

図3・35　切断面に発生する内力

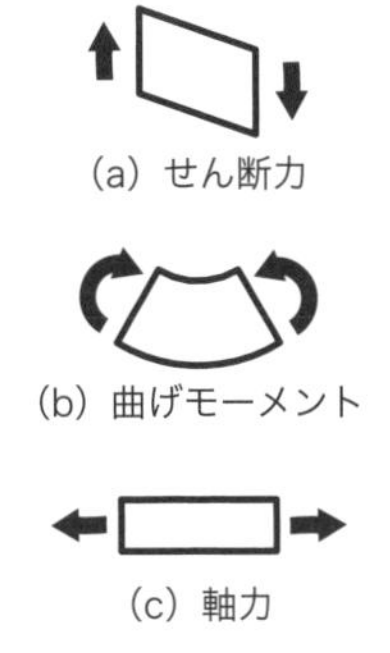

図3・36　断面力の正の方向

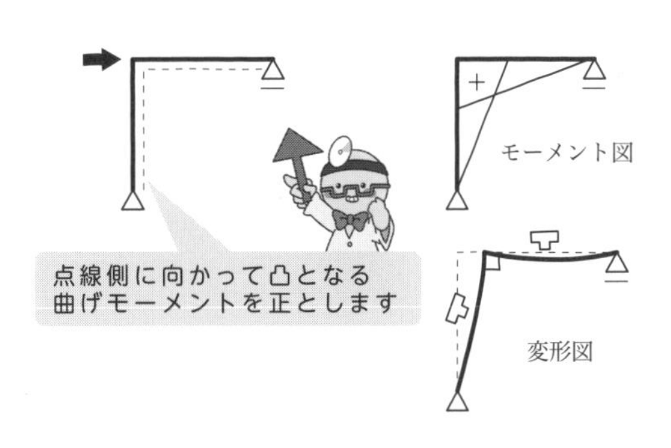

図3・37　ラーメン構造における曲げモーメントの正の方向

3・3　せん断力

3・3・1　せん断力の求め方

はりのせん断力について見ていきましょう。はりの任意の位置で切断したピースの切断位置のせん断力は、鉛直方向の力のつり合い条件を考えることで求めることができます。

(1) 集中荷重が作用する場合

断面力の計算式は、はりの部材軸方向にx軸をとり、そのxの関数$Q(x)$として表されます。図3・38に示すような中央に集中荷重が作用する単純ばりを例に、支点Aを原点とするx軸を設定した場合の$x=0\sim\frac{1}{2}L$の範囲におけるせん断力を求めてみましょう。

支点Aからxの位置ではりを切断し、切断した左側のピース①に着目します。切り口には、図3・36(a)のピースの右側に描かれている、下向きのせん断力$Q(x)$が出現します。加えて、支点Aの反力がこのピースに作用しています。ここで、鉛直方向の力のつり合いを考えると、

$$\downarrow \Sigma V=0 \text{ より} \quad -\frac{1}{2}P+Q(x)=0 \quad \therefore Q(x)=\frac{1}{2}P \quad \left(x=0\sim\frac{1}{2}L\right)$$

同様に、切断した右側のピース②に着目すると、切断面には上向きのせん断力$Q(x)$と外力であるP、そして支点Bの反力である$\frac{1}{2}P$が作用しています。鉛直方向の力のつり合いを考えると、

$$\downarrow \Sigma V=0 \text{ より} \quad -Q(x)+P-\frac{1}{2}P=0 \quad \therefore Q(x)=\frac{1}{2}P \quad \left(x=0\sim\frac{1}{2}L\right)$$

となります。このように、切断した左右のピースのどちらに注目しても、切断位置におけるせん断力の大きさは同じになります。したがって、つり合いに関与する外力が少ないピース（この場合であれば左側のピース①）に着目して計算する方が簡単かつ効率的で、計算ミスも起こりにくくなります。

また、図3・39のように切断位置が集中荷重の作用位置を通り過ぎると（xが$\frac{1}{2}L$を超えると)、左側のピース①に外力であるPが作用することになるため、$x=\frac{1}{2}L\sim L$の区間においてはせん断力$Q(x)$の値が違ってきます。この場合の鉛直方向の力のつり合い条件式は、以下のようになります。

$$\downarrow \Sigma V=0 \text{ より} \quad -\frac{1}{2}P+P+Q(x)=0 \quad \therefore Q(x)=-\frac{1}{2}P \quad \left(x=\frac{1}{2}L\sim L\right)$$

ここで、集中荷重が作用する微小区間のせん断力を考えると、図3・40に示すように集中荷重の作用位置で集中荷重の大きさ分のギャップが表れることになります（上式では$+\frac{1}{2}P$から$-\frac{1}{2}P$への変化)。

また、集中荷重が作用する位置以外の区間におけるせん断力は、切断位置xの値に関係なく一定の値をとります。

以上の結果をせん断力図として描いたものが図3・41です。集中荷重が載っている中央でせん断力が不連続になるため、はりの左右でせん断力を表す式は異なってきます。

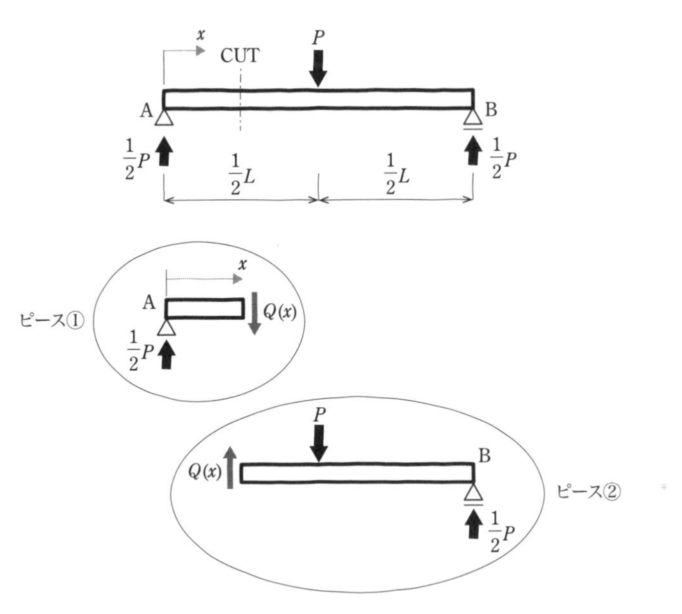

図3･38　せん断力の求め方（集中荷重の場合）

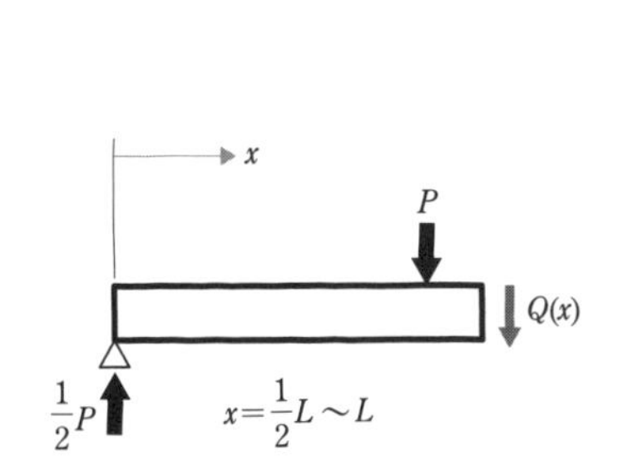

図3･39　$x>\frac{1}{2}L$ におけるピース①

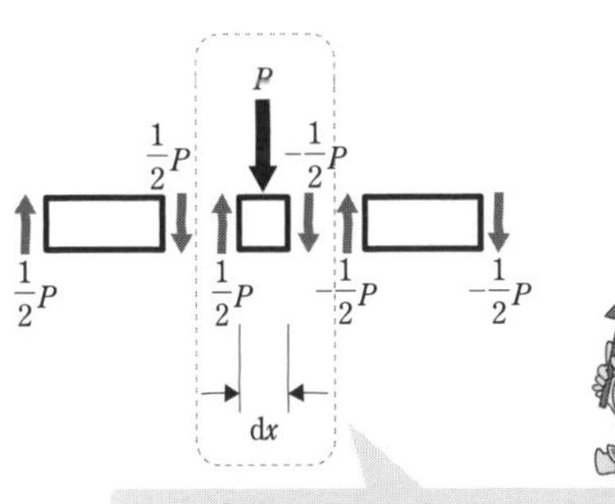

図3･40　集中荷重作用位置の詳細図

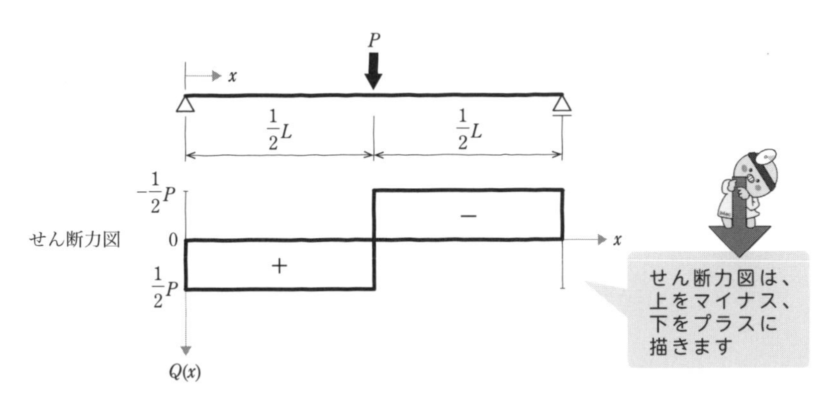

図3･41　せん断力図（集中荷重の場合）

(2) 分布荷重が作用する場合

次に、分布荷重が作用する単純ばりのせん断力について考えてみましょう。集中荷重とは異なり、連続的に荷重が載っているため、分布荷重が連続する区間ではせん断力 $Q(x)$ の式は同一となります。図3･42に示すように、切断位置から左側のピースに着目します。右側の切断面に下向きのせん断力 $Q(x)$ と支点Aの反力である $\frac{1}{2}qL$ に加えて、ピース上に載っている分布荷重 qx の3つの鉛直方向の力のつり合いを考えると、せん断力 $Q(x)$ は次のように求めることができます。

$$\downarrow \Sigma V=0 \text{ より} \quad -\frac{1}{2}qL+qx+Q(x)=0$$

$$Q(x)=\frac{1}{2}qL-qx \quad (x=0\sim L)$$

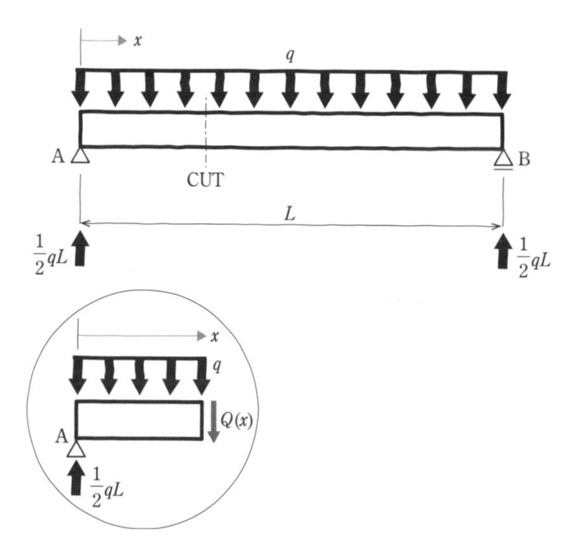

図3･42 せん断力の求め方（分布荷重の場合）

このせん断力の式をせん断力図として描いたものが図3･43です。$\frac{1}{2}qL$ から $-\frac{1}{2}qL$ まで直線的にせん断力は変化しています。また、支点Aではせん断力と反力が同値であり、支点Bではせん断力が反力と同じ大きさで符号が異なる結果となっています。これは、ピースの右側でせん断力の正の向きを下向きと定義しているのに対して、鉛直方向の反力が常に上向きに作用していることによるものです。

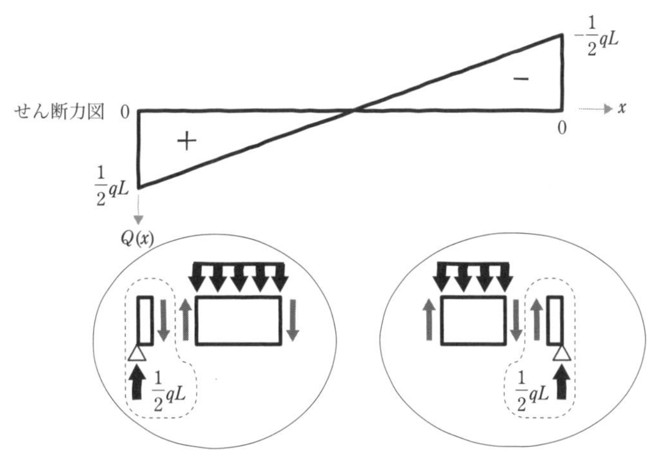

図3･43　せん断力図と反力

集中荷重が作用するはりにおけるせん断力は位置xの値に関係なく一定値をとったのに対し、分布荷重が作用するはりにおけるせん断力はxの値に応じて変化します。つまり、$Q(x)$はxの関数として表され、この部材軸の切断位置とせん断力の値の関係式を「**せん断力式**」といいます。このときx軸の原点と方向を考えますが、問題に明記されている場合にはそれにしたがいます。一方、明記されていない場合には解答者が解きやすいように定めて構いません。

3･3･2　座標の設定

ここでは、せん断力を考える際の座標の設定について解説します。

(1) 片持ばりの場合

片持ばりの場合には、図3･44に示すように先端を原点として、固定端方向にx軸を設定します。このように設定することで、固定端に発生する反力に関係なく、0〜xの区間のはりに載荷されている荷重を考えるだけでせん断力式$Q(x)$を求めることができます。また、せん断力図もx軸の原点と正の方向にしたがって描くことになります。

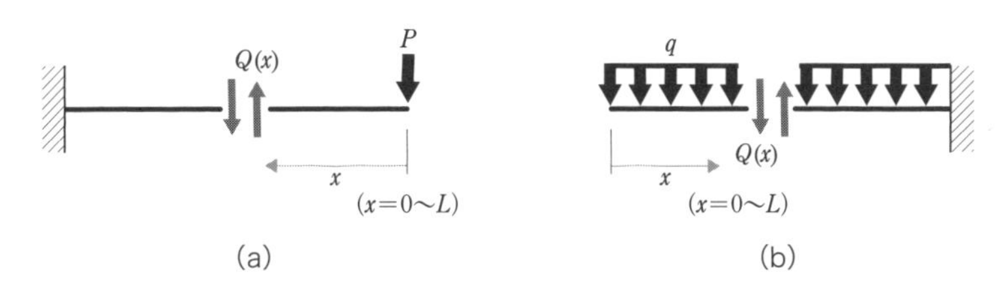

図3･44　片持ばりのx軸の設定

(2) 単純ばりの場合

単純ばりの場合には、図3･45に示すように左右の支点を原点として、それぞれはりの中央に向かってx軸を設定します。

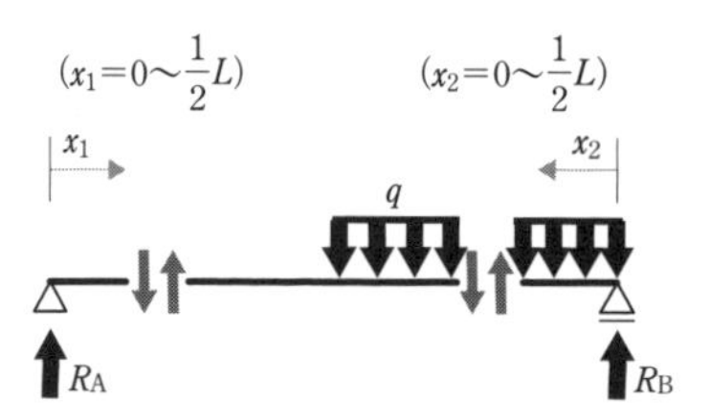

図3･45　単純ばりのx軸の設定①

0～xの区間に荷重が作用していない場合には、支点の反力と、内力であるせん断力のつり合いを考えることでせん断力式$Q(x)$が定まります。一方、0～xの区間に荷重が作用している場合には、0～xの区間に作用している荷重と支点反力、内力であるせん断力の三者のつり合いを考えて$Q(x)$を求めることになります。左右からのxの範囲については、図3･46のように荷重に変化がある位置までを考えます。ただし、単純ばりでも片側からx軸を設定する方がよい場合もあります。

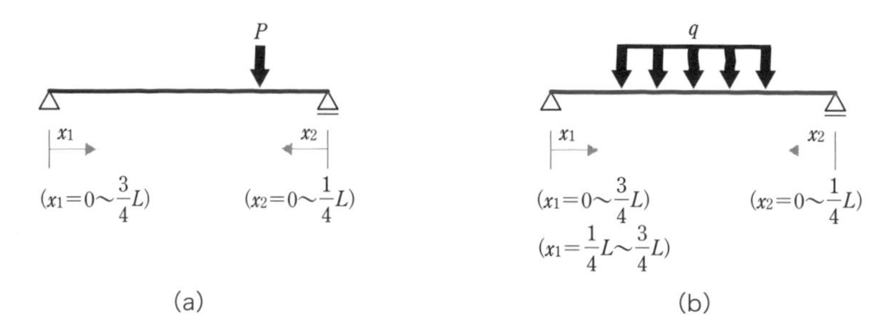

図3･46　単純ばりのx軸の設定②

(3) 張出ばりの場合

張出ばりの場合には、図3･47に示すように、張出部は片持ばり、定着部は単純ばりとして考えます。

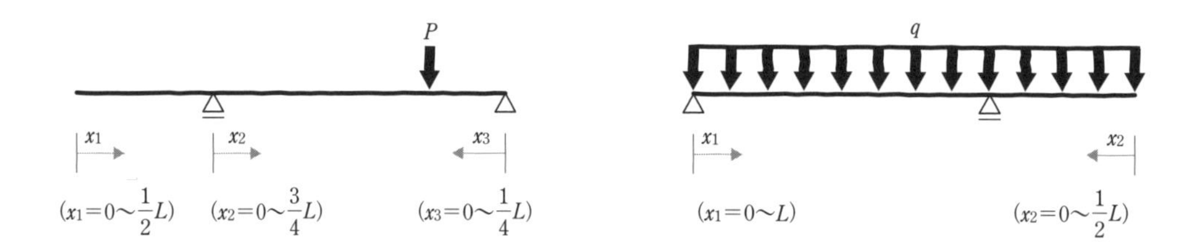

図3･47　張出ばりのx軸の設定

また、せん断力の正の方向の定義により、図3･48に示すような線対称な片持ばりの問題を解くと、片持ばりの挙動は同じであるにもかかわらず、せん断力・せん断力図の符号が異なることに注意が必要です。

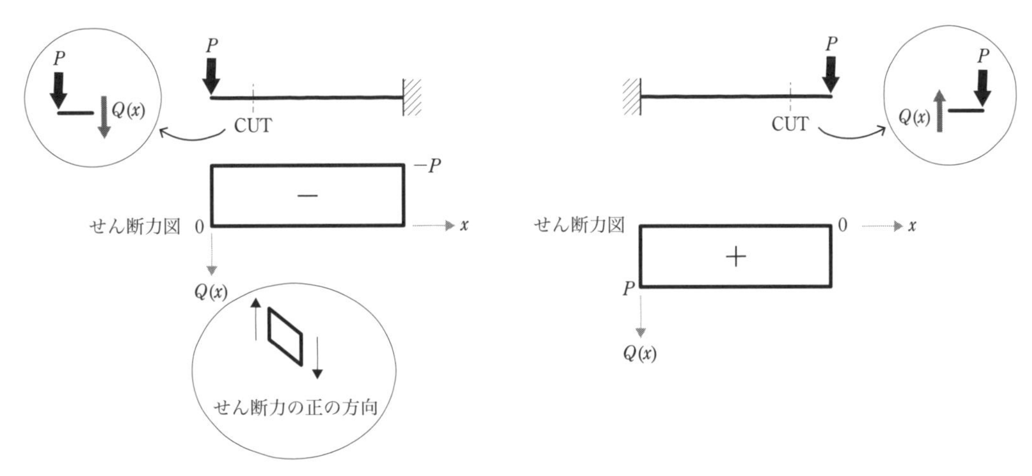

図3･48　片持ばりのせん断力図

3･3･3　荷重とせん断力図の関係

荷重とせん断力図の関係をおおまかにまとめると、図3･49のようになります。分布荷重が作用している区間では、せん断力式はxの1次関数となり、せん断力図は傾きをもった直線になります。一方、集中荷重が作用している位置では、せん断力図にギャップが発生します。また、モーメント荷重が作用してもせん断力図は変化しません。

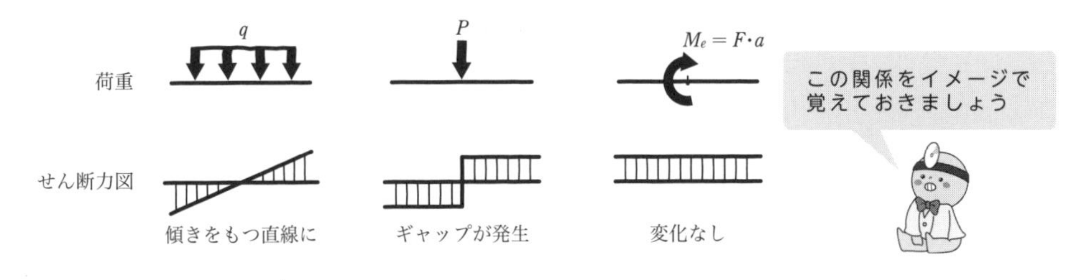

図3･49　荷重とせん断力図の関係

練習問題③　図3･50～3･53に示すはりのせん断力式とせん断力図を求めましょう。

(1) 切断位置の左側のピースに着目しましょう。

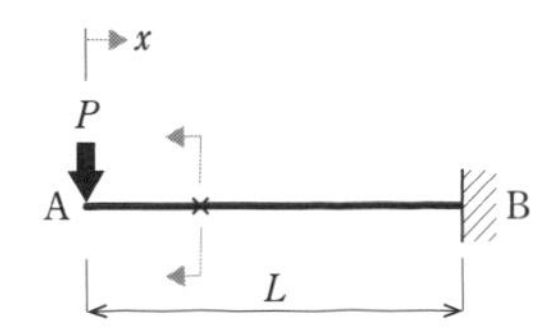

図3･50　片持ばりに集中荷重が作用する場合

(2)B点をx軸の原点とし、切断位置の右側のピースに着目しましょう。

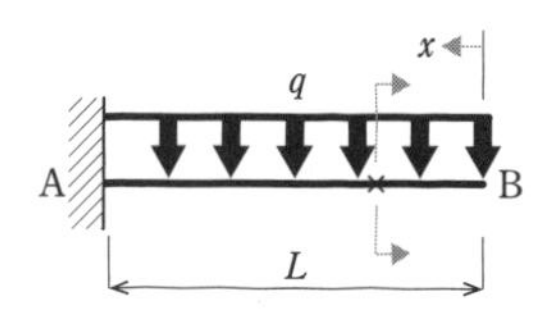

図3･51　片持ばりに等分布荷重が作用する場合

(3)$x=0\sim\frac{1}{4}L$と$x=\frac{1}{4}L\sim L$の2区間に分けて考えましょう。

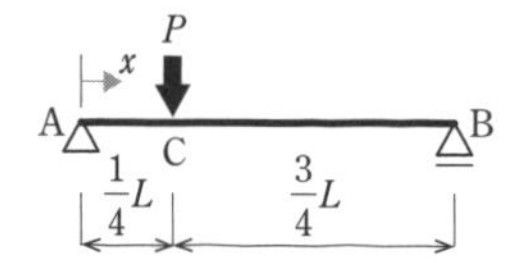

図3･52　単純ばりに集中荷重が作用する場合

(4)B点をx軸の原点とし、切断位置の右側のピースに着目しましょう。

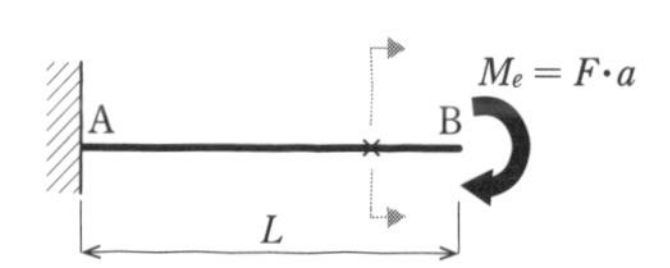

図3･53　片持ばりにモーメント荷重が作用する場合

応用問題③　図3･54～3･63に示すはりのせん断力式とせん断力図を求めましょう。

(1)

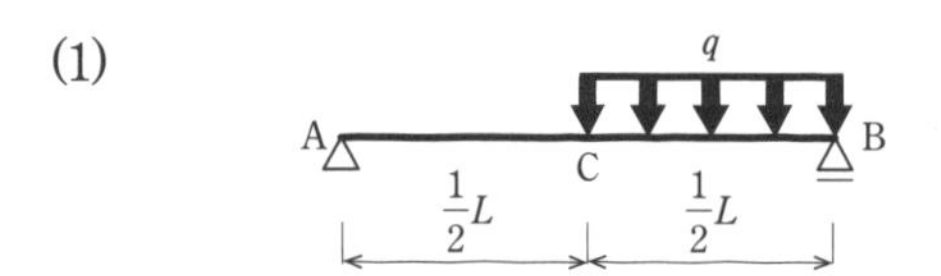

図3･54　単純ばりに等分布荷重が半載の場合

(2)

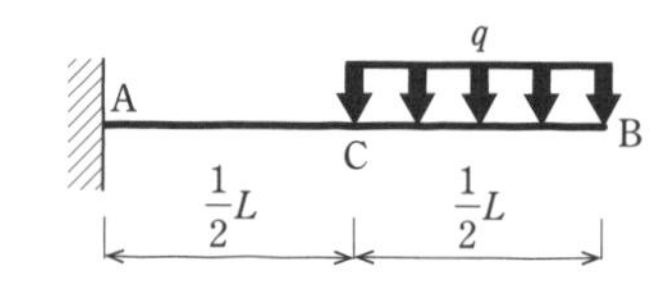

図3･55　片持ばりに等分布荷重が半載の場合

(3)

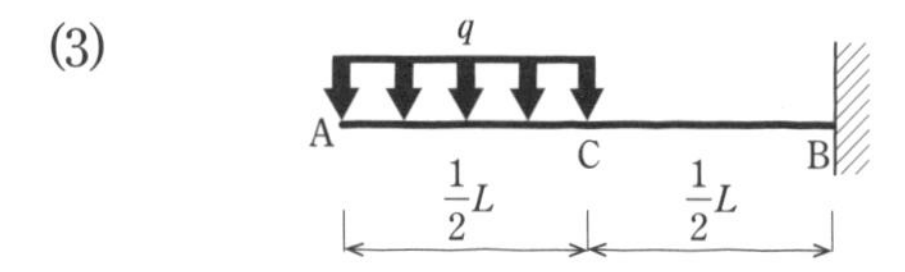

図3･56　片持ばりに等分布荷重が半載の場合

(4)

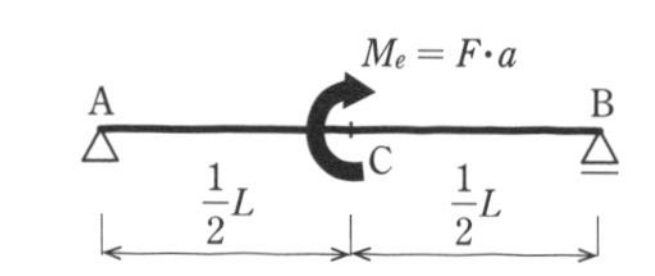

図3･57　単純ばりにモーメント荷重が作用する場合

(5)

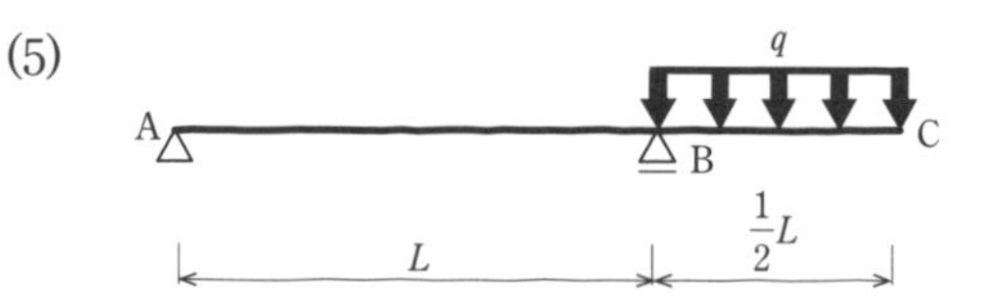

図3･58　張出ばりに等分布荷重が作用する場合

(6)

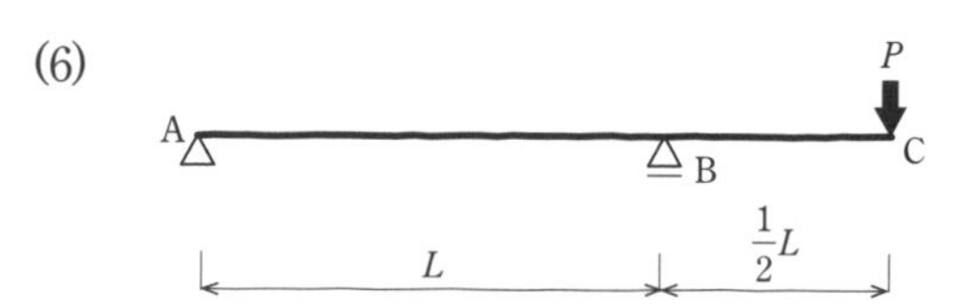

図3･59　張出ばりに集中荷重が作用する場合

(7)

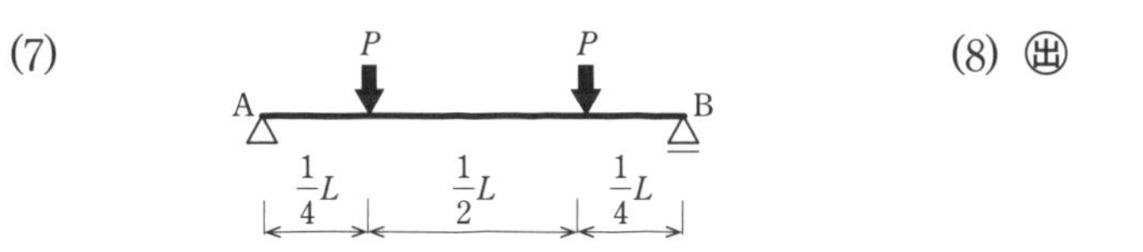

図3・60　単純ばりに複数の集中荷重が作用する場合

(8) 出

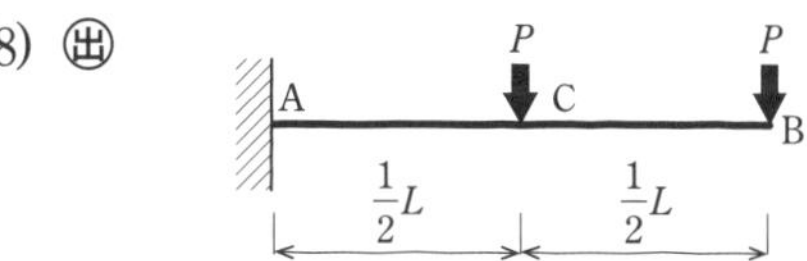

図3・61　片持ばりに複数の集中荷重が作用する場合

(9) 出

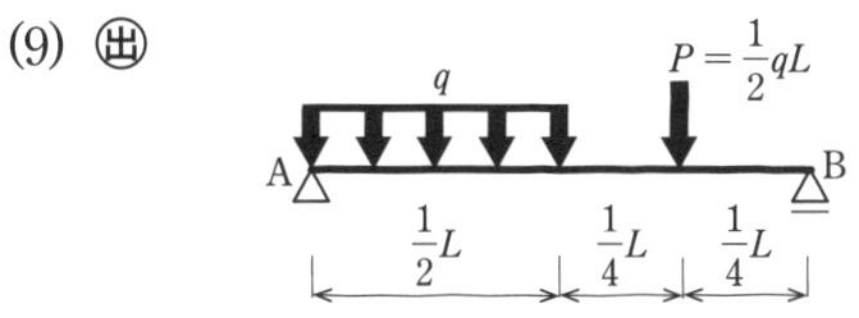

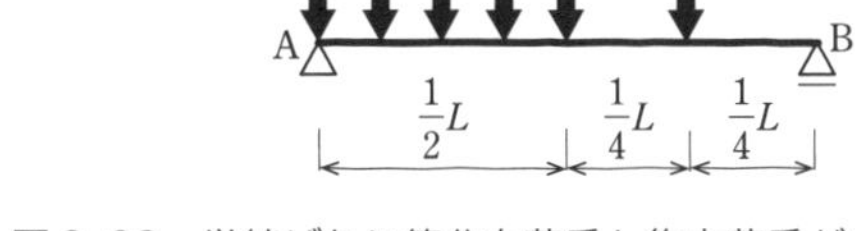

図3・62　単純ばりに等分布荷重と集中荷重が作用する場合

(10)

$M_e = F \cdot a$

A　B　C

L　$\frac{1}{2}L$

図3・63　張出ばりにモーメント荷重が作用する場合

3・4　曲げモーメント

3・4・1　曲げモーメントの求め方

はりの曲げモーメントは、任意の位置で切断したピースの回転方向のつり合い条件を考えることで求めることができます。

(1) 集中荷重が作用する場合

曲げモーメントの計算式は、せん断力と同様、はりの部材軸方向にx軸をとり、xの関数$M(x)$として表されます。図3・64に示すような中央に集中荷重が作用する単純ばりを例に、支点Aを原点とするx軸を設定した場合の$x=0\sim\frac{1}{2}L$の範囲における曲げモーメントを求めてみましょう。

支点Aからxの位置ではりを切断し、切断した左側のピース①に着目します。切り口には、図3・36(a)(b)の右側に示される下向きを正とするせん断力$Q(x)$と左まわりを正とする曲げモーメント$M(x)$が出現します。それらに加え、支点Aの反力がこのピースに作用しています。せん断力は、前節にて解説したとおり、鉛直方向の力のつり合いにより$Q(x)=\frac{1}{2}P$ $(x=0\sim\frac{1}{2}L)$となります。

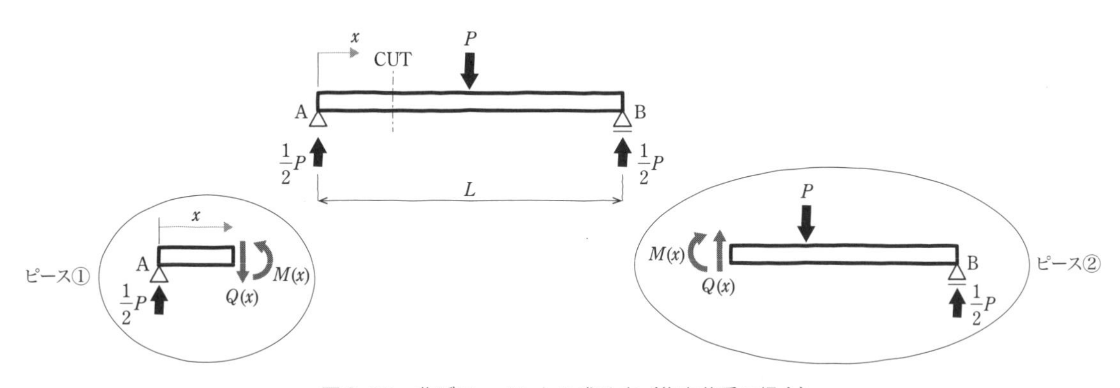

図3・64　曲げモーメントの求め方（集中荷重の場合）

次に、支点Aすなわち$x=0$の位置における回転のつり合いを考えます。右まわりのモーメントを正とすると、支点Aの反力$\frac{1}{2}P$についてはモーメントアーム長がゼロであるため、支点の鉛直反力は支点Aまわりの回転のつり合いには関与せず、内力である$Q(x)$と$M(x)$によって回転のつり合い式を立てることになります。

$$\curvearrowright \Sigma M_{\text{at A点}}=0 \text{ より} \quad Q(x)\times x-M(x)=0$$

$$\therefore M(x)=Q(x)\times x=\frac{1}{2}Px \quad \left(x=0\sim\frac{1}{2}L\right)$$

せん断力と同様、切断した左右のピースのどちらに着目しても切断位置における曲げモーメントは同じになります。したがって、つり合いに関与する外力と内力の数が少ない方のピース(この場合であれば左側のピース①)に着目して計算する方が簡単かつ効率的で、計算ミスも起こりにくくなります。

また、図3･65のように切断位置が集中荷重の作用位置を通りすぎると(xが$\frac{1}{2}L$を超えると)、左側のピース①に外力であるPが作用するため集中荷重によるモーメントの項である$P\times\frac{1}{2}L$が加わり、$x=\frac{1}{2}L\sim L$の区間では曲げモーメントの計算式$M(x)$が異なってきます。

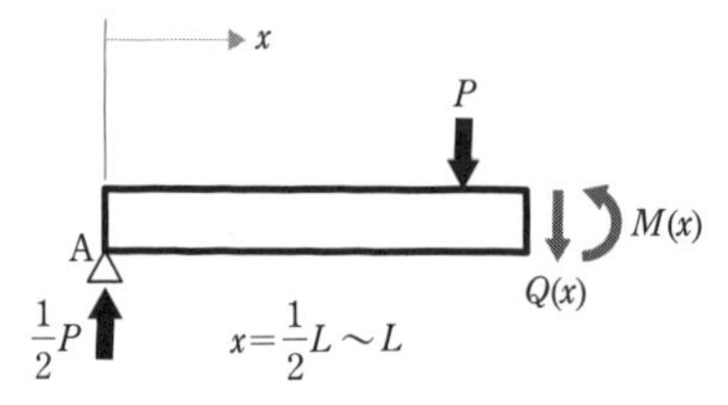

図3･65　$x>\frac{1}{2}L$におけるピース①

この場合の回転のつり合い条件式は、以下のようになります。

$$\curvearrowright \Sigma M_{\text{at A点}}=0 \text{ より} \quad P\times\frac{1}{2}L+Q(x)\times x-M(x)=0 \quad \left(x=\frac{1}{2}L\sim L\right)$$

$$\therefore M(x)=\frac{1}{2}PL-\frac{1}{2}Px=\frac{1}{2}P(L-x)$$

以上の結果を曲げモーメント図として描いたものが図3･66です(はりの下側を正としています)。

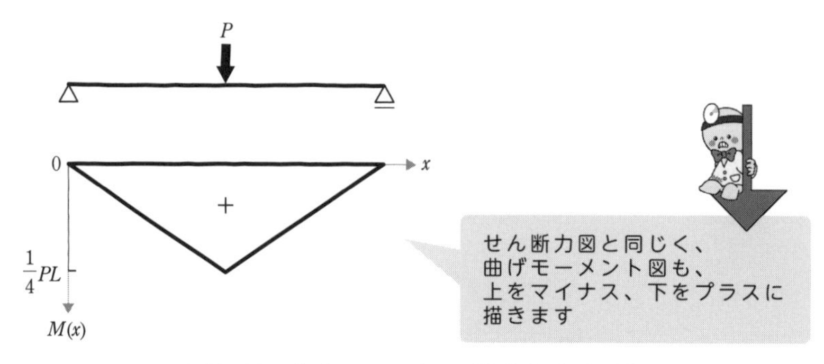

図3･66　曲げモーメント図（集中荷重の場合）

(2) 分布荷重が作用する場合

次に、分布荷重が作用する単純ばりの曲げモーメントについて考えてみましょう。せん断力と同様、連続的に荷重が載っているため、分布荷重が作用している区間では曲げモーメントの計算式 $M(x)$ は変化しません。

図3･67に示すように、切断位置から左側のピースに着目します。このピースでは、右側の切断面に下向きのせん断力 $Q(x)$ と左まわりの曲げモーメント $M(x)$（図3･36の右側を参照）の2つの内力と、支点Aの反力である $\frac{1}{2}qL$ とピース上に作用している分布荷重 $q \cdot x$ の2つの外力による力のつり合いを考えます。

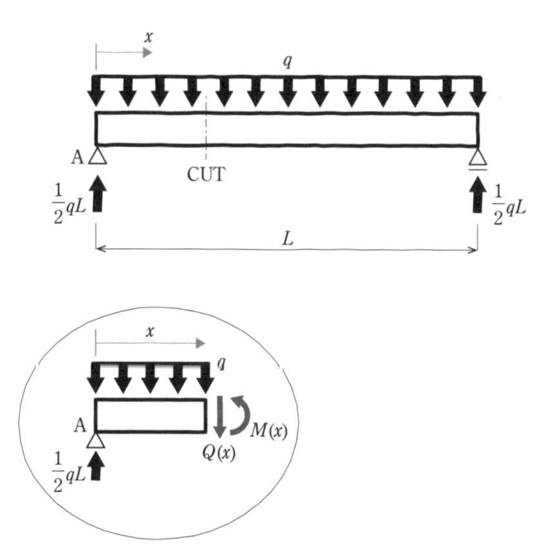

図3･67　曲げモーメントの求め方（分布荷重の場合）

支点Aまわりのモーメント（右まわりを正）のつり合い条件式を立ててみましょう。支点Aの反力はモーメントアーム長がゼロであり、ここには関与しませんので、モーメントのつり合い式は次のようになります。

$$\curvearrowright \Sigma M_{\text{at A点}}=0 \text{ より} \quad q \cdot x \times \frac{1}{2}x + Q(x) \times x - M(x) = 0$$

前節より、$Q(x)$ は下式で表されます。

$$Q(x) = \frac{1}{2}qL - qx \quad (x=0 \sim L)$$

これを代入して、曲げモーメントの計算式 $M(x)$ が得られます。

$$\frac{1}{2}qx^2 + \left(\frac{1}{2}qL - qx\right) \times x - M(x) = 0$$

$$\therefore M(x) = \frac{1}{2}qLx - \frac{1}{2}qx^2 = \frac{1}{2}q(Lx - x^2) \quad (x=0 \sim L)$$

この曲げモーメント式を曲げモーメント図として描いたものが図3･68です。曲げモーメント

式 $M(x)$ は x についての2次関数（放物線）であり、$x=\frac{1}{2}L$ のとき最大値をとり、その値は、

$$M\left(\frac{1}{2}L\right)=M_{\max}=\frac{1}{8}qL^2$$

となります。

x を $\frac{1}{4}L$ ごとに変化させたときの曲げモーメントの値を以下に示します。

$x=0$ のとき：$M(0)=\frac{1}{2}q(L\times 0-0^2)=0$

$x=\frac{1}{4}L$ のとき：$M\left(\frac{1}{4}L\right)=\frac{1}{2}q\left\{L\times\frac{1}{4}L-\left(\frac{1}{4}L\right)^2\right\}=\frac{1}{2}qL^2\left(\frac{1}{4}-\frac{1}{16}\right)=\frac{3}{32}qL^2$

$x=\frac{1}{2}L$ のとき：$M\left(\frac{1}{2}L\right)=\frac{1}{2}q\left\{L\times\frac{1}{2}L-\left(\frac{1}{2}L\right)^2\right\}=\frac{1}{2}qL^2\left(\frac{1}{2}-\frac{1}{4}\right)=\frac{1}{8}qL^2$

$x=\frac{3}{4}L$ のとき：$M\left(\frac{3}{4}L\right)=\frac{1}{2}q\left\{L\times\frac{3}{4}L-\left(\frac{3}{4}L\right)^2\right\}=\frac{1}{2}qL^2\left(\frac{3}{4}-\frac{9}{16}\right)=\frac{3}{32}qL^2$

$x=L$ のとき：$M(L)=\frac{1}{2}q\{L\times L-L^2\}=0$

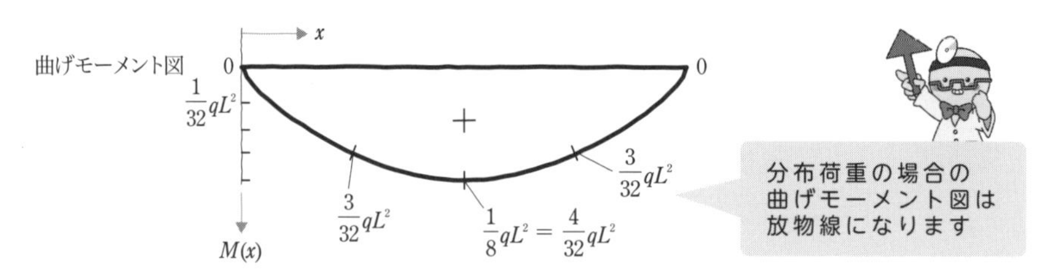

図3･68　曲げモーメント図（分布荷重の場合）

3･4･2　座標の設定

曲げモーメントは軸方向（x 軸方向）に沿って変化するため、$M(x)$ と表し、この部材軸の切断位置と曲げモーメントの値の関係式を「**曲げモーメント式**」といいます。このとき x 軸の原点と方向を考えますが、問題に明記されている場合にはそれにしたがいます。一方、明記されていない場合には解答者が解きやすいように定めて構いません。

(1) 片持ばりの場合

片持ばりに等分布荷重が作用する場合の座標の設定について、自由端側のA点を x の原点とする場合（図3･69(a)）と固定端側のB点を原点とする場合（図3･69(b)）を比較しながら見ていきましょう。

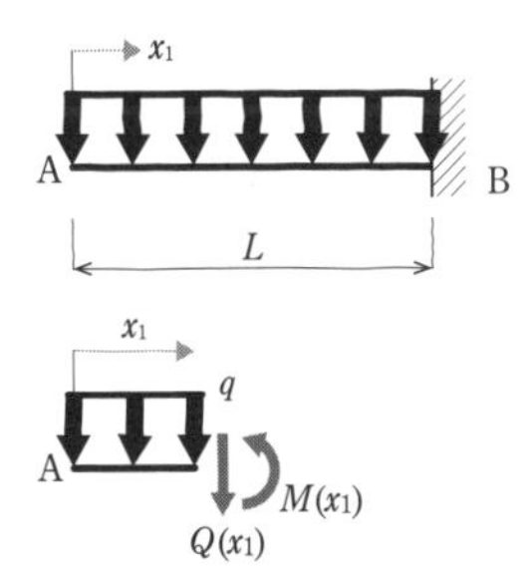

(a) 自由端に原点を設定した場合

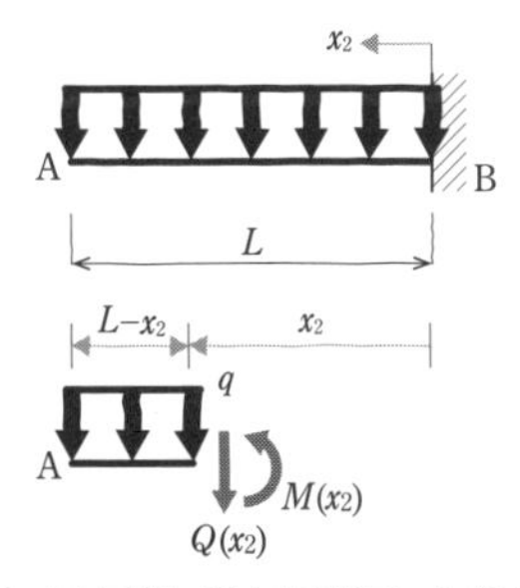

(b) 固定端に原点を設定した場合

図3･69　片持ばりモデル

自由端側のA点に原点を設定した場合（図3･69(a)）の曲げモーメント式は、

$\downarrow \Sigma V=0$ より　$q\cdot x_1+Q(x_1)=0$

$Q(x_1)=-qx_1$

$\curvearrowright \Sigma M_{\text{at A点}}=0$ より　$q\cdot x_1\times\frac{1}{2}x_1+Q(x_1)\times x_1-M(x_1)=0$

$M(x_1)=\frac{1}{2}qx_1{}^2-qx_1{}^2=-\frac{1}{2}qx_1{}^2$

となり、これを図示すると図3･70(a) になります。

x_1 を $\frac{1}{2}L$ ずつ変化させてせん断力、曲げモーメントを計算すると、以下のようになります。

$x_1=0$ のとき：$Q(0)=0$ 、$M(0)=0$

$x_1=\frac{1}{2}L$ のとき：$Q\left(\frac{1}{2}L\right)=-\frac{1}{2}qL$、$M\left(\frac{1}{2}L\right)=-\frac{1}{8}qL_1{}^2$

$x_1=L$ のとき：$Q(L)=-qL$、$M(L)=-\frac{1}{2}qL^2$

次に、固定端側のB点に原点を設定した場合（図3･69(b)）の曲げモーメント式は、

$\downarrow \Sigma V=0$ より　$q(L-x_2)+Q(x_2)=0$

$Q(x_2)=-q(L-x_2)$

$\curvearrowright \Sigma M_{\text{at A点}}=0$ より　$q(L-x_2)\times\frac{1}{2}(L-x_2)+Q(x_2)\times(L-x_2)-M(x_2)=0$

$M(x_2)=\frac{1}{2}q(L-x_2)^2-q(L-x_2)^2=-\frac{1}{2}q(L-x_2)^2$

となります。これを図示すると図3･70(b) になります。

x_2 を $\frac{1}{2}L$ ずつ変化させてせん断力、曲げモーメントを計算すると、以下のようになります。

$x_2=0$ のとき：$Q(0)=-qL$、$M(0)=-\frac{1}{2}qL^2$

$x_2=\frac{1}{2}L$ のとき：$Q\left(\frac{1}{2}L\right)=-\frac{1}{2}qL$、$M\left(\frac{1}{2}L\right)=-\frac{1}{8}qL^2$

$x_2=L$ のとき：$Q(L)=0$、$M(L)=0$

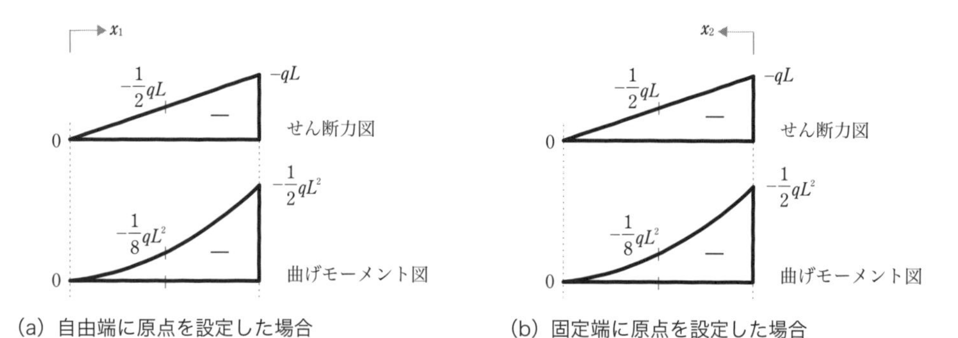

(a) 自由端に原点を設定した場合　　(b) 固定端に原点を設定した場合

図3·70　片持ばりのせん断力図、曲げモーメント図

当然ではありますが、x 軸の原点をどちらに設定してもせん断力図、曲げモーメント図は同じです。せん断力式と曲げモーメント式は見た目は異なりますが、この場合であれば、A点を原点した場合の計算式に対して $x_1=L-x_2$ で置き換えることで同じ式になります。この比較からわかるとおり、片持ばりの場合には自由端に原点を置く方が効率的で、計算ミスも減らすことができます。

(2) 単純ばりの場合

図3·71に示すような中央に集中荷重が作用する単純ばりの座標の設定について、A点を x_1 の原点、B点を x_2 の原点として解く場合を見ていきましょう。

はりの左半分 $\left(x_1=0\sim\frac{1}{2}L\right)$ について考えると、

$\downarrow\Sigma V=0$ より　$-\frac{1}{2}P+Q(x_1)=0$

$Q(x_1)=\frac{1}{2}P$

$\curvearrowright\Sigma M_{\text{at A点}}=0$ より　$Q(x_1)\times x_1-M(x_1)=0$

$M(x_1)=-\frac{1}{2}Px_1$

となります。

x_1 を $\frac{1}{4}L$ ずつ変化させてせん断力、曲げモーメントを計算すると、以下のようになります。

$x_1=0$ のとき：$Q(0)=\frac{1}{2}P$、$M(0)=0$

$x_1=\frac{1}{4}L$ のとき：$Q\left(\frac{1}{4}L\right)=\frac{1}{2}P$、$M\left(\frac{1}{4}L\right)=\frac{1}{8}PL$

$x_1=\frac{1}{2}L$ のとき：$Q\left(\frac{1}{2}L\right)=\frac{1}{2}P$、$M\left(\frac{1}{2}L\right)=\frac{1}{4}PL$

一方、はりの右半分 ($x_2=0\sim\frac{1}{2}L$) について考えると、

$\downarrow \Sigma V=0$ より　$-Q(x_2)-\frac{1}{2}P=0$

$Q(x_2)=-\frac{1}{2}P$

$\circlearrowright \Sigma M_{\text{at B点}}=0$ より　$M(x_2)+Q(x_2)\times x_2=0$

$M(x_2)=\frac{1}{2}Px_2$

となります。

x_2 を $\frac{1}{4}L$ ずつ変化させてせん断力、曲げモーメントを計算すると、以下のようになります。

$x_2=0$ のとき：$Q(0)=-\frac{1}{2}P$、$M(0)=0$

$x_2=\frac{1}{4}L$ のとき：$Q\left(\frac{1}{4}L\right)=-\frac{1}{2}P$、$M\left(\frac{1}{4}L\right)=\frac{1}{8}PL$

$x_2=\frac{1}{2}L$ のとき：$Q\left(\frac{1}{2}L\right)=-\frac{1}{2}P$、$M\left(\frac{1}{2}L\right)=\frac{1}{4}PL$

これらをせん断力図、曲げモーメント図として描くと、図3･72のようになります。

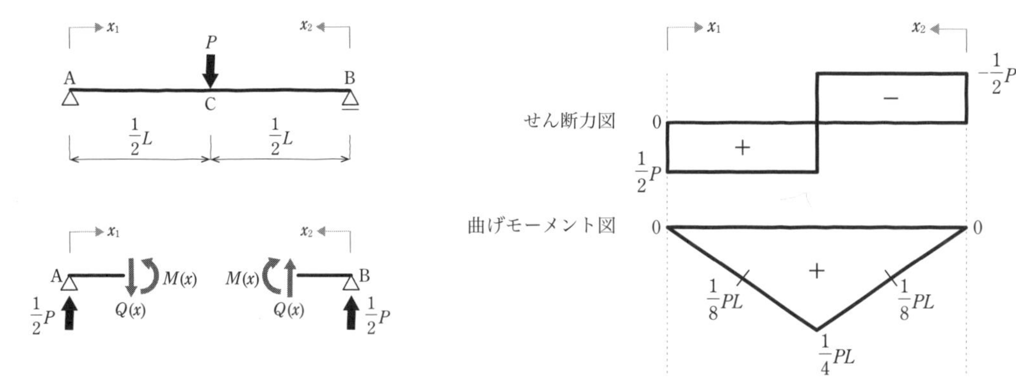

図3･71　単純ばりモデル

図3･72　単純ばりのせん断力図、曲げモーメント図

練習問題④　練習問題③の図3･50～3･53に示すはりの曲げモーメント式と曲げモーメント図を求めましょう。

応用問題④　応用問題③の図3･54～3･63に示すはりの曲げモーメント式と曲げモーメント図を求めましょう。

3・5　重ね合わせの原理

構造物に複数の荷重が作用している場合には、それらの複数の荷重を同時に考えて解くことも可能ですが、別個に考えて解き、その結果（反力、断面力）を足し合わせても、同じ結果を得ることができます。これを「**重ね合わせの原理**」といい、2章で述べた変形が微小である場合にこの方法を使うことができます。

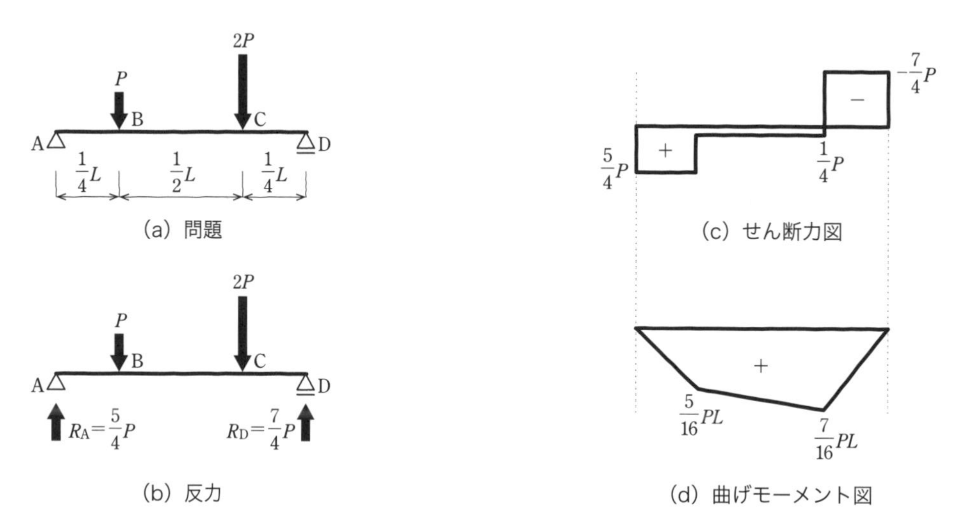

図3・73　複数の荷重が作用する場合

図3・73(a)に示す問題を解いてみましょう。まずは、2つの荷重をまとめて考える方法で解いていきます。A点まわりのモーメントと鉛直方向の力のつり合いから、反力を求めます。

$$\curvearrowright \Sigma M_{\text{at A点}}=0 \text{ より}\quad P\times\frac{1}{4}L+2P\times\frac{3}{4}L-R_D\times L=0 \quad\Rightarrow\quad R_D=\left(\frac{1}{4}+\frac{6}{4}\right)P=\frac{7}{4}P$$

$$\downarrow \Sigma V=0 \text{ より}\quad -R_A-R_D+P+2P=0 \quad\Rightarrow\quad R_A=-\frac{7}{4}P+3P=\frac{5}{4}P$$

図3・73(b)に示す反力と荷重を手がかりにせん断力図、曲げモーメント図を描くと、図3・73(c)(d)のようになります。

次に、重ね合わせの原理を適用して解いてみましょう。モデルを図3・74に示すように2つに分解し、それぞれを別個に解いて重ね合わせます。一括して解いた場合と結果が一致していることがわかります。

複数の荷重が作用する問題を解くにあたって重ね合わせの原理を用いる利点としては、単純な問題に分解されることで計算ミスが生じにくくなり、チェックも容易になることが挙げられます。以下の練習問題に取り組むことで、その利点を確認してください。

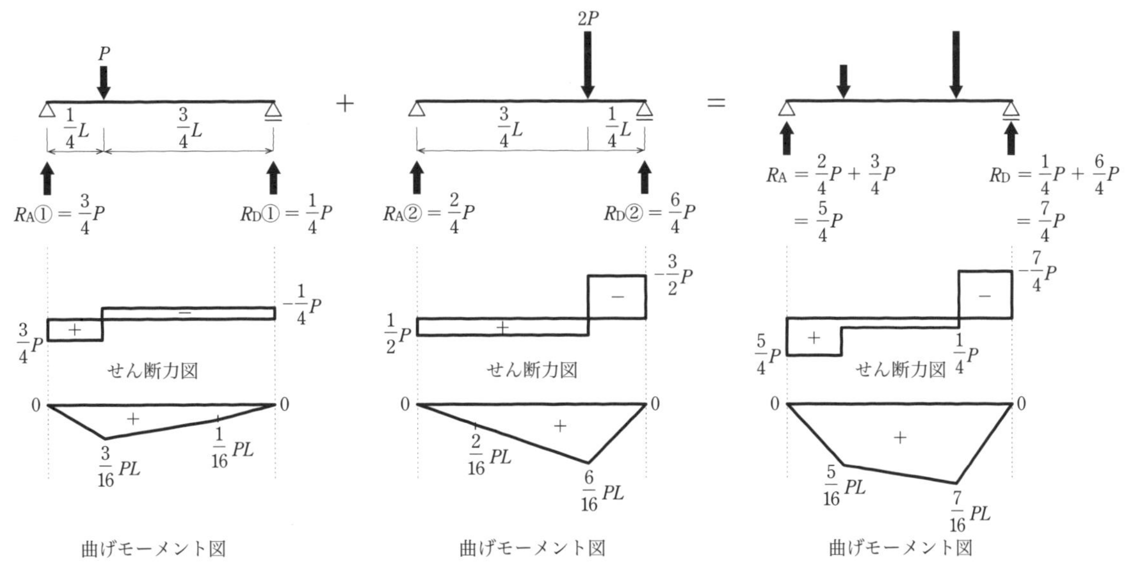

図3·74　重ね合わせの原理による解法

練習問題⑥　重ね合わせの原理を用いて、図3·75～3·89に示すはりの反力、せん断力図、曲げモーメント図を求めましょう。

(1)　　(2) 出

図3·75　単純ばりに複数の集中荷重が作用する場合　　図3·76　片持ばりに複数の集中荷重が作用する場合

(3) 出　　(4) 出

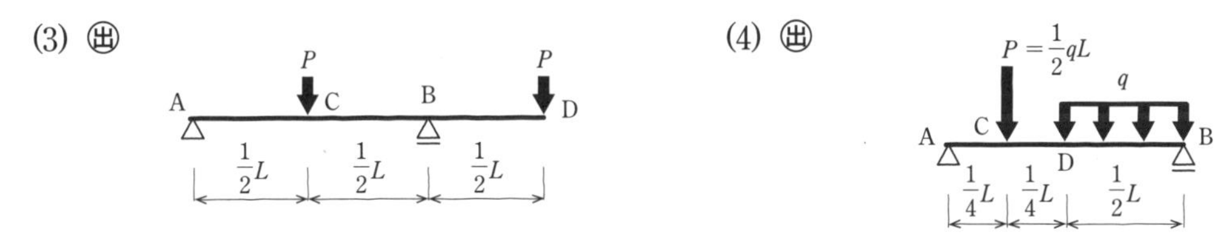

図3·77　張出ばりに複数の集中荷重が作用する場合　　図3·78　単純ばりに集中荷重と等分布荷重が作用する場合

(5)　　(6)

図3·79　片持ばりに集中荷重と等分布荷重が作用する場合　図3·80　張出ばりに集中荷重と等分布荷重が作用する場合

(7)　(8)

図3･81　単純ばりに複数の集中荷重が作用する場合　図3･82　片持ばりに集中荷重と等分布荷重が作用する場合

(9)　(10)

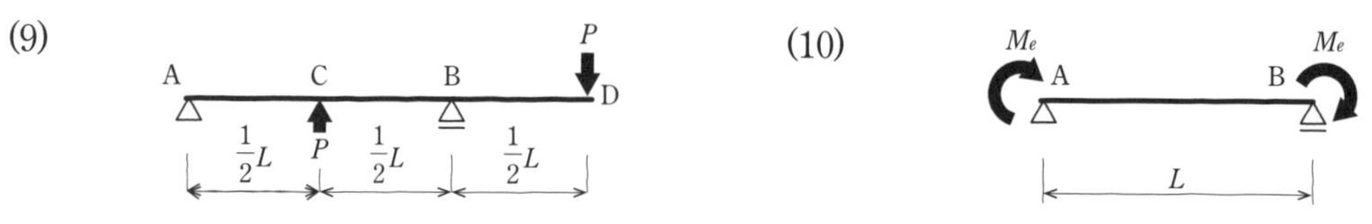

図3･83　張出ばりに複数の集中荷重が作用する場合　図3･84　単純ばりに複数のモーメント荷重が作用する場合

(11)　(12)

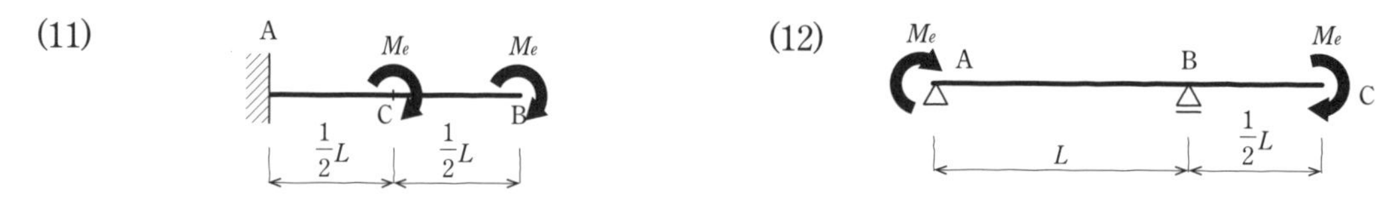

図3･85　片持ばりに複数のモーメント荷重が作用する場合　図3･86　張出ばりに複数のモーメント荷重が作用する場合

(13)　(14)

図3･87　単純ばりに複数のモーメント荷重が作用する場合　図3･88　片持ばりに複数のモーメント荷重が作用する場合

(15)

図3･89　張出ばりに複数のモーメント荷重が作用する場合

3･6　静定ラーメン構造

本節では、**静定ラーメン構造**の解き方について解説します。ラーメン構造とは柱とはりなどの部材を相互に剛結している構造形式のことをいいます（ラーメンという名称は、ドイツ語で枠を意味するRahmenに由来します）。部材の接合部は剛結合ですので、すべての断面力が伝達されます。

図3･90に示すラーメン構造を解くことにしましょう。まずは、反力について考えます。固定支点であるA点には、図3･91(a)に示すようにR_A、H_A、M_Aの3つの反力が発生します。これらは3つのつり合い条件式を用いて求めることができます。

$\downarrow \Sigma V=0$ より　$-R_A=0$　⇒　$R_A=0$

$\rightarrow \Sigma H=0$ より　$H_A+P=0$　⇒　$H_A=-P$

$\curvearrowright \Sigma M_{\text{at A点}}=0$ より　$M_A-P\times a=0 \Rightarrow M_A=Pa$

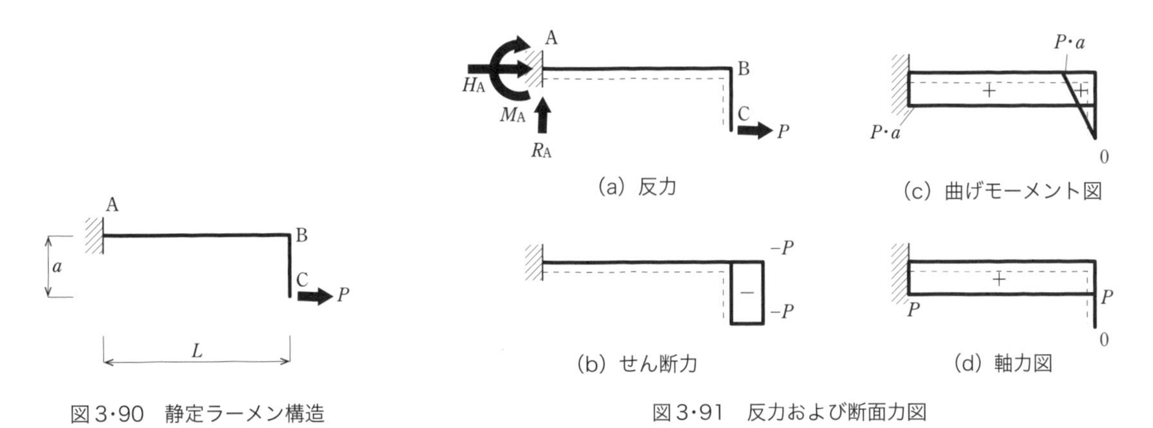

図 3・90　静定ラーメン構造

図 3・91　反力および断面力図

次に、C–B の部材の断面力を求めましょう。図 3・92 に示すように、C 点を原点として B 点方向を正方向とする x_1 軸を設定し、任意の位置で切断し、切断面の内力を考えます。このとき、図 3・91(a) に示す点線側がはりで考える場合の下側になるように考えて、切断面の断面力の正の方向を設定しましょう（図 3・92 を左に 90° 回転させて考える）。

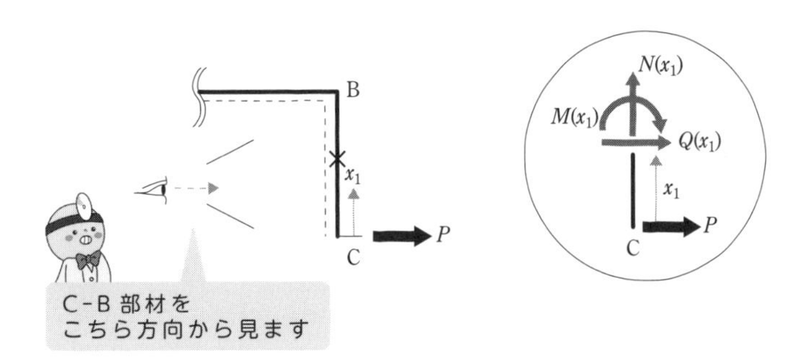

図 3・92　C–B 部材の座標の設定と反力

切断位置から C 点側のピースについてつり合い条件を考えると、断面力は、

$\downarrow \Sigma V=0$ より　$-Q(x_1)-P=0 \Rightarrow Q(x_1)=-P$

$\rightarrow \Sigma H=0$ より　$-N(x_1)=0 \Rightarrow N(x_1)=0$

$\curvearrowright \Sigma M_{\text{at C点}}=0$ より　$M(x_1)+Q(x_1)\times x_1=0 \Rightarrow M(x_1)=-Q(x_1)\times x_1=Px_1$

となります。

続いて、B–A 部材の断面力を求めましょう。ここでは、図 3・93 に示すように B 点を原点として、A 点方向を正方向とする x_2 軸を設定します。切断位置から右側のピースについてつり合い条件式を考えると、断面力は、

$\downarrow \Sigma V=0$ より　$-Q(x_2)=0 \Rightarrow Q(x_2)=0$

$\rightarrow \Sigma H=0$ より　$-N(x_2)+P=0 \Rightarrow N(x_2)=P$

$\curvearrowright \Sigma M_{\text{at B点}}=0$ より　$M(x_2)+Q(x_2)\times x_2-P\times a=0$

$Q(x_2)=0$ より　$M(x_2)-P\times a=0$　⇒　$M(x_2)=Pa$
となります。

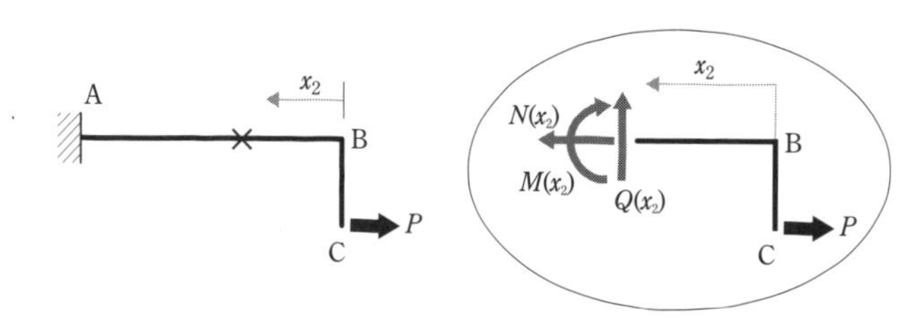

図3·93　B–A部材の座標の設定と反力

これらの結果を図示したものが図3·91(b)～(d)になります。このうちのせん断力図と軸力図に注目してみましょう。C点に作用している外力である水平力Pは、C–B部材のせん断力としてB点まで伝わり、直交しているB–A部材には軸力として伝わり、さらにA点の水平反力H_Aとなって地球に伝達される様子がわかります。一方、曲げモーメントは外力と反力の作用線のズレを取り繕う役割を担っていると考えることもできます。

このように、内力であるせん断力、曲げモーメント、軸力は個別のものではなく、外力を地球に伝えるために相互に関係しながら構造物の内部に生じている力になります。断面力図の全体を俯瞰し、それぞれの関連性に注意することで、計算のミスに気づくこともあります。加えて、支点部分の断面力と反力についても注目するように心がけましょう。

静定ラーメン構造の断面力図の作図においては、図3·91(a)に示す点線、すなわち断面力のプラスを図示する方向がポイントとなります。問題文に方向が明記されている場合にはそのルールにしたがわなければなりませんが、明記されていない場合には自分でルールを設定する必要があります。本書では、図3·94のようにラーメン構造を展開して1本のはりにした場合をイメージして、断面力のプラスを図示する方向をラーメンの内側に設定しています。なお、柱が3本以上の場合には、別途設定する必要があります。

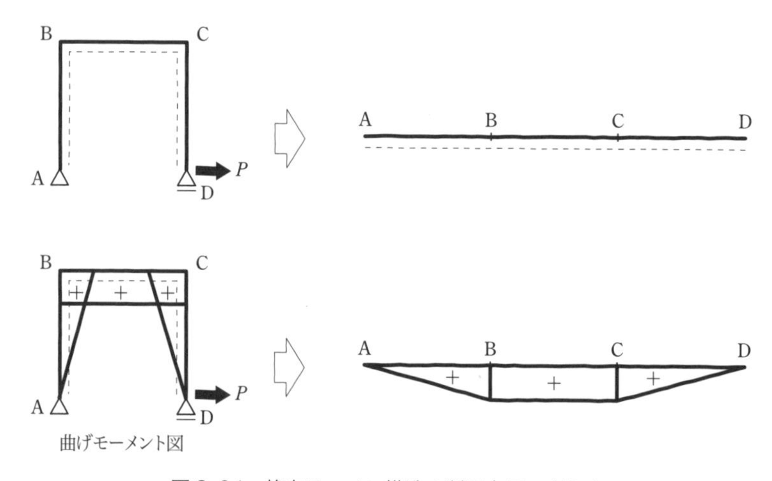

図3·94　静定ラーメン構造の断面力図の考え方

練習問題⑥ 練習問題②の図3・19～3・22に示す静定ラーメン構造の軸力図、せん断力図、曲げモーメント図を描きましょう。

応用問題⑤ 応用問題②の図3・31～3・33に示す静定ラーメン構造の軸力図、せん断力図、曲げモーメント図を描きましょう。

3・7 ヒンジを有する構造

ヒンジを有する構造として図3・95に示すモデルを考えてみましょう。この図のようにヒンジを有するはりは「**ゲルバーばり**」と呼ばれています。この構造の詳細や特徴については、6・1節で解説します。

まずは、ヒンジの位置でモデルを分割します。その際、切断したヒンジ位置には曲げモーメント以外の内力（せん断力と軸力）が発生すると考えます。図3・96(a)の分解図に示すように、ヒンジBには大きさが等しく作用方向が逆のH_BとV_Bを考えます。通常のはりを切断する場合ではせん断力、曲げモーメント、軸力の3つを内力として考えますが、曲げモーメントを伝達しないヒンジ部では曲げモーメントをゼロとして扱うことができますので、H_BとV_Bのみを考えればよいわけです。

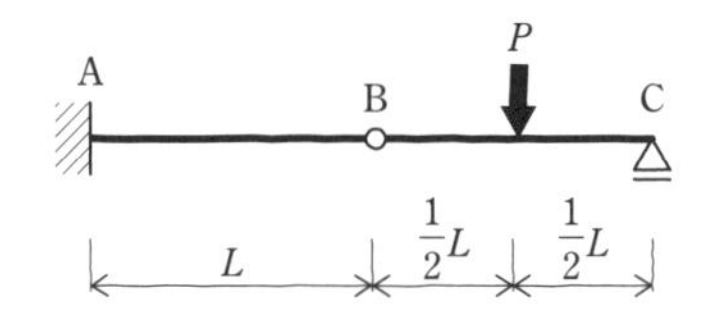

図3・95 ヒンジを有する構造のモデル

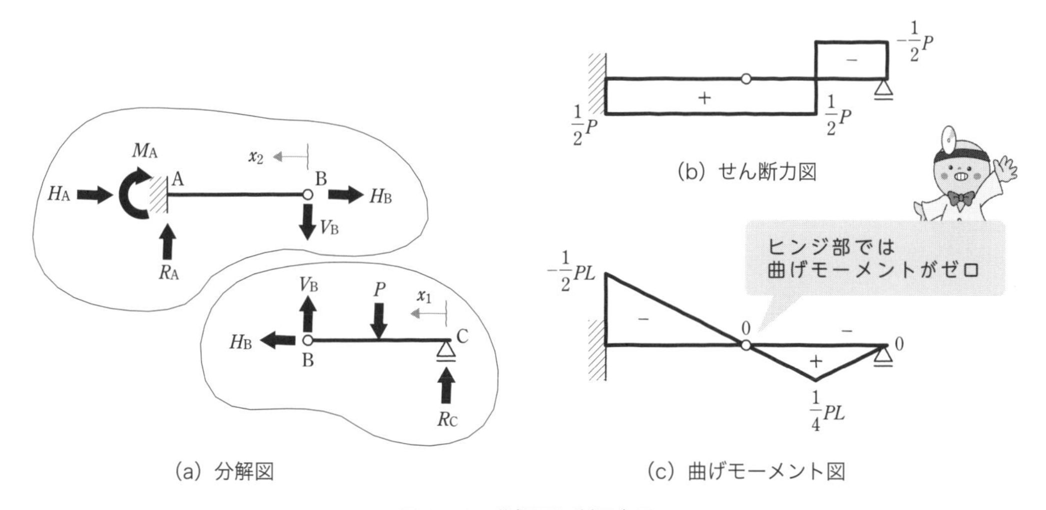

図3・96 分解図と断面力図

次に、ヒンジ部の内力H_B、V_Bを求めましょう。2つの内力を分割後の部材に作用する外力として考え、各部材でつり合い条件式を立てることでモデルを解いていきます。まずは、図3･96(a)の右側に示すB–C部材について考えると、

$$\rightarrow \Sigma H=0 \text{ より } \quad -H_B=0 \quad \Rightarrow \quad H_B=0$$

$$\curvearrowright \Sigma M_{\text{at B点}}=0 \text{ より } \quad P\times\frac{1}{2}L-R_C\times L=0 \quad \Rightarrow \quad R_C=\frac{1}{2}P$$

$$\downarrow \Sigma V=0 \text{ より } \quad -V_B+P-R_C=0 \quad \Rightarrow \quad V_B=P-\frac{1}{2}P=\frac{1}{2}P$$

これでH_BとV_Bが求まりました。

続いて、図3･96(a)の左側に示すA–B部材について考えます。

$$\rightarrow \Sigma H=0 \text{ より } \quad H_A+H_B=0 \quad \Rightarrow \quad H_A=0\ (H_B=0)$$

$$\downarrow \Sigma V=0 \text{ より } \quad -R_A+V_B=0 \quad \Rightarrow \quad R_A=V_B=\frac{1}{2}P\left(V_B=\frac{1}{2}P\right)$$

$$\curvearrowright \Sigma M_{\text{at A点}}=0 \text{ より } \quad M_A+V_B\times L=0 \quad \Rightarrow \quad M_A=-\frac{1}{2}PL$$

これで、すべての反力とヒンジ部の内力が求まりました。

ここからは、せん断力と曲げモーメントを求めていきます。B–C部材では図3･97に示すようにC点をx軸の原点として、A–B部材では図3･98に示すようにB点をx軸の原点として解くことにします。

では、3･4節、3･5節での解説を思い出しながら、B–C部材を解いていきましょう。ここで、図3･97に示すH_B、V_Bは外力として考えます。

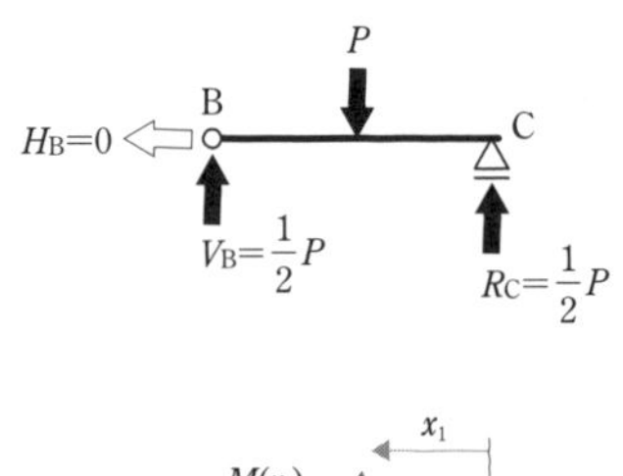

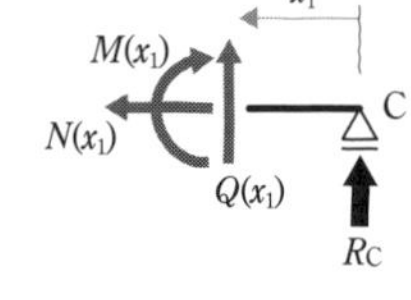

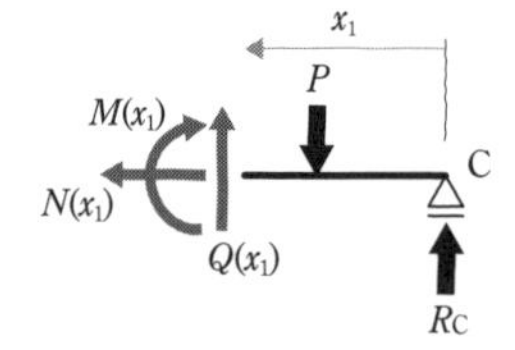

図3･97　B–C部材

図3･97のPより右側、$x_1=0\sim\frac{1}{2}L$の区間について力のつり合いを考えると、

$$\rightarrow \Sigma H=0 \text{より} \quad N(x_1)=0$$

$$\downarrow \Sigma V=0 \text{より} \quad -Q(x_1)-R_C=0 \quad \Rightarrow \quad Q(x_1)=-\frac{1}{2}P$$

$$\curvearrowleft \Sigma M_{\text{at C点}}=0 \text{より} \quad M(x_1)+Q(x_1)\times x_1=0 \quad \Rightarrow \quad M(x_1)=\frac{1}{2}Px_1$$

となります。

また、図3･97のPより左側、$x_1=\frac{1}{2}L\sim L$の区間についても同様に考えると、

$$\rightarrow \Sigma H=0 \text{より} \quad N(x_1)=0$$

$$\downarrow \Sigma V=0 \text{より} \quad -Q(x_1)+P-R_C=0 \quad \Rightarrow \quad Q(x_1)=P-\frac{1}{2}P=\frac{1}{2}P$$

$$\curvearrowleft \Sigma M_{\text{at C点}}=0 \text{より} \quad M(x_1)+Q(x_1)\times x_1-P\times\frac{1}{2}L=0$$

$$\Rightarrow \quad M(x_1)=-\frac{1}{2}Px_1+\frac{1}{2}PL=\frac{1}{2}P(L-x_1)$$

となります。

次に、B–A部材を解いていきましょう。ここでも、図3･98に示すH_B、V_Bは外力として考えます。

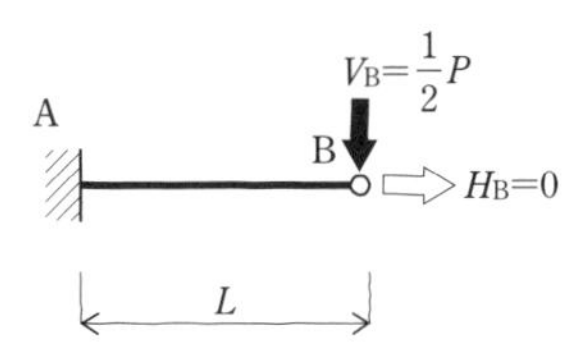

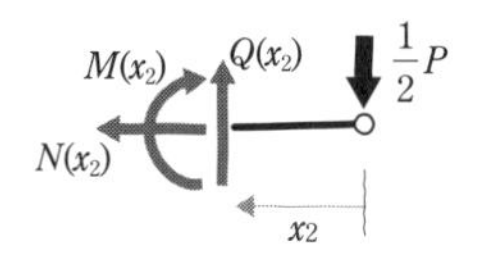

図3･98　B–A部材

$x_2=0\sim L$の区間について、力のつり合いを考えると、

$$\rightarrow \Sigma H=0 \text{より} \quad N(x_2)=0$$

$$\downarrow \Sigma V=0 \text{より} \quad -Q(x_2)+\frac{1}{2}P=0 \quad \Rightarrow \quad Q(x_2)=\frac{1}{2}P$$

$$\curvearrowleft \Sigma M_{\text{at B点}}=0 \text{より} \quad M(x_2)+Q(x_2)\times x_2=0 \quad \Rightarrow \quad M(x_2)=-\frac{1}{2}Px_2$$

となります。以上より、断面力図を図示すると図3･96(b)(c)になります。

3章 静定構造物の反力・断面力

練習問題⑦ 図3・99～3・103に示す中間ヒンジを有する静定構造物の反力、断面力図を求めましょう。

(1)

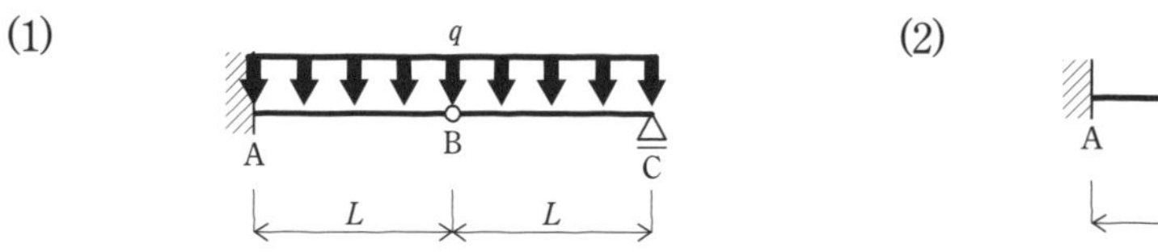

図3・99　ゲルバーばりに等分布荷重が作用する場合

(2)

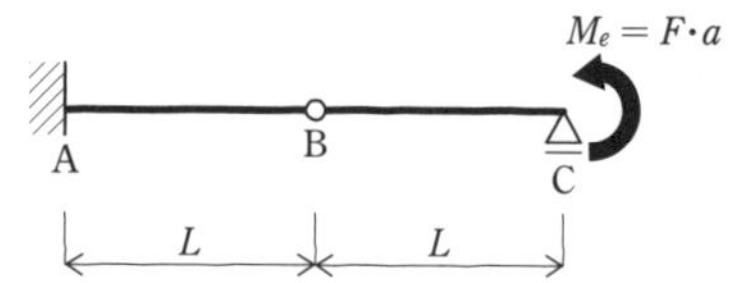

図3・100　ゲルバーばりにモーメント荷重が作用する場合

(3) ㊤

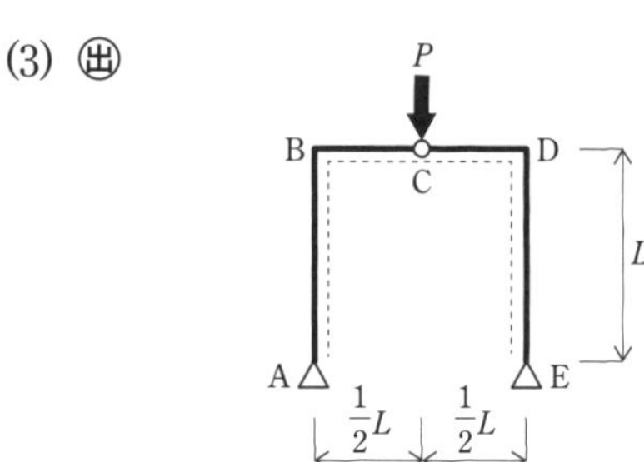

図3・101　静定ラーメン構造に集中荷重が作用する場合

(4)

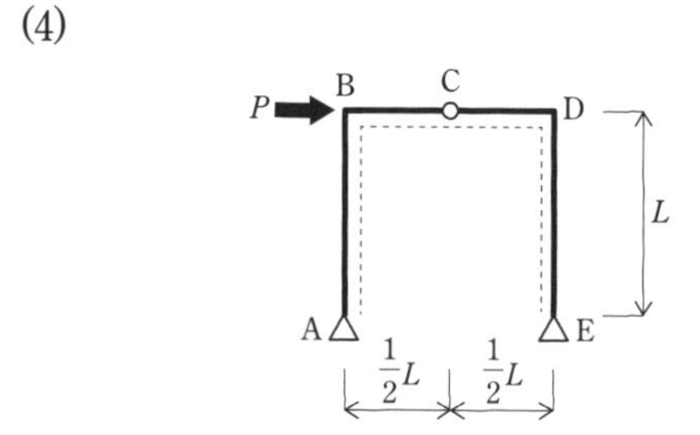

図3・102　静定ラーメン構造に集中荷重が作用する場合

(5)

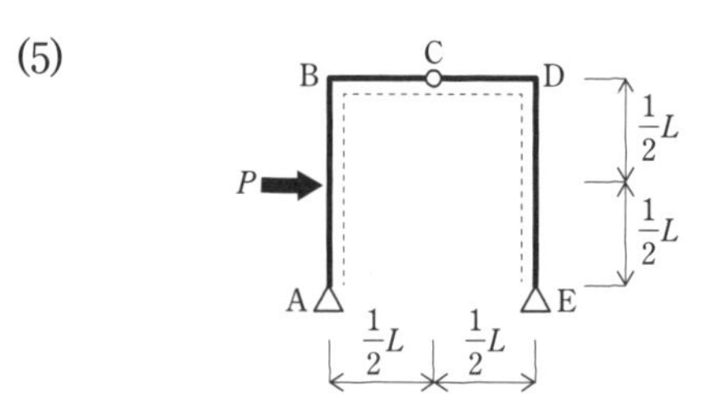

図3・103　静定ラーメン構造に集中荷重が作用する場合

図3・101～3・103のラーメン構造を解く際には分解する前に反力 R_A と R_E を求めましょう

応用問題⑥ 図3・104、図3・105に示すゲルバーばりの反力、断面力図を求めましょう。

(1)

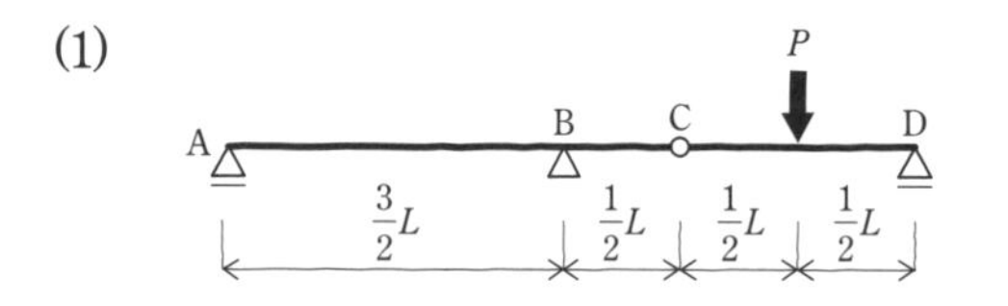

図3・104　ゲルバーばりに集中荷重が作用する場合

(2)

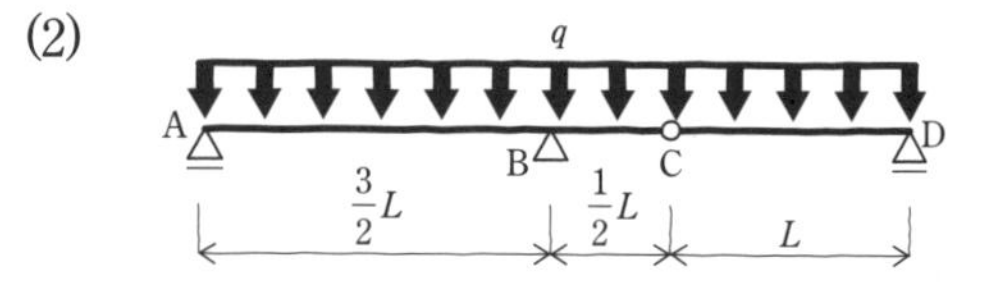

図3・105　ゲルバーばりに等分布荷重が作用する場合

3・8　トラス構造

トラス構造とは、圧縮もしくは引張の軸力のみを伝える棒部材を三角形に組み合わせて構成する構造物のことであり、橋や送電線の鉄塔などに使われています。前項まで考えてきたはりや柱では、H形や箱形、円形断面を有する充腹断面のはりや柱をイメージしていましたが、その代わりにトラス構造を使うことがあります。実は、大規模構造物にトラス構造を採用する方が歴史的には古く、パリのエッフェル塔（1889年竣工）や日本の東京タワー（1958年竣工）などがその代表例です。一方で、京都タワー（1964年竣工）は円形断面を有する充腹構造ということができます。

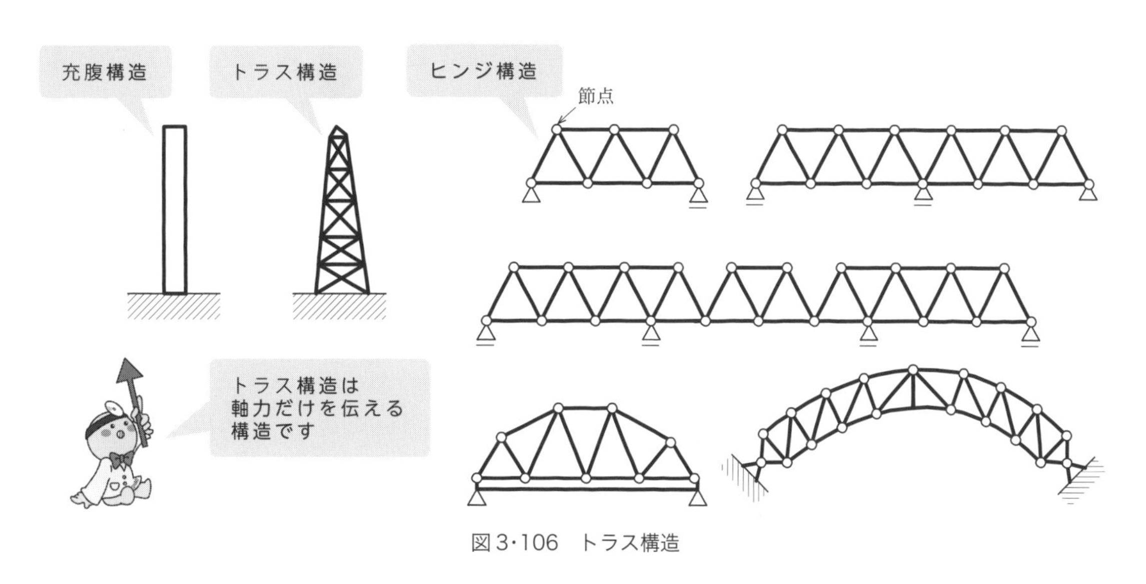

図3･106　トラス構造

トラス構造を橋梁に使用した例としては、単純トラス橋（写真3･10）、連続トラス橋（写真3･11）、ゲルバートラス橋（写真3･12）、トラスドランガー橋（写真3･13）、ブレーストリブアーチ橋（写真3･14）などがあります。

写真3･10　単純トラス橋

写真3･11　連続トラス橋

写真3･12　ゲルバートラス橋

写真3･13　トラスドランガー橋

写真3・14　ブレーストリブアーチ橋

トラス構造の解き方は、力のつり合い条件を考える点でこれまでと基本的には同じです。ただし、内力が軸力しかないという点と、荷重の載荷がトラス部材が接合する**節点**に限られるという点で異なっています。

軸力を求めるにあたり、はじめにトラス構造を分断します。解法としては、荷重載荷点や支点の節点まわりの部材を分断する「**節点法**」と、軸力を求めたい部材を含む位置でトラス構造を分断する「**切断法**」の2つがあります。基本問題を解きながら解法を理解していきましょう。

3・8・1　節点法

節点法では、ある節点に着目し、その接点まわりで分断した部材の力のつり合いを考えることで軸力を求めます。

基本問題⑥　図3・107(a)に示す単純トラスの軸力を節点法で求めましょう。

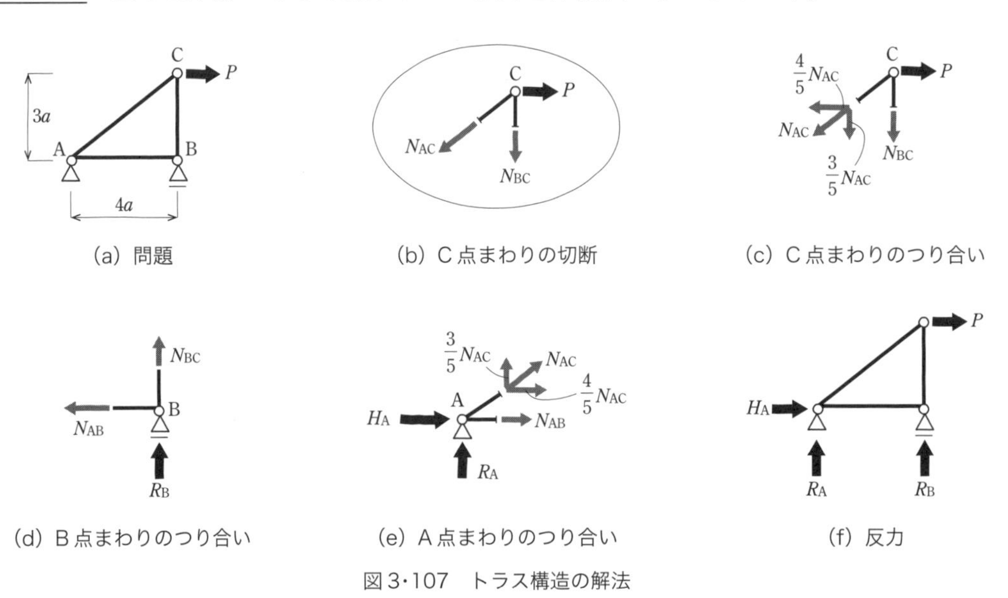

図3・107　トラス構造の解法

解答例

図3･107(a) に示す荷重載荷点のC点まわりで分断すると、図3･107(b) のようになります（軸力はNで表します)。分断した部材に生じる内力であるA–C部材の軸力N_{AC}とB–C部材の軸力N_{BC}、そして外力である荷重Pのつり合いを考えます。ここで斜めの部材の軸力N_{AC}を水平成分と鉛直成分にベクトル分解すると図3･107(c) のようになり、$\Sigma H=0$と$\Sigma V=0$より2つの部材の軸力が求められます。

$$\rightarrow \Sigma H=0 \text{より} \quad -\frac{4}{5}N_{AC}+P=0 \quad \Rightarrow \quad N_{AC}=\frac{5}{4}P$$

$$\downarrow \Sigma V=0 \text{より} \quad \frac{3}{5}N_{AC}+N_{BC}=0 \quad \Rightarrow \quad N_{BC}=-\frac{3}{5}N_{AC}=-\frac{3}{4}P$$

次にB点まわりで分断すると、図3･107(d) に示すように分断した部材には上で求めた軸力N_{BC}と未知のN_{AB}、R_Bが作用しています。

$$\rightarrow \Sigma H=0 \text{より} \quad N_{AB}=0$$

$$\downarrow \Sigma V=0 \text{より} \quad -N_{BC}-R_B=0 \quad \Rightarrow \quad R_B=-N_{BC}=\frac{3}{4}P$$

これで、全部材の軸力を求めることができました。

$N_{AB}=0$

$N_{AC}=\frac{5}{4}P$ (引張)

$N_{BC}=-\frac{3}{4}P$ (圧縮)

さらに、図3･107(e) のようにA点まわりで分断すると、

$$\rightarrow \Sigma H=0 \text{より} \quad H_A+\frac{4}{5}N_{AC}+N_{AB}=0 \quad \Rightarrow \quad H_A=-\frac{4}{5}N_{AC}=-P$$

$$\downarrow \Sigma V=0 \text{より} \quad -R_A-\frac{3}{5}N_{AC}=0 \quad \Rightarrow \quad R_A=-\frac{3}{5}N_{AC}=-\frac{3}{4}P$$

となり、以上により図3･107(f) に示すすべての反力を節点法によって求めることができました。

これらの反力については、外力の つり合い条件からも求めることができるので確認しておくことにしましょう。図3･107(f) から、

$$\rightarrow \Sigma H=0 \text{より} \quad H_A+P=0 \quad \Rightarrow \quad H_A=-P$$

$$\curvearrowright \Sigma M_{\text{at A点}}=0 \text{より} \quad P\times 3a-R_B\times 4a=0 \quad \Rightarrow \quad R_B=\frac{3}{4}P$$

$$\downarrow \Sigma V=0 \text{より} \quad -R_A-R_B=0 \quad \Rightarrow \quad R_A=-\frac{3}{4}P$$

3・8・2 切断法

切断法では、軸力を求めたい部材を含む位置でトラス構造を切断し、分断した部材の力のつり合いを考えることで軸力を求めます。

基本問題⑦ 図3・108(a)に示すトラス構造のB–C部材の軸力N_{BC}を切断法で求めましょう。

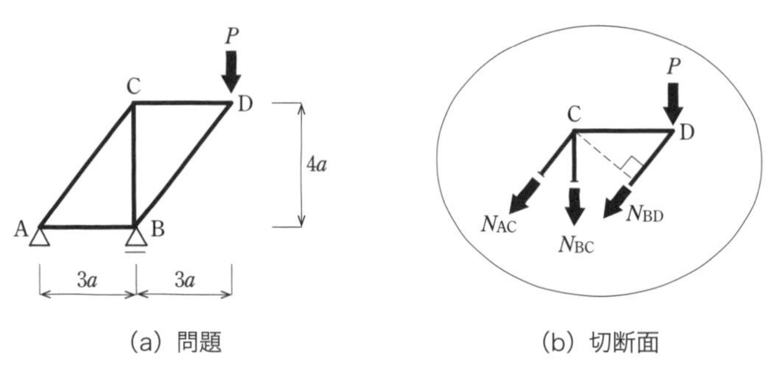

(a) 問題　(b) 切断面

図3・108　切断法による解法

解答例

まず、B–C部材を分断するようにトラス構造を切断します。切断後の部材断面には、図3・108(b)に示す3つの軸力が発生しています。ここで、C点まわりのモーメントのつり合いを考えてみましょう。モーメントを考える点をC点とすることにより、モーメントアーム長がゼロとなるN_{AC}とN_{BC}はモーメントのつり合い式から消去されます。したがって、残ったPとN_{BD}の関係からN_{BD}を求めることができます。

$$\curvearrowleft \Sigma M_{\text{at C点}}=0 \text{ より} \quad P\times 3a+N_{BD}\times\frac{4}{5}\times 3a=0 \quad\Rightarrow\quad N_{BD}=-\frac{5}{4}P\ (\text{圧縮})$$

$$\rightarrow \Sigma H=0 \text{ より} \quad -\frac{3}{5}N_{AC}-\frac{3}{5}N_{BD}=0 \quad\Rightarrow\quad N_{AC}=-N_{BD}=\frac{5}{4}P\ (\text{引張})$$

$$\downarrow \Sigma V=0 \text{ より} \quad \frac{4}{5}N_{AC}+N_{BC}+\frac{4}{5}N_{BD}+P=0 \quad\Rightarrow\quad N_{BC}=-P-\frac{4}{5}N_{AC}-\frac{4}{5}N_{BD}=-P\ (\text{圧縮})$$

このように、切断法の場合には求めたい部材の軸力をすばやく求めることができます。

部材を切断し、力のつり合い式から軸力を求めるトラスの解法では、部材を切断する位置やライン、モーメントのつり合いを考える点をうまく設定することにより計算を効率的にすることができますので、計算に先立ってそれらについて適切に考える必要があります。また、先ほどの基本問題のように反力を求めなくても解ける場合もありますし、反力を計算してから解くほうが効率的に解ける場合もありますので、じっくりと問題を見た上で作戦を立てて解くようにしましょう。また、軸力のベクトル分解や、ΣH、ΣV、ΣMの方向についてミスをしないように注意しましょう。なお、トラス構造物の載荷方法や解法の詳細については、6・2節でも解説します。

練習問題⑧　図3･109～3･114に示すトラス構造の指定する部材の軸力を求めましょう。

(1)N_{AB}、N_{BC}を求めよ。

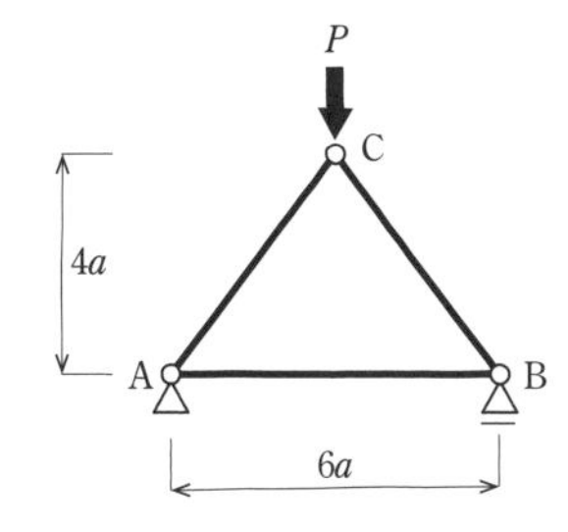

図3･109　3部材トラス

(2)N_{AC}、N_{BC}を求めよ。

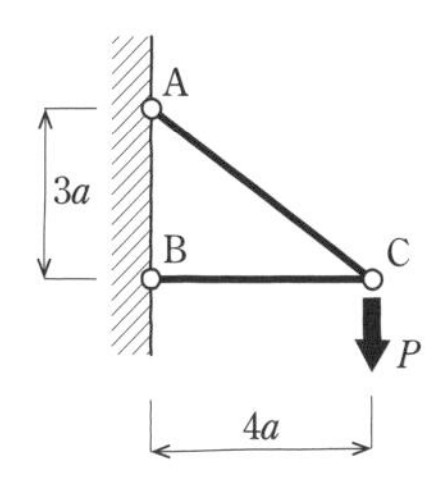

図3･110　2部材トラス

(3)N_{AD}、N_{BC}、N_{BD}を求めよ。(出)

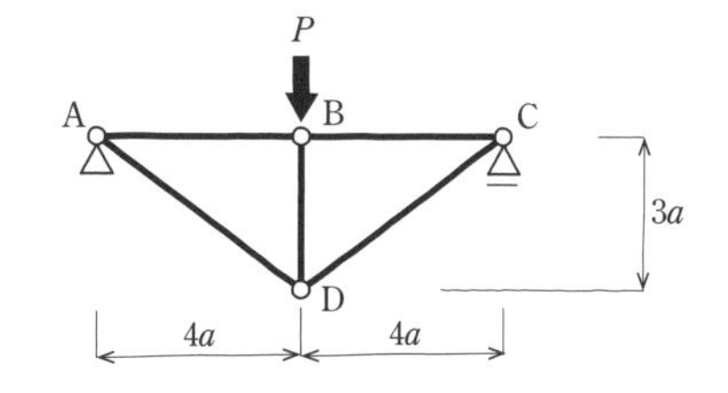

図3･111　5部材トラス

(4)N_{AD}、N_{BC}、N_{BD}を求めよ。(出)

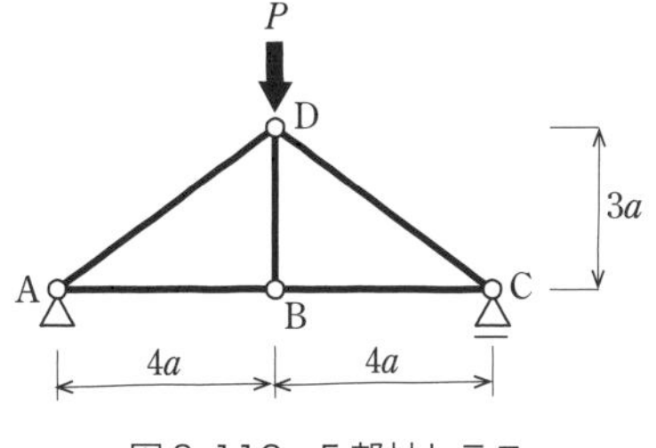

図3･112　5部材トラス

(5)N_{FC}を求めよ。

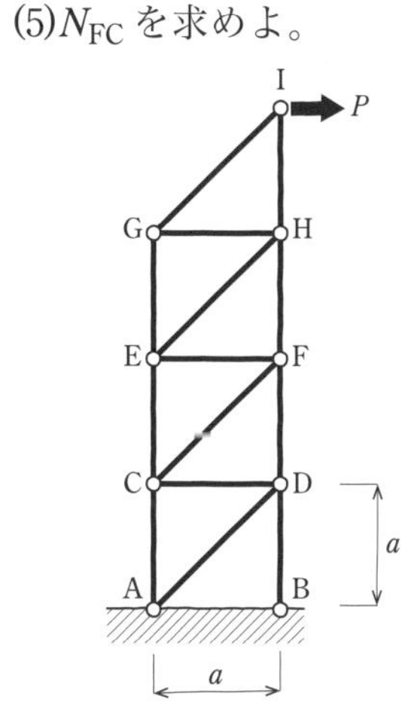

図3･113　トラスタワー（切断法）

(6)N_{BF}、N_{CF}を求めよ。

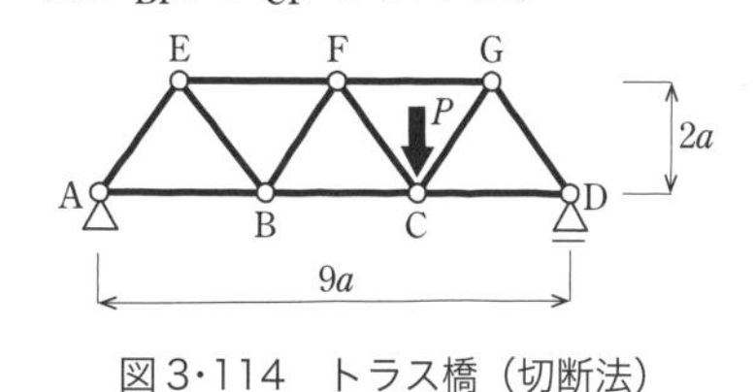

図3･114　トラス橋（切断法）

3･9　逆問題を解いてみよう

これまでは構造モデルに荷重が作用した場合の反力や断面力図を求めてきました。ここでは、その逆問題としてせん断力図と曲げモーメント図が与えられた場合に　その構造(支点条件や中間ヒンジ)と荷重を推理する能力を身につけましょう。

図3･115に示すせん断力図と曲げモーメント図から構造モデルと荷重の組み合わせを求めてみましょう。 ここで、解答は1種類とは限らない点がポイントです。図3･115の解答例を図3･116の(a)と(b)に示します。

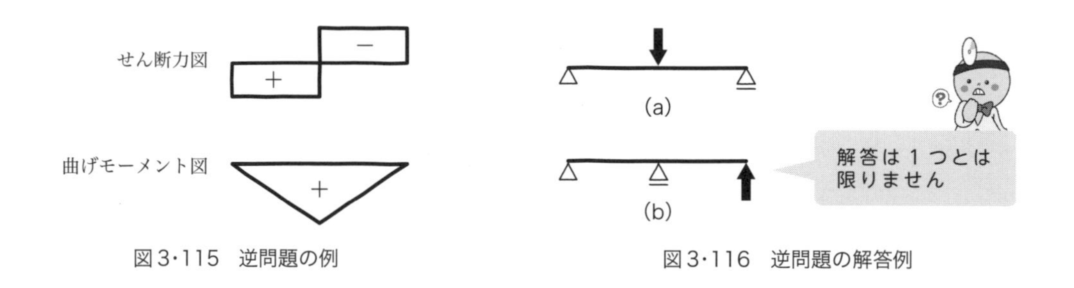

図3･115　逆問題の例

図3･116　逆問題の解答例

本章で学び、解いてきた問題を思い起こしながら、次の練習問題と応用問題を解いてみてください。解答が複数ある場合もありますので、柔軟に考えましょう。また、逆問題を自ら考えてみることもおすすめします。

練習問題⑨　図3･117～3･128に示す断面力図となる構造モデルと荷重の組み合わせを考えましょう。

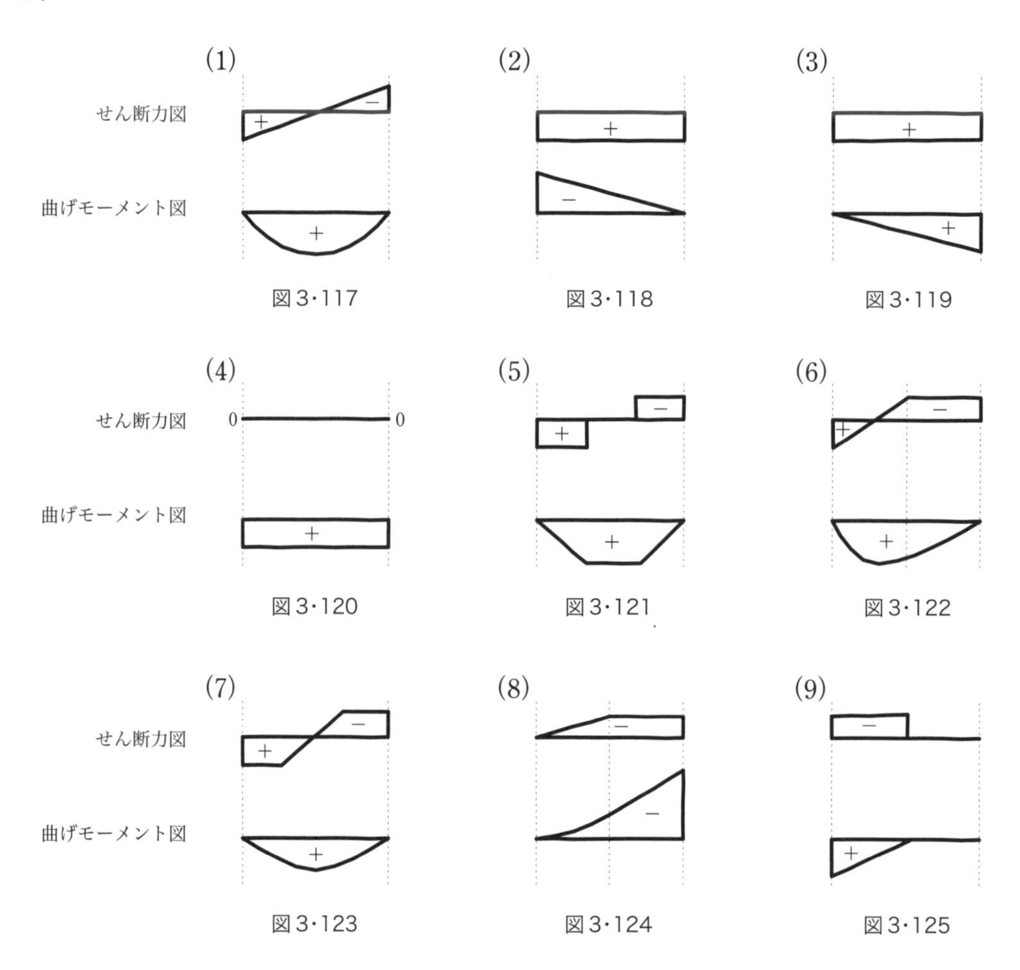

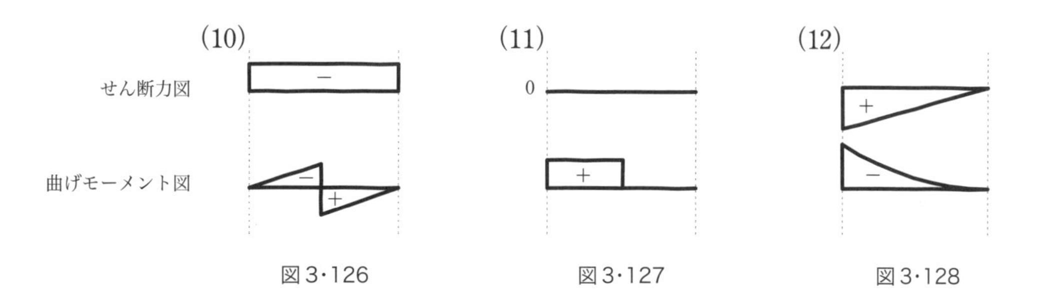

応用問題⑦ 図3･129～3･140に示す断面力図となる構造モデルと荷重の組み合わせを考えましょう。ヒンジやラーメン構造を含む問題です。

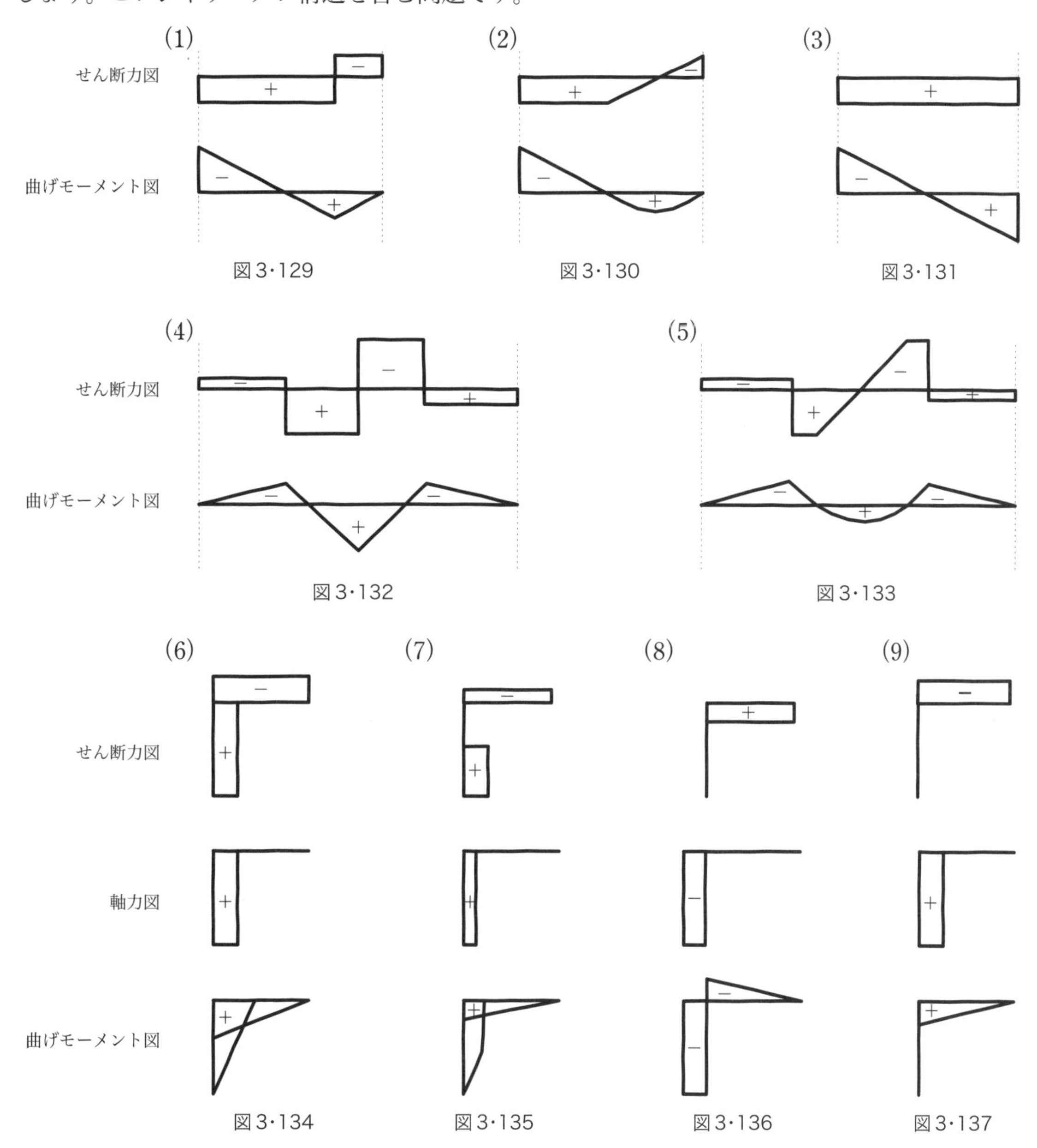

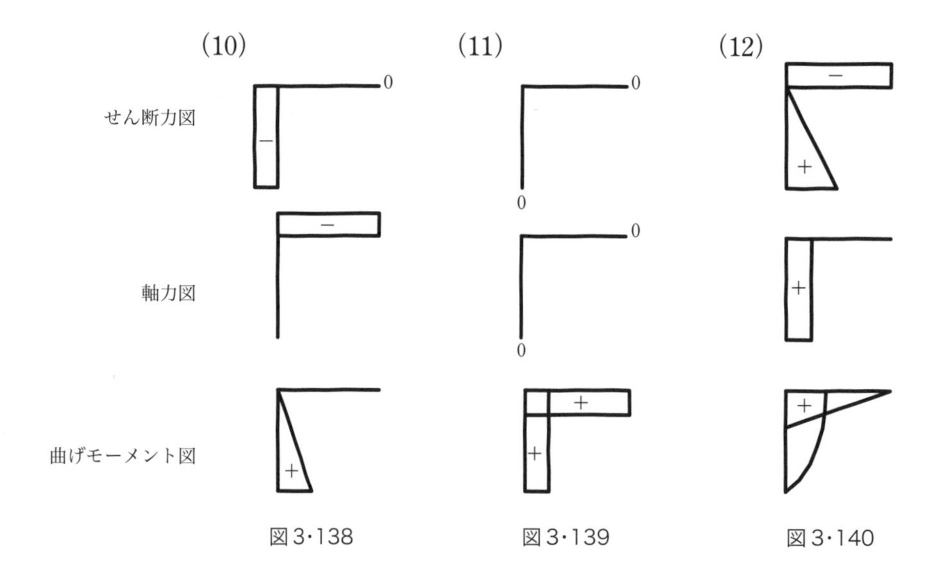

図3･138　図3･139　図3･140

4章
断面に発生する応力

前章では、構造物に荷重が作用する際に部材に発生する断面力について学びました。続く本章では、それらの断面力によって部材の内部にどのような力が発生しているのかを見ていきましょう。

4·1 応力とひずみ

4·1·1 応力

反力や断面力の計算では、図4·1のように部材を1本の線で表し、荷重や断面力を矢印で表していました。しかし、実際の構造物では、荷重が1点に作用することはありませんし、断面力が発生する部材は幅や高さなどの大きさをもっています。ここでは、この幅や高さを有する実際の部材の内部の様子に注目します。

ある面積をもった領域に力が作用しているとき、その単位面積当たりの力の大きさを「**応力**」（「**応力度**」ともいう）といいます。例えば、図4·2のように天井から棒が吊るされ、先端に下向きの荷重が作用する場合を考えてみましょう。断面A–Aの断面積が25mm^2、作用する力が500Nの場合であれば、応力である単位面積当たりの力は500÷25＝20N/mm^{2}となります。

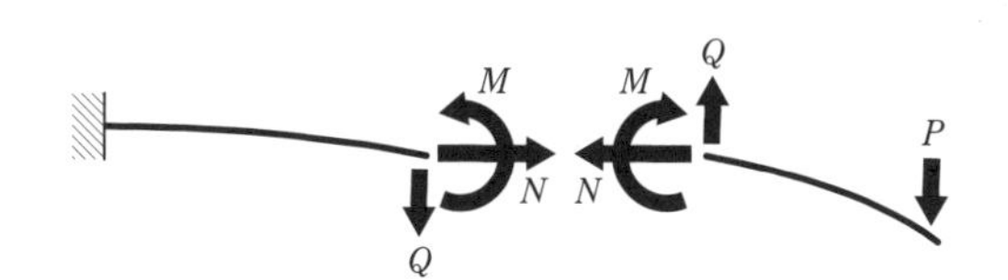

図4·1　反力・断面力算定時の構造物の表記

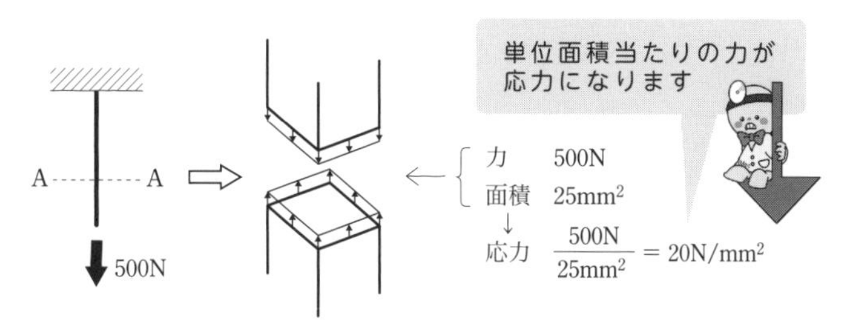

図4·2　引張が作用する棒

この天井から吊るされた棒のように、部材の長さ方向の力によって発生する応力を「**直応力**」

(「**垂直応力**」ともいう）といいます。通常、応力といえばこの直応力のことを表し、記号にはσ（シグマ）を用います。

部材断面に直応力を発生させる断面力には、軸力と曲げモーメントがあります。図4･3(a)のように柱に鉛直方向の外力が作用すると、柱の断面には図4･3(b)(c)(d)に示すように均等な圧縮の直応力が発生します。

一方、図4･4(a)に示すように柱に水平方向の外力が作用すると、柱の断面には図4･4(b)に示す曲げモーメントによる圧縮と引張の直応力が発生します。また、それと同時にせん断力による応力も発生します（図4･4(c)）。このせん断力によって発生する応力を「**せん断応力**」といい、記号にはτ（タウ）を用います。

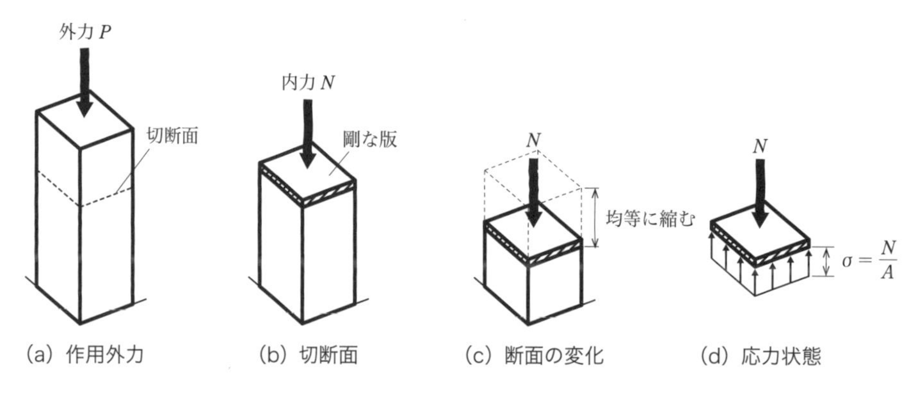

図4･3　鉛直外力による直応力

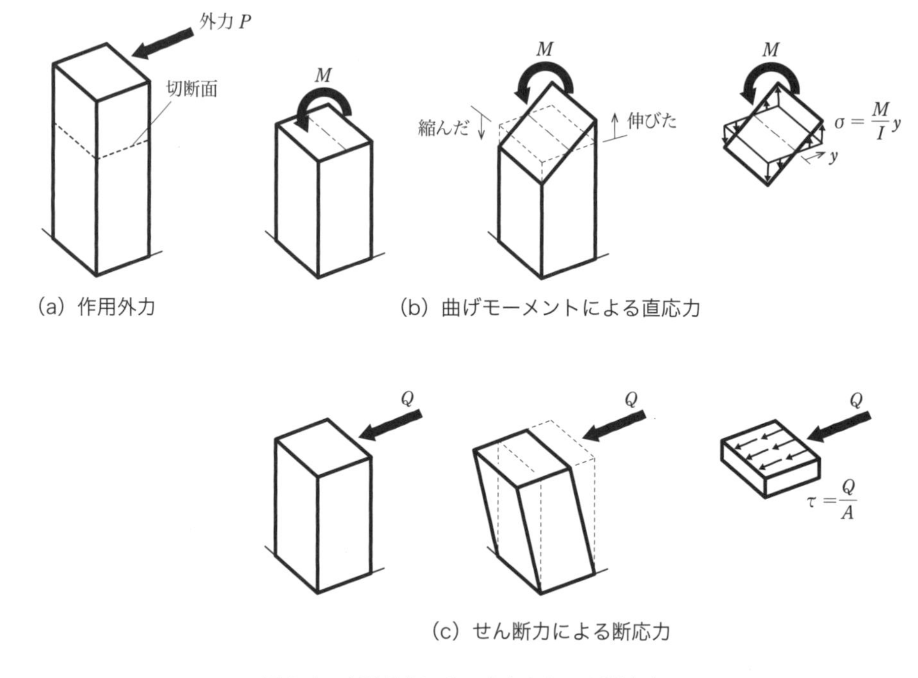

図4･4　水平外力による直応力とせん断応力

詳細は4·3節で後述しますが、軸力による直応力は式4·1、曲げモーメントによる直応力（「**曲げ応力**」という）は式4·2、せん断力によるせん断応力は式4·3で表され、応力の単位には通常 N/mm^2 を用います。

$$\sigma=\frac{N}{A}、\ \sigma=\frac{P}{A} \qquad 式4·1$$

$$\sigma=\frac{M}{I}y \qquad 式4·2$$

$$\tau=\frac{Q}{A} \qquad 式4·3$$

4·1·2 ひずみ

物体の変形の度合いを表す値として、元の寸法に対する変形の比率を表す「**ひずみ**」(「**ひずみ度**」ともいう）があります。図4·5のように、長さ L の柱を荷重 P で圧縮したときの縮み量を ΔL（デルタエル)、荷重 P で引張ったときの伸び量を ΔL とすると、ひずみ ε（イプシロン）は下式で求められます。

$$\varepsilon=\frac{\Delta L}{L} \qquad 式4·4$$

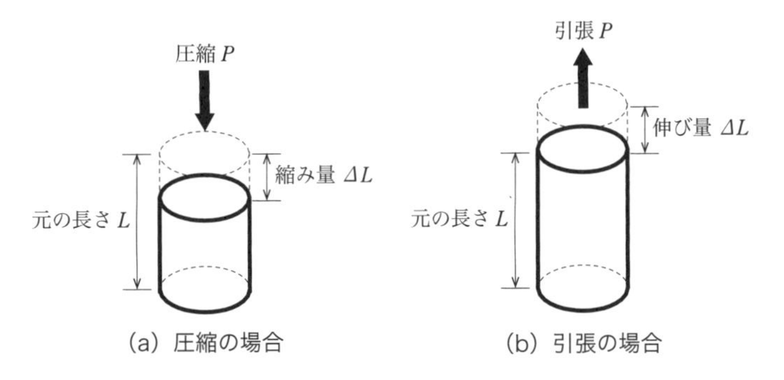

図4·5 柱の伸び縮み

なお、伸び縮みの正負は、慣例により、扱う材料によって表4·1のように異なります。そのため、伸び縮みの値を扱う際には、プラスかマイナスかと同時に、圧縮か引張かについても注意を払う必要があります。これは応力の正負についても同様です。

表4·1 応力とひずみの正負（慣例による）

材料	圧縮	引張
鉄、鋼材	負（マイナス）	正（プラス）
コンクリート、土	正（プラス）	負（マイナス）

例えば、図4･6のように、高さ634mの電波塔が自重により155mm縮んだとします。ひずみの分布が均一と仮定すると、このときのひずみの大きさは、

$$\varepsilon=\frac{\Delta L}{L}=\frac{-155\text{mm}}{634\text{m}}=\frac{-155\text{mm}}{634{,}000\text{mm}}=-0.000244 \qquad \text{式4･5}$$

となります。式4･5の中辺を見ると、長さの次元を長さの次元で割っているので、ひずみは無次元であり単位はありません。また、通常、ひずみは非常に小さい値となり、小数で書くと桁数が多くなり読みにくい場合があるため、単位の接頭語であるμ（マイクロ）$=10^{-6}$を使用して、$-0.000244=-244\times10^{-6}=-244\mu$と書くこともあります。その他には、%を使用して$-0.0244$%と書く場合もあります。

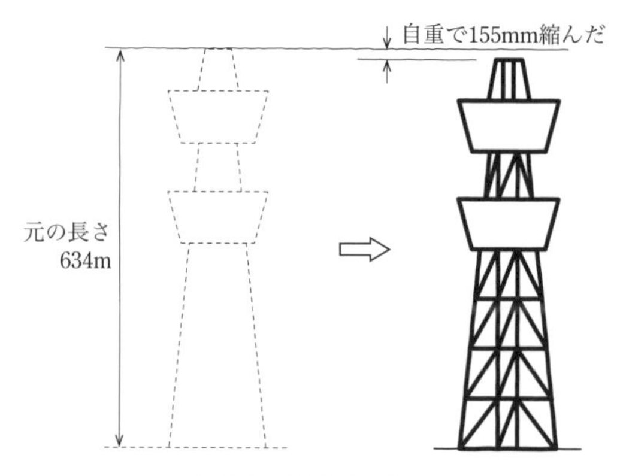

図4･6　電波塔の縮み

一方、応力とひずみの間には式4･6に示す関係があります。この式は、応力とひずみが比例関係にあるという「**フックの法則**」を示す式になります。

$$\sigma=E\varepsilon \qquad \text{式4･6}$$

ここで、応力とひずみの比例係数であるEのことを「**弾性係数**」または「**ヤング係数**」あるいは「**ヤング率**」といいます。弾性係数の単位は、ひずみが無次元であるため応力と同じN/mm^2になります。また、その値は材料によって異なる値をとります（表4･2）。

ここで、式4･1の$\sigma=\dfrac{P}{A}$と式4･4の$\varepsilon=\dfrac{\Delta L}{L}$を式4･6に代入すると$\dfrac{P}{A}=E\dfrac{\Delta L}{L}$となり、$A$を移項して整理すると、$\dfrac{EA}{L}$がばね定数に相当するフックの法則を表す式に変形できます。

$$P=\frac{EA}{L}\Delta L \quad \Leftrightarrow \quad F=kx\ (\text{力}=\text{ばね定数}\times\text{伸び})$$

式4･6の応力とひずみの関係式を図示したものが図4･7になります。一方、ばね定数をkとするフックの法則を図示したものが図4･8(a)(b)です。図4･8(b)のグラフは、ばねの伸びがxのとき、ばねにはたらく力Fがkxであることを示しています。同様に、図4･7のグラフは、ひずみがεのとき、はたらく応力σが$E\varepsilon$であることを示しています。

表4・2　鋼材とコンクリートの弾性係数

材料	弾性係数 [N/mm²]
鋼材	2.0×10^5
コンクリート	2.5×10^4

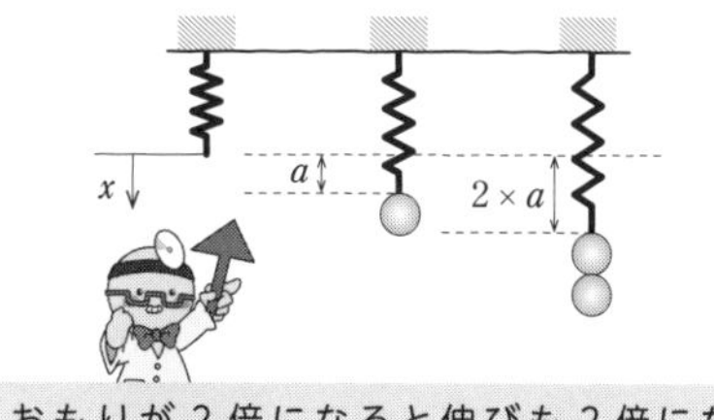

おもりが2倍になると伸びも2倍になる

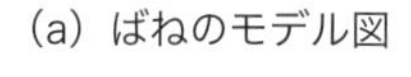

(a) ばねのモデル図

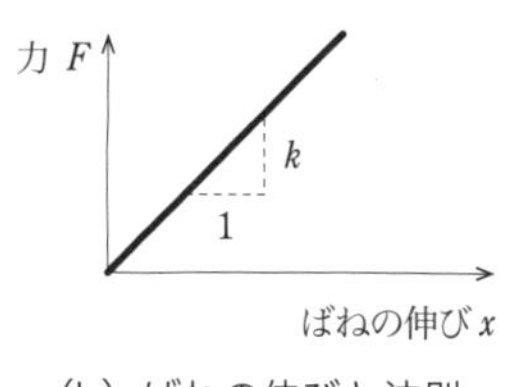

(b) ばねの伸びと法則

応力 σ
E
1
ひずみ ε

図4・7　応力とひずみの関係

図4・8　フックの法則（ばねにかかる力と伸びの関係）

4・2　断面諸量

4・2・1　断面積

4・1・1項で説明したように応力は単位面積当たりの力であり、力の大きさを作用する断面の面積で割って求めました。図4・9に示すような体重60kg（重量588N）の人が雪の上に立つ場合を考えてみましょう。雪にめり込む深さは、素足の状態、ブーツをはいた状態、スノーボードを付けた状態の順に小さくなります。接地面積から接地面にはたらく応力を実際に計算してみた結果を表4・3に示します。素足、ブーツ、スノーボードの順に接地面積が大きくなるのに応じて、接地面にはたらく応力が小さくなり、めり込み量も小さくなることがわかるでしょう。

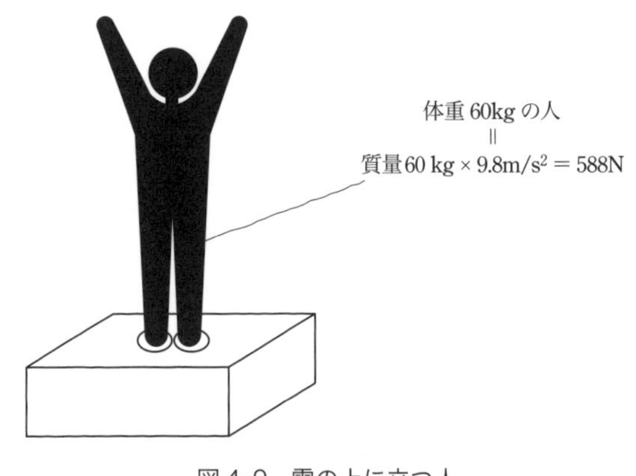

図 4･9　雪の上に立つ人

表 4･3　接地面積の違いと雪へのめり込み量の関係

	素足	ブーツ	スノーボード
体重は一定			
接地面積	10cm × 24cm の だ円と仮定 37,699mm^2	14cm × 28cm の だ円と仮定 61,575mm^2	160cm × 28cm の 長方形と仮定 448,000mm^2
	㊇小 →		→ ㊇大
接地面にはたらく応力	$\frac{588\text{N}}{37{,}699\text{mm}^2} = 0.0156\ \text{N/mm}^2$	$\frac{588\text{N}}{61{,}575\text{mm}^2} = 0.0095\ \text{N/mm}^2$	$\frac{588\text{N}}{448{,}000\text{mm}^2} = 0.0013\ \text{N/mm}^2$
	㊇大 →		→ ㊇小
雪のへこみ	深	中	浅

部材内部に生じる応力を計算する際には、適切な断面力と断面積を用いる必要があります。その値は、力のかかり方や構造物の形といった状況に左右されます。例えば、図4･10(a)のように、地面に木材を置き、その上に石材を載せる場合では、石材が木にめり込むかめり込まないかは図4･10(b)に示す(A)の面積、また木が地面にめり込むかめり込まないかは図4･10(c)に示す(B)の面積が関係します。一方、図4･11のように同じ木材を柱として使う場合には、(C)の断面積を考えます。このように、着目する応力に応じて作用する部分の面積をそのつど考える必要があります。

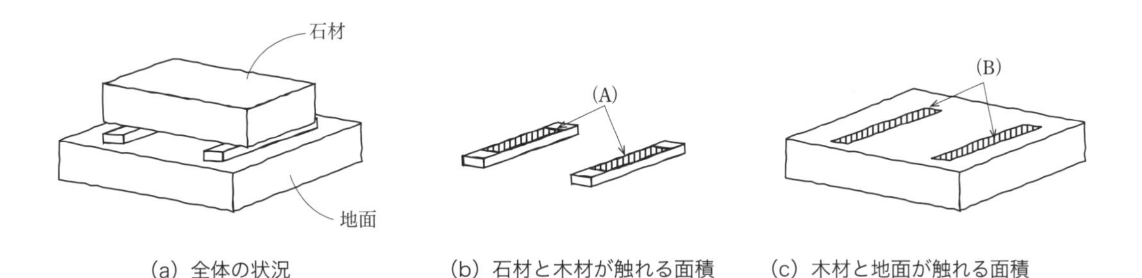

(a) 全体の状況　(b) 石材と木材が触れる面積　(c) 木材と地面が触れる面積

図4･10　地面に木材を置きその上に石材を載せた場合

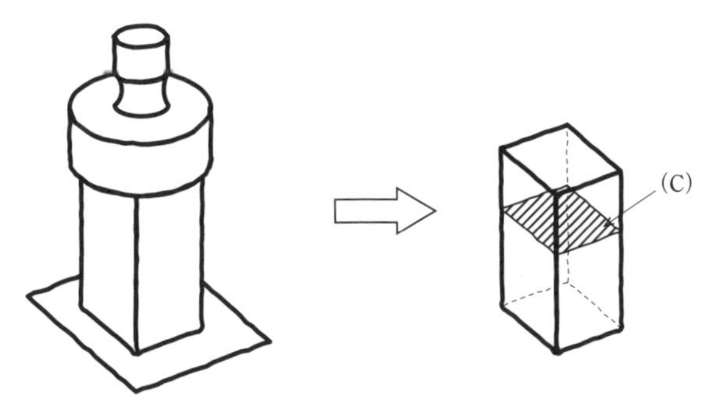

図4･11　木材を柱に使った場合

例えば、図4･12のような長方形の断面積Aは、式4･7で求めます。

$$A=bh \qquad \text{式4･7}$$

図4･13のように断面が円形の場合には、式4･8で求められます。

$$A=\pi r^2=\frac{\pi d^2}{4} \qquad \text{式4･8}$$

また、図4･14のように複数の部材を組み合わせた部材については、各面積を合計することで計算できます。式で表すと、式4･9のようになります。

$$A=A_1+A_2+A_3=\sum_{i=1}^{n}A_i \qquad \text{式4･9}$$

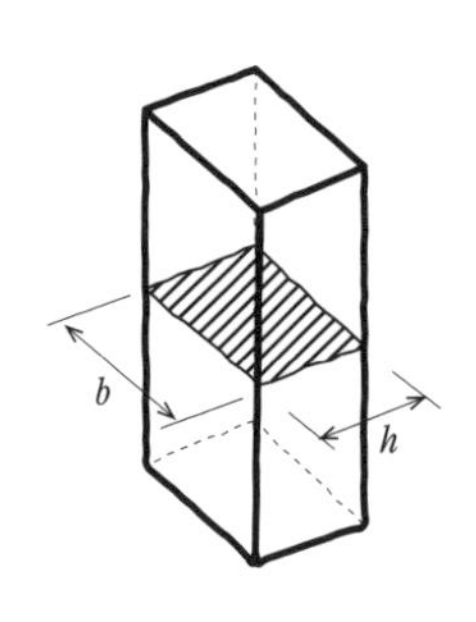

図4・12　長方形断面

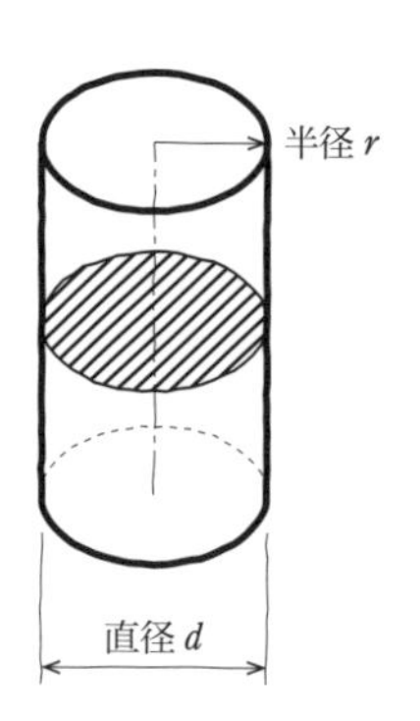

図4・13　円形断面

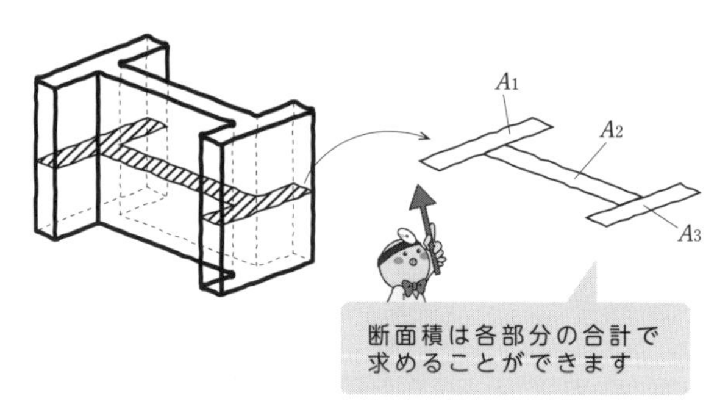

図4・14　部材を組み合わせた断面

基本問題①　ハイヒールを履いた体重50kgの人に踏まれたときと、質量5tのアジア象に踏まれたときにかかる応力を求めてみましょう。ヒール（10mm×10mm）の接地面積は100mm^2、象の足（直径400mm）の接地面積は$126{,}000\text{mm}^2$とします。

解答例

人の体重により地面にかかる力は、質量に重力加速度をかけて、

$$50\text{kg}\times 9.8\text{m/s}^2 = 490\text{N}$$

となります。図4・15(a)に示すようにハイヒールの接地面にかかる外力は、体重の半分が片足にかかり、さらにつま先とヒール部分が$\frac{1}{2}$ずつ分担すると考えると、体重の$\frac{1}{4}$である122.5Nとなります。接地面にかかる応力は、力を接地面積で割ることで、

$$\sigma = \frac{122.5\text{N}}{100\text{mm}^2} = 1.225\text{N/mm}^2$$

と計算できます。

次に、象の体重によって地面にかかる力は、

$$5{,}000\text{kg}\times 9.8\text{m/s}^2 = 49{,}000\text{N}$$

と求められます。図4・15(b)に示すように4本の足にかかる力を均等と仮定すると、足1本あたりにかかる力は12,250Nとなり、接地面にかかる応力は、

$$\sigma = \frac{12{,}250\mathrm{N}}{126{,}000\mathrm{mm}^2} = 0.097\mathrm{N/mm}^2$$

と求められ、ハイヒールよりも応力は小さいことがわかります。

このように、力の大小だけではなく、力のかかる面積の違いによって、応力の大小は異なってきます。

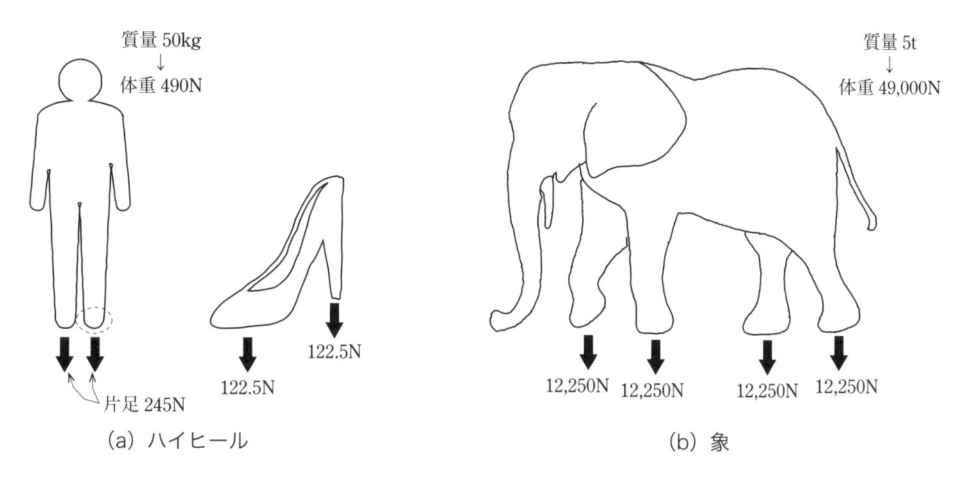

図4･15　接地面にかかる応力

4･2･2　図心と断面1次モーメント

物体には重さを1点で支えることができる点があり、それを「重心」といいます。例えば、長方形の板であれば図4･16(a)のようにちょうど中央、円板であれば図4･16(b)のように円の中心が重心になります。

図4･17(a)に示す板厚がt、面積がA、密度がρ(ロー)の板における重心の位置(y_G, z_G)を計算で求めてみましょう。y_Gについては、次式の関係が成立しています(gは重力加速度)。

$$\rho \times g \times t \times A \times y_G = \int \rho g t y \, \mathrm{d}A \qquad \text{式4･10}$$

この式は、任意の位置の原点からの重量により生じるモーメントにより重心を計算しています。左辺は板全体の重量と重心までの距離を掛けたものであるのに対して、右辺は図4･17(a)のように板の微小要素の重量とその重心までの距離を掛けたものを、積分により板全体にわたって合計したものになります。

これを変形して、y_Gの算定式が得られます。

$$y_G = \frac{\int \rho g t y \, \mathrm{d}A}{\rho g t A} \qquad \text{式4･11}$$

z_Gについても同様に、

$$\rho \times g \times t \times A \times z_G = \int \rho g t z \, dA$$ 式4･12

これを変形して、以下の算定式で求めることができます。

$$z_G = \frac{\int \rho g t z \, dA}{\rho g t A}$$ 式4･13

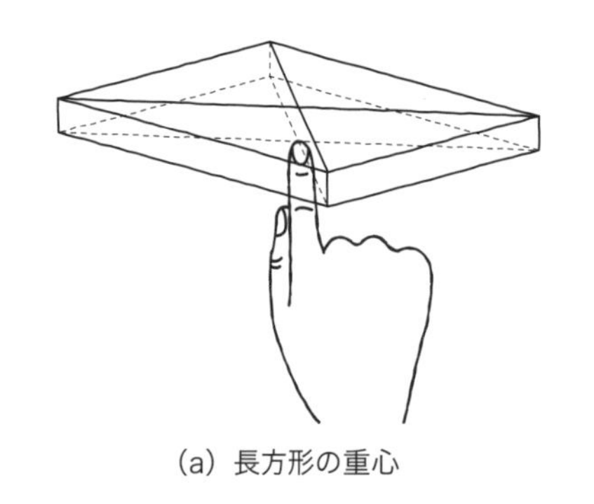
(a) 長方形の重心

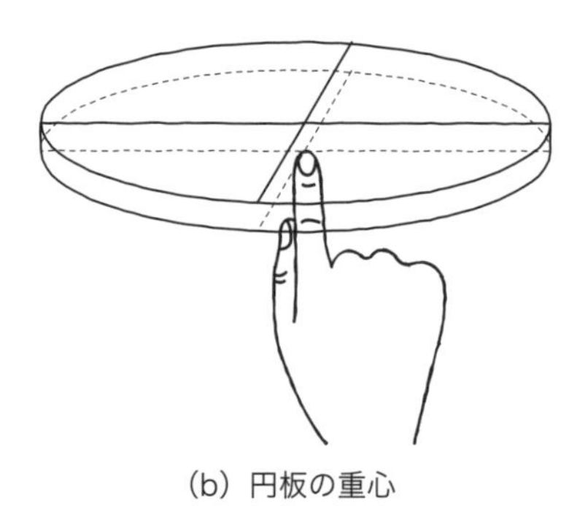
(b) 円板の重心

図4･16　板の重心

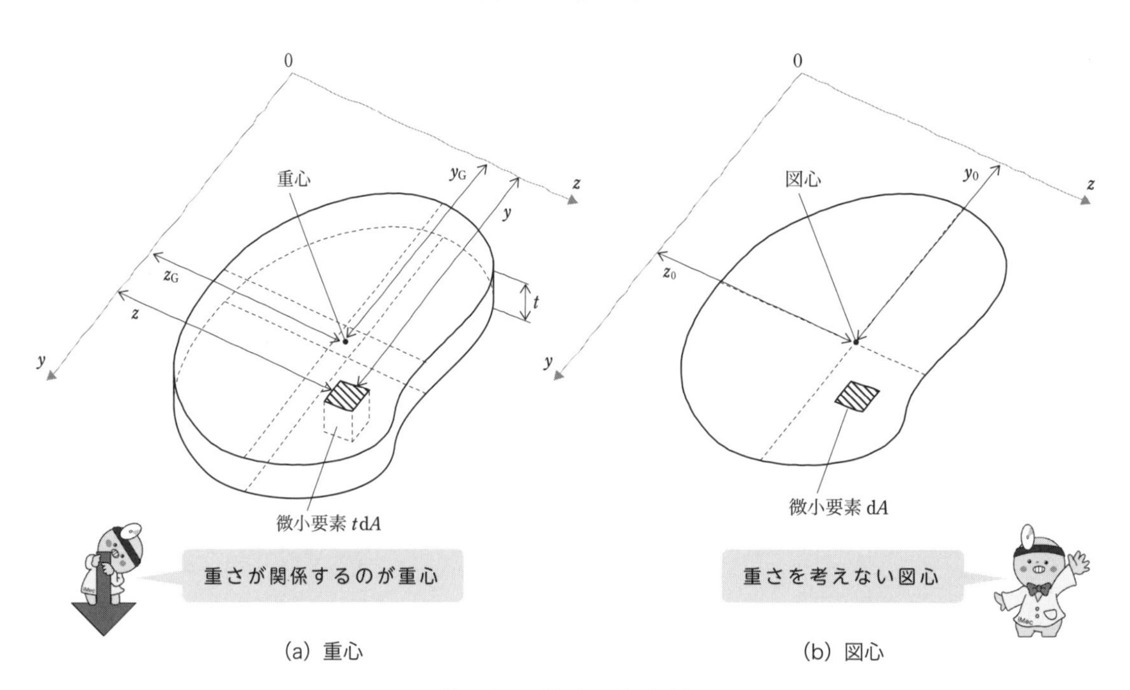

(a) 重心　(b) 図心

図4･17　重心と図心の計算

重心と似たものに「**図心**」があります。図心の位置 (y_0, z_0) の求め方を見てみましょう。図4･17(b) に示す板材では、y_0 について以下の関係式が成立しています。

$$A \times y_0 = \int y \, dA = G_z$$ 式4･14

これを変形して、

$$y_0=\frac{\int y\,\mathrm{d}A}{A}=\frac{G_z}{A}$$ 式4･15

z_0 についても同様に、

$$A\times z_0=\int z\,\mathrm{d}A=G_y$$ 式4･16

これを変形して、

$$z_0=\frac{\int z\,\mathrm{d}A}{A}=\frac{G_y}{A}$$ 式4･17

図心と重心にはどのような違いがあるのでしょうか。図心は、計算式に密度や板厚の項目がなく、図形としての形状だけで位置が決まります。ですので、図4･16のように均一の材料で板厚が一様であれば両者の位置は一致します。しかし、図4･18の金づちのように異なる密度の材料で構成されるものでは図心と重心の位置は一致せず、木より鉄の方が密度が大きいために重心は図心よりも鉄に近い位置となります。

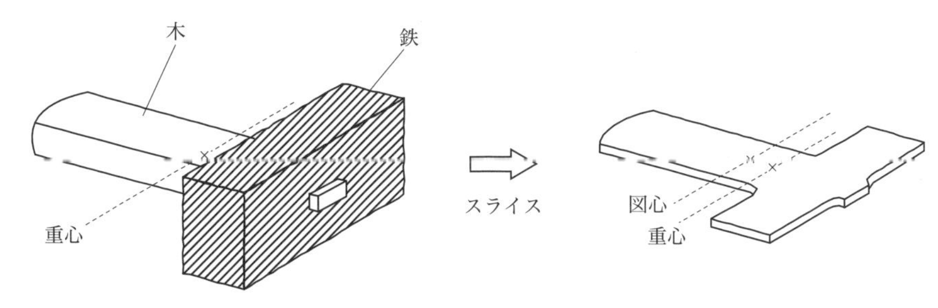

図4･18　金づちの重心と図心

ここで、式4･14および4･16の右辺で計算される値 $G_z=\int y\,\mathrm{d}A$、$G_y=\int z\,\mathrm{d}A$ を「**断面１次モーメント**」といいます。図4･19のように座標系の原点を図心に合わせると、図心では断面１次モーメントがゼロになる性質があります。これは、式4･14および4･16の左辺がゼロになることからもわかります。なお、図心の位置に関しては、表4･4に挙げる単純な形状の図形ではそのつど積分の計算をする必要はなく、表に掲げる公式を利用することができます。

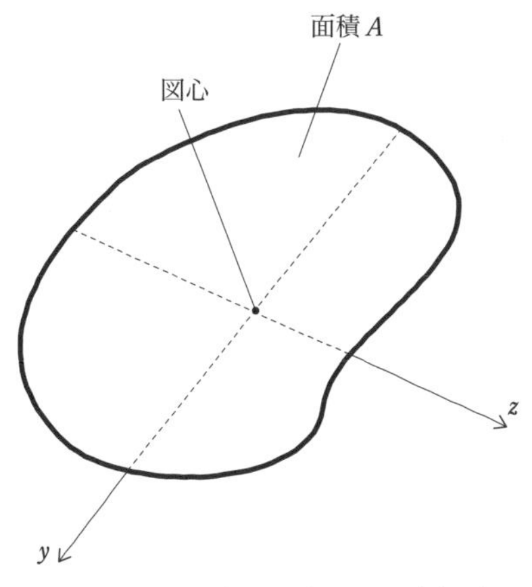

図4･19　図心を原点とする座標系

表4･4　図心位置の公式

図形	形状	面積 A	図心位置 G(y_0, z_0)	概略図
長方形	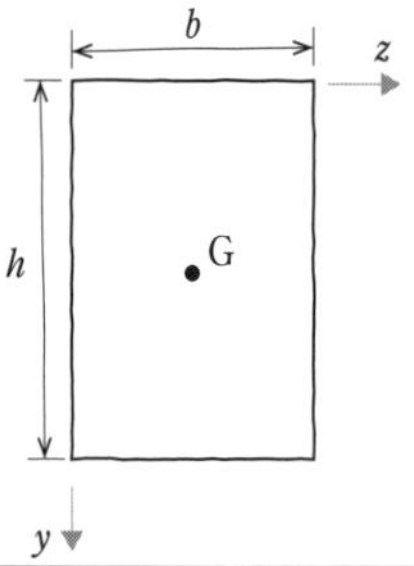 b, h, G, z, y	bh	$\left(\frac{h}{2}, \frac{b}{2}\right)$	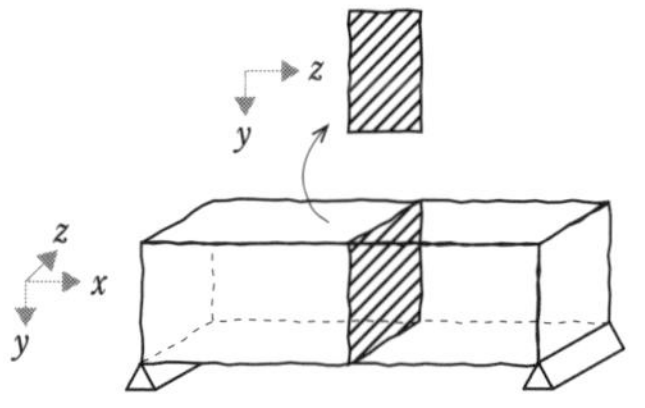 断面形状 z, y, x
正方形	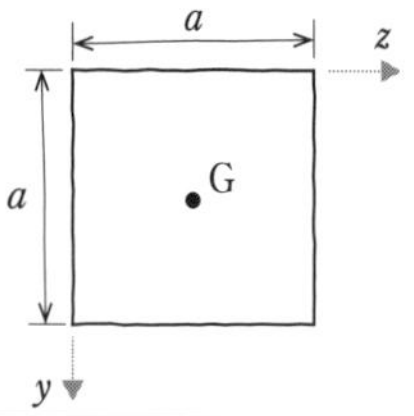 a, a, G, z, y	a^2	$\left(\frac{a}{2}, \frac{a}{2}\right)$	
円	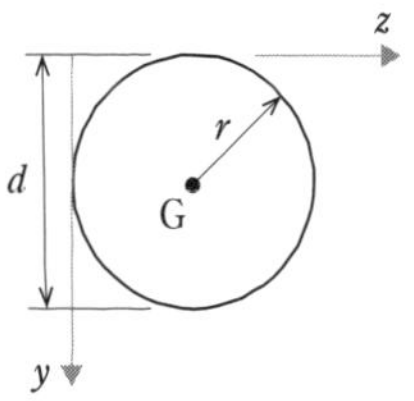 d, r, G, z, y	πr^2 $\frac{1}{4}\pi d^2$	(r, r)	
二等辺三角形	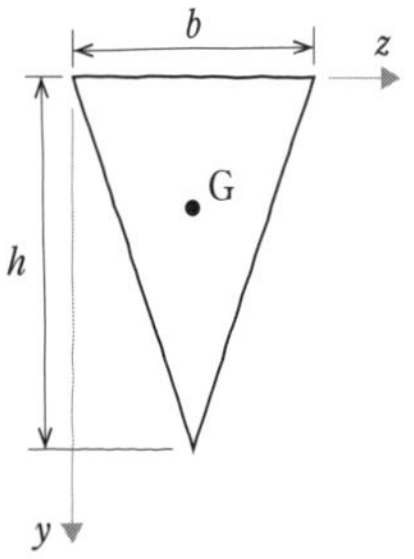 b, h, G, z, y	$\frac{1}{2}bh$	$\left(\frac{h}{3}, \frac{b}{2}\right)$	
直角三角形	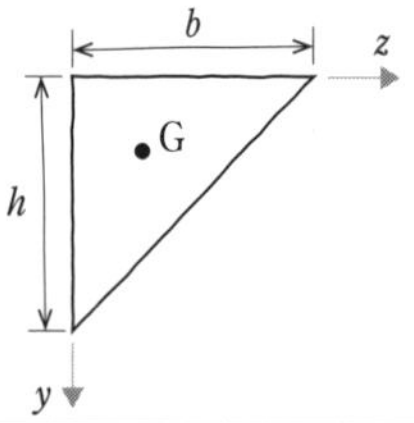 b, h, G, z, y		$\left(\frac{h}{3}, \frac{h}{3}\right)$	

ここで、「軸まわり」の話をしておきましょう。本項で解説した断面1次モーメントや次項で学ぶ断面2次モーメントを考える際には、「水平軸まわりの」「鉛直軸まわりの」もしくは「z軸まわりの」「y軸まわりの」というように回転軸を明記する必要があります。

「水平軸まわり」「鉛直軸まわり」を例にイメージしてみましょう。鉛直下向きの荷重が作用するはりは下にたわみますが、そのときのはりの断面は図心を通る水平軸（z軸）を中心に回転しています（図4･20(a)）。一方、横風を受けて横にゆがんだはりでは、断面は鉛直軸まわりに回転することになります（図4･20(b)）。

本項で学んだ断面1次モーメントの定義式4･14においては断面1次モーメントをG_zと表記していますが、添字のzが「z軸まわり」であることを示しています。断面諸量や応力を求める際には、回転の向きをイメージしながら回転軸に注意するように心がけてください。

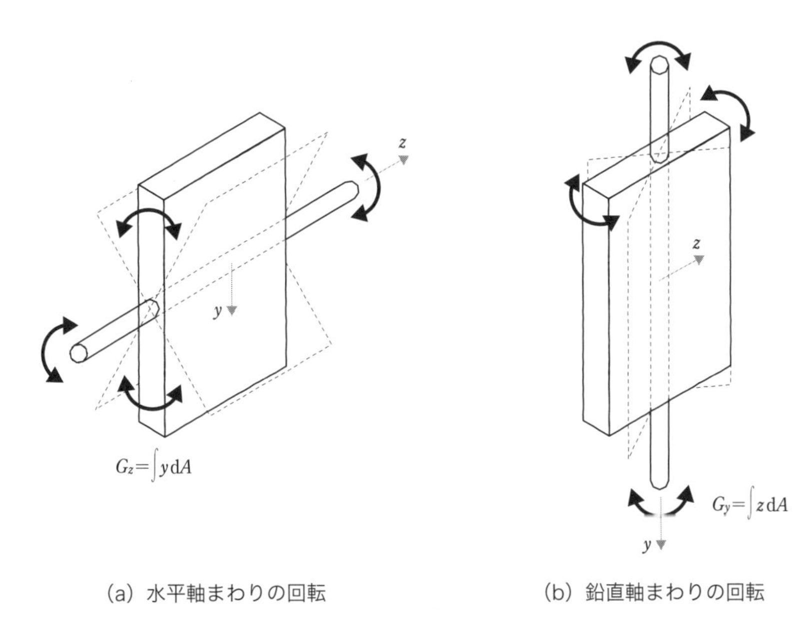

図4･20　軸まわりの回転

4･2･3　断面2次モーメント

はりの曲がりにくさは、材料の曲がりにくさと断面の形状による曲がりにくさに関係しています。材料の曲がりにくさは、鉄、コンクリート、ゴムなどを思い浮かべてもわかるように素材によってそれぞれ異なり、その指標は4･1･2項で解説した**弾性係数**Eになります。一方、断面の形状による曲がりにくさを表す指標が**断面2次モーメント**で、記号はIで表します。はりの曲がりにくさはこれら2つの指標の積EIで表され、このEIを「**曲げ剛性**」といいます。

ここでは、断面2次モーメントに着目しましょう。図4･21のような任意の形状のz軸まわりの断面2次モーメントI_zは、次式で定義されます。

$$I_z=\int y^2\mathrm{d}A \qquad \text{式4･18}$$

前項で説明した断面1次モーメントの算定式である式4･14と比較すると、yが2乗になっている点に違いがあります。

図4･22に示す幅をb、高さをhとする長方形断面のz軸に関する断面2次モーメントI_zを求めてみましょう。図心を原点とする座標を設定し、式4･18に適用すると、

$$I_z=\int y^2\mathrm{d}A=\int_{-\frac{h}{2}}^{\frac{h}{2}}\int_{-\frac{b}{2}}^{\frac{b}{2}} y^2\mathrm{d}z\mathrm{d}y$$

となります。ここで、図4・22(b)のように微小要素を $\mathrm{d}A=b\cdot\mathrm{d}y$ とすると、長方形断面の断面2次モーメントは式4・19で与えられます。

$$I_z=\int_{-\frac{h}{2}}^{\frac{h}{2}} by^2\mathrm{d}y=\left[\frac{by^3}{3}\right]_{-\frac{h}{2}}^{\frac{h}{2}}=\frac{bh^3}{12} \qquad \text{式4・19}$$

式4・19には高さ h の3乗の項が含まれていますので、断面積を増やすのであれば、図4・23に示すように高さを高くする方が曲げ剛性は効率よく大きくなることがわかります。

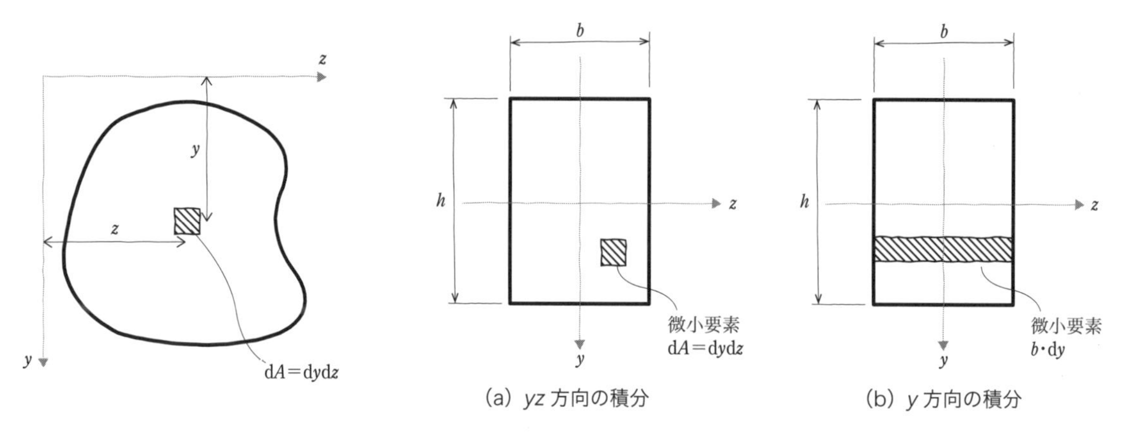

図4・21　断面2次モーメント

図4・22　長方形断面の断面2次モーメント

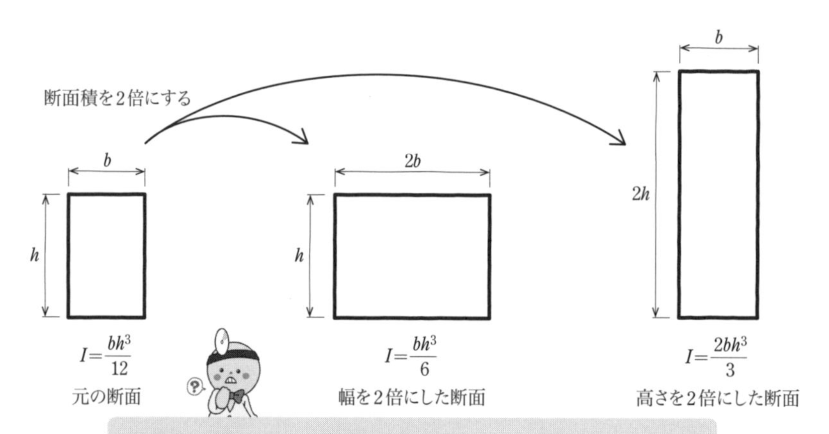

図4・23　断面積を２倍にしたときの断面２次モーメント

断面2次モーメントも、単純な形状に関しては図心と同様にそのつど計算をする必要はなく、表4・5に示す公式を使用して計算することができます。表からもわかるように、いずれの断面でも断面2次モーメントは長さの4乗で表されており、単位は mm^4 などになります。

表4·5　断面２次モーメントの公式

図形	形状	面積 A	図心 G を通る z 軸まわりの断面２次モーメント	概略図
長方形	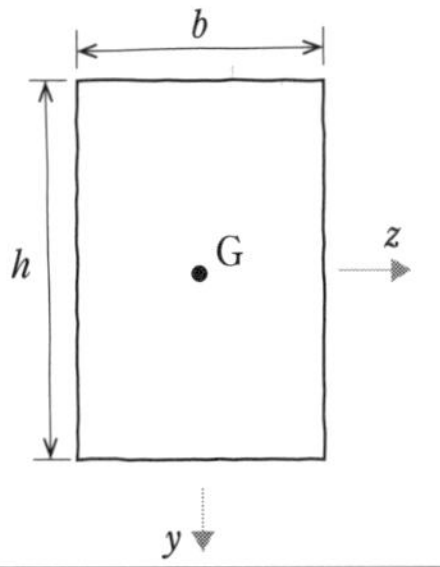 b, h, G, z, y	bh	$\frac{bh^3}{12}$	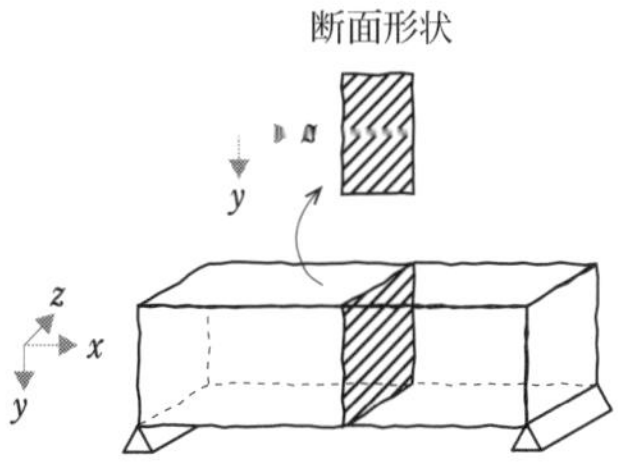 断面形状, y, z, x
正方形	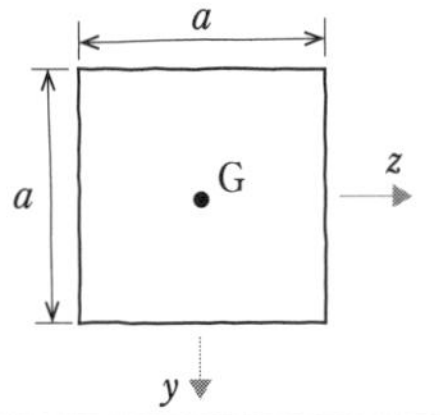 a, a, G, z, y	a^2	$\frac{a^4}{12}$	
円	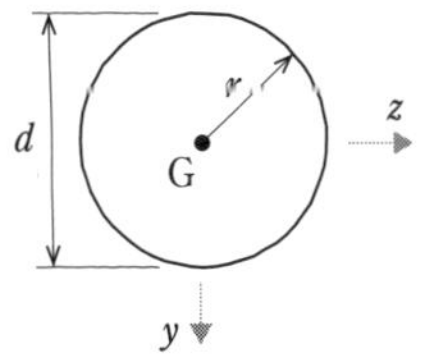 d, r, G, z, y	πr^2 $\frac{1}{4}\pi d^2$	$\frac{\pi r^4}{4}=\frac{\pi d^4}{64}$	
二等辺三角形	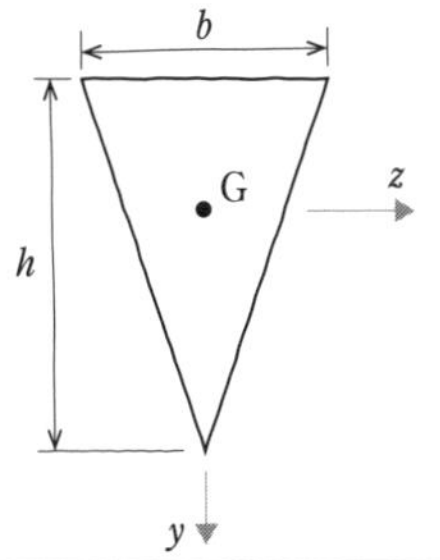 b, h, G, z, y	$\frac{1}{2}bh$	$\frac{bh^3}{36}$	
直角三角形	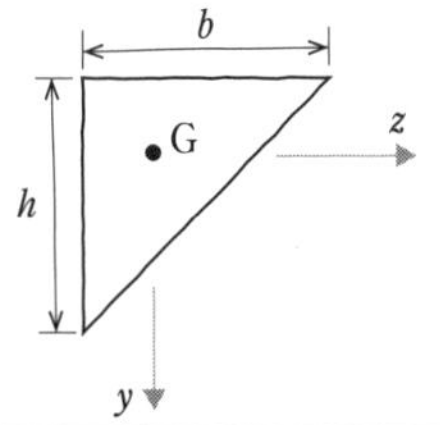 b, h, G, z, y			

基本問題②　図4・24に示すように長方形断面の左上の角を座標の原点に設定した場合のz軸まわりの断面2次モーメントを求めましょう。

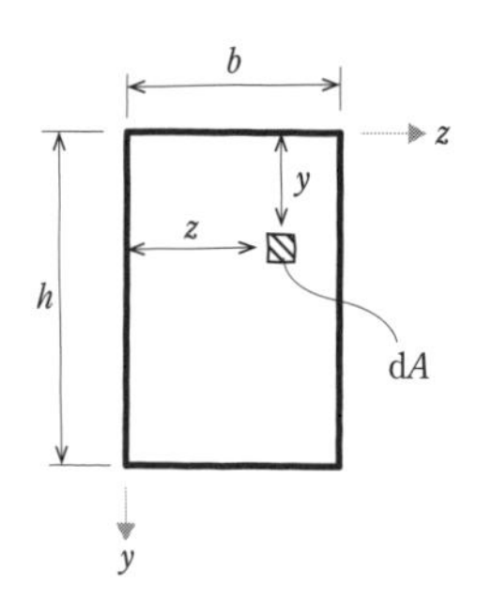

図4・24　左上角を座標の原点とした長方形断面

解答例

定義式より、

$$I_z=\int y^2 \mathrm{d}A=\int_0^h\int_0^b y^2 \mathrm{d}z\mathrm{d}y=\int_0^h by^2\mathrm{d}y=\left[\frac{by^3}{3}\right]_0^h=\frac{bh^3}{3}$$

となり、図心を通る軸まわりの断面2次モーメント$\dfrac{bh^3}{12}$よりも大きな値となります。

ここまでz軸まわりの断面2次モーメントについて解説してきましたが、続いてy軸（鉛直軸）まわりの断面2次モーメントI_yを考えてみましょう。I_yの定義式は、次式で表されます。

$$I_y=\int z^2 \mathrm{d}A \qquad \text{式4・20}$$

図4・22(a)の長方形断面のy軸まわりの断面2次モーメントを求めてみましょう。

$$I_y=\int z^2 \mathrm{d}A=\int_{-\frac{b}{2}}^{\frac{b}{2}}\int_{-\frac{h}{2}}^{\frac{h}{2}} z^2 \mathrm{d}z\mathrm{d}y=\int_{-\frac{b}{2}}^{\frac{b}{2}} hz^2\mathrm{d}z=\left[\frac{hz^2}{3}\right]_{-\frac{b}{2}}^{\frac{b}{2}}=\frac{hb^3}{12} \qquad \text{式4・21}$$

4・2・4　断面相乗モーメント

断面2次モーメントと似た断面諸量として、「**断面相乗モーメント**」があります。定義式は次式となります。

$$I_{yz}=\int yz\mathrm{d}A \qquad \text{式4・22}$$

定義式より、断面が上下対称かつ左右対称のように2軸対称の場合には、座標の原点を図心に設定すると断面相乗モーメントはゼロになります。この断面相乗モーメントは、次項の主軸や断面2次モーメントの座標軸の回転のところで使用する諸量の1つです。

基本問題③　図4･25(a) に示すように長方形断面の左上の角を座標の原点に設定した場合の断面相乗モーメント I_{yz} を求めましょう。また、図4･25(b) のように $\frac{h}{2}$ の位置に原点を設定した場合についても I_{yz} を求めてみましょう。

解答例

左上角に原点とした場合の積分区間は、y 軸が 0 ～ h、z 軸が 0 ～ b となります。定義式より、

$$I_{yz}=\int yz\mathrm{d}A=\int_0^h\int_0^b yz\mathrm{d}z\mathrm{d}y=\int_0^h\left[\frac{yz^2}{2}\right]_0^b\mathrm{d}y=\int_0^h\frac{b^2y}{2}\mathrm{d}y=\left[\frac{b^2h^2}{4}\right]_0^h=\frac{b^2h^2}{4}$$

一方、図4･25(b) のように長方形の図心を z 軸が通るように原点を設定した場合には、

$$I_{yz}=\int_{-\frac{h}{2}}^{\frac{h}{2}}\int_0^b yz\mathrm{d}z\mathrm{d}y=\int_{-\frac{h}{2}}^{\frac{h}{2}}\left[\frac{yz^2}{2}\right]_0^b\mathrm{d}y=\int_{-\frac{h}{2}}^{\frac{h}{2}}\frac{yb^2}{2}\mathrm{d}y=\left[\frac{y^2b^2}{4}\right]_{-\frac{h}{2}}^{\frac{h}{2}}=0$$

となり、断面相乗モーメントはゼロになります。

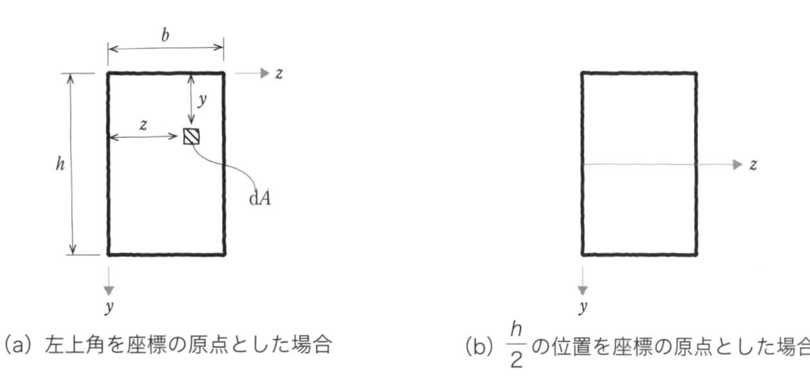

(a) 左上角を座標の原点とした場合　(b) $\frac{h}{2}$ の位置を座標の原点とした場合

図4･25　長方形断面の断面相乗モーメント

4･2･5　座標軸の回転と断面２次モーメント

図4･26のように座標軸を回転させると、その回転に応じて断面2次モーメントの値は変化します。このうち、断面2次モーメントが最大になる軸を「**強軸**」と呼びます。一方、強軸と直交する軸まわりの断面2次モーメントは最小となり、その軸を「**弱軸**」と呼びます。また、強軸と弱軸を合わせて「**主軸**」と呼びます。この強軸と弱軸は、6章で学ぶ「座屈」を考える際にも重要になりますので、しっかりと理解しましょう。

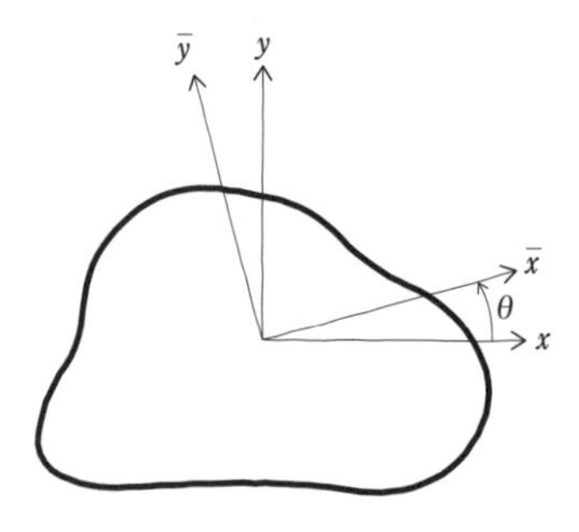

図 4･26　座標軸の回転

ある座標系のx軸まわりおよびy軸まわりの断面2次モーメントをI_xおよびI_y、断面相乗モーメントをI_{xy}とするとき、強軸まわりおよび弱軸まわりの断面2次モーメントI_1、I_2は、

$$\begin{matrix} I_1 \\ I_2 \end{matrix} = \frac{I_x + I_y}{2} \pm \frac{1}{2}\sqrt{(I_y - I_x)^2 + 4{I_{xy}}^2} \quad \text{式4･23}$$

と表されます。また、座標軸から主軸までの角度は反時計まわりに

$$\tan 2\theta = \frac{2I_{xy}}{I_y - I_x} \quad \text{式4･24}$$

で求められます。

これらの関係を図示したものが図4･27で、「**モールの慣性円**」といいます。

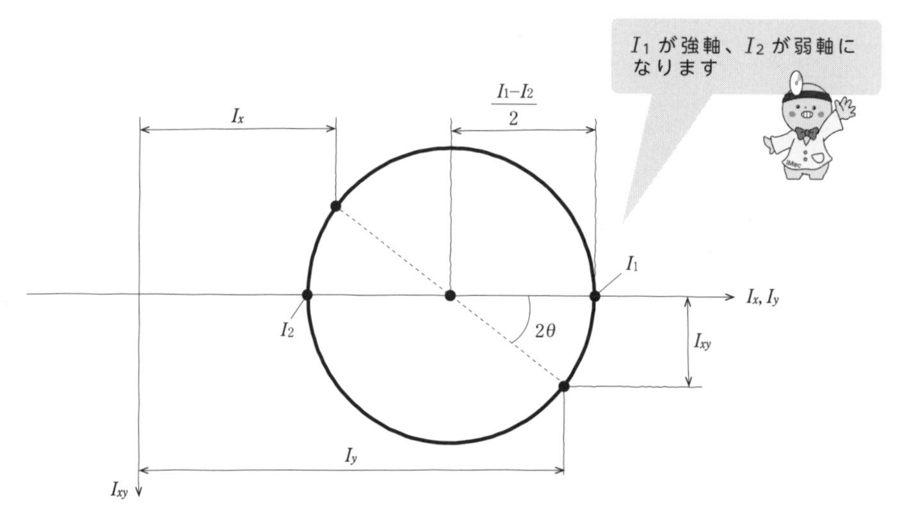

図 4･27　座標軸の回転と断面２次モーメントの関係（モールの慣性円）

4･2･6　座標軸の平行移動と断面２次モーメント

断面2次モーメントを求める際には、通常、表4･5に示したように断面の図心を原点とする座

標軸を設定しますが、図4･28に示すように断面の図心を通る座標軸y–zに平行な座標軸$\bar{y}$–$\bar{z}$に関する断面2次モーメントについては式4･25および4･26で求めることができます。

水平軸である軸まわりについては、

$$I_{\bar{z}}=I_{Gz}+A\times y_0{}^2 \qquad \text{式4･25}$$

ここでI_{Gz}は断面の図心を通るz軸まわりの断面2次モーメントのことで、図4･28の場合には

$$I_{Gz}=\frac{bh^3}{12}$$

となります。また、Aは断面積、y_0は2つの座標軸間の距離を表しています。

一方、鉛直軸である$\bar{y}$軸まわりについても同様に、

$$I_{\bar{y}}=I_{Gy}+A\times z_0{}^2 \qquad \text{式4･26}$$

で求めることができ、ここでI_{Gy}は

$$I_{Gy}=\frac{b^3h}{12}$$

で、z_0は座標軸間の距離になります。

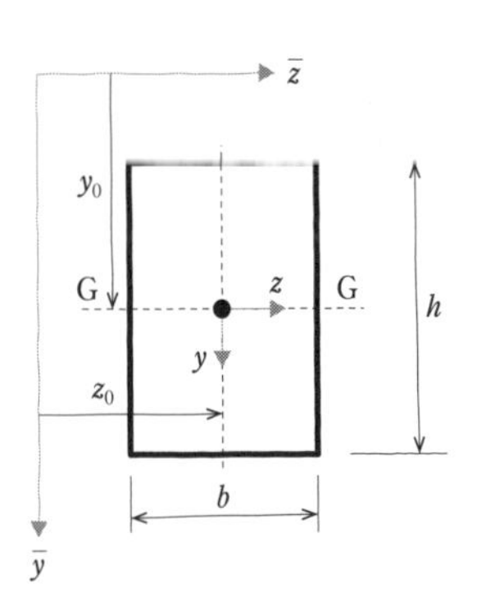

図4･28　座標軸の平行移動

基本問題④　図4･29に示す長方形断面について、座標軸が図心から$\frac{h}{2}$上に平行移動した場合のz軸まわりの断面2次モーメントを求めましょう。

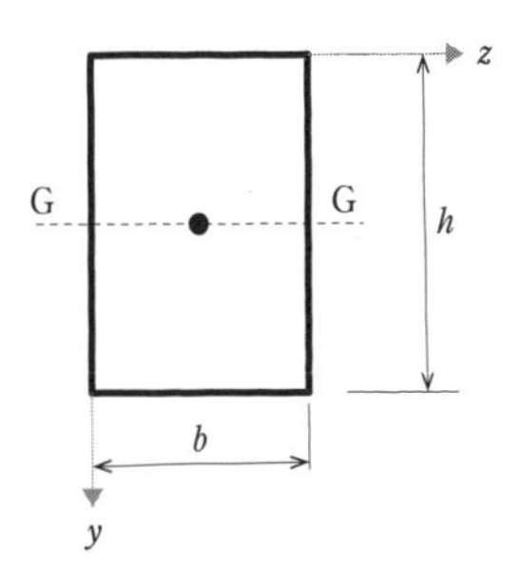

図4･29　座標軸が平行移動した長方形断面

解答例

まず、長方形断面の図心まわりの断面2次モーメントは、表4･5より、

$$I_G=\frac{bh^3}{12}$$

座標軸間の距離は$y_0=\dfrac{h}{2}$、断面積は$A=bh$で、これらを式4･25に代入すると、

$$I_z=\frac{bh^3}{12}+bh\times\left(\frac{h}{2}\right)^2=\frac{bh^3}{12}+\frac{bh^3}{4}=\frac{bh^3}{3}$$

となり、断面2次モーメントの定義式を使って求めた基本問題②の答えと一致します。この場合、断面2次モーメントを考える座標軸がずれることにより値が$\dfrac{bh^3}{4}$大きくなっていることがわかります。

練習問題① 図4･30、図4･31に示す三角形断面のz軸まわりの断面2次モーメントを計算しましょう。三角形断面の断面諸量については表4･4、表4･5を参照してください。

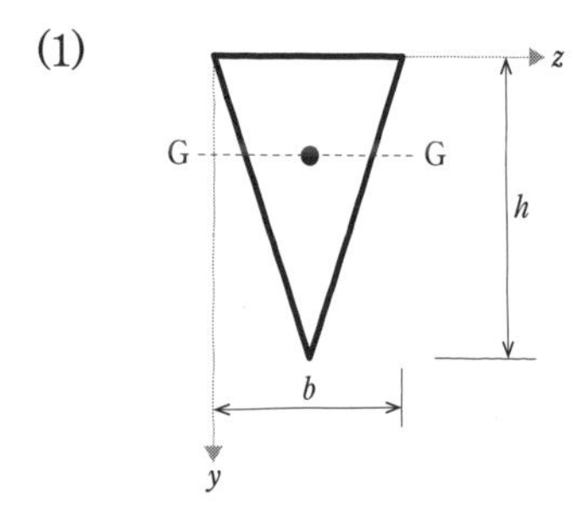

図4･30　座標軸が平行移動した三角形断面

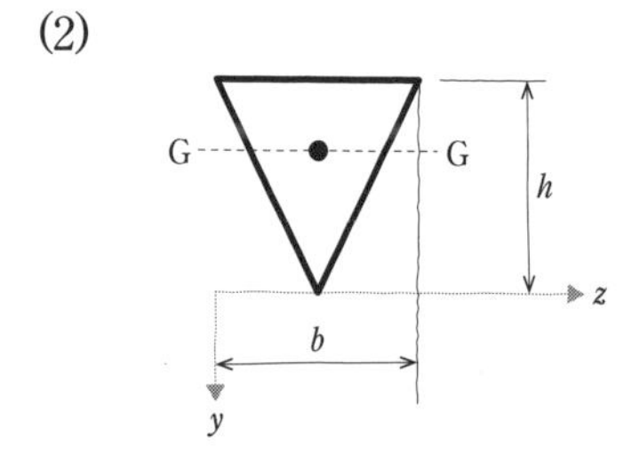

図4･31　座標軸が平行移動した三角形断面

応用問題① 図4･32に示す同一半径の3つの円形断面のz軸まわりの断面2次モーメントをそれぞれI_{za}、I_{zb}、I_{zc}とするとき、それらを値の大きい順に並べてください。㊖

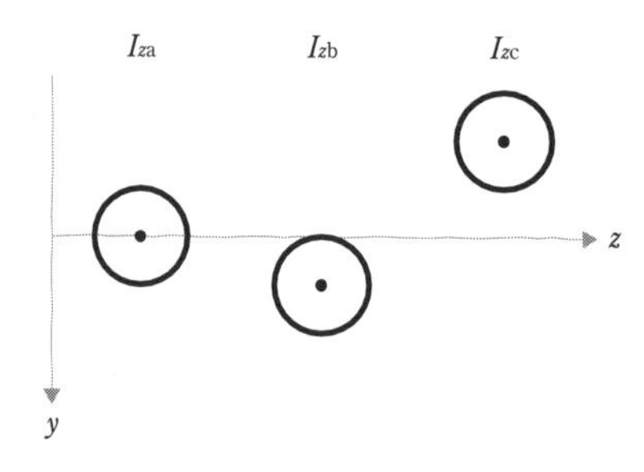

図4･32　位置が異なる3つの円形断面

4･2･7　断面係数

断面2次モーメントI_zを、図心から断面の上縁または下縁までの距離yで割った値を「**断面係数**」といい、記号はWで表します。特にI_zをyで割ったものを「z軸まわりの断面係数」と呼び、次式で表されます。

$$W_z=\frac{I_z}{y}\qquad \text{式4･27}$$

断面係数W_zも、断面積Aや断面2次モーメントI_zに並び、断面形状を表す特性値として用いられています。単位は､断面2次モーメントI_zが長さの4乗､距離yが長さの1乗であることから､断面係数W_zは長さの3乗となります。

ここで、断面係数と曲げ応力との関係について見てみましょう。曲げモーメントが作用しているはりの曲げ応力は、式4･2を用いて計算できました（下式ではz軸まわりの曲げモーメントと断面2次モーメントという意味の添字zが付いています)。

$$\sigma=\frac{M_z}{I_z}y\qquad \text{式4･2}'$$

上式に式4･27を代入すると、次式になります(図4･33)。

$$\sigma=\frac{M_z}{W_z}\qquad \text{式4･28}$$

この式は、作用する曲げモーメントを断面係数で除することにより上縁もしくは下縁に発生する最大および最小の曲げ応力が求められることを表しています。はりの設計では作用するモーメントによって生じる最大応力と最小応力の大きさを確認する必要があるため、この断面係数が考案され使用されています。

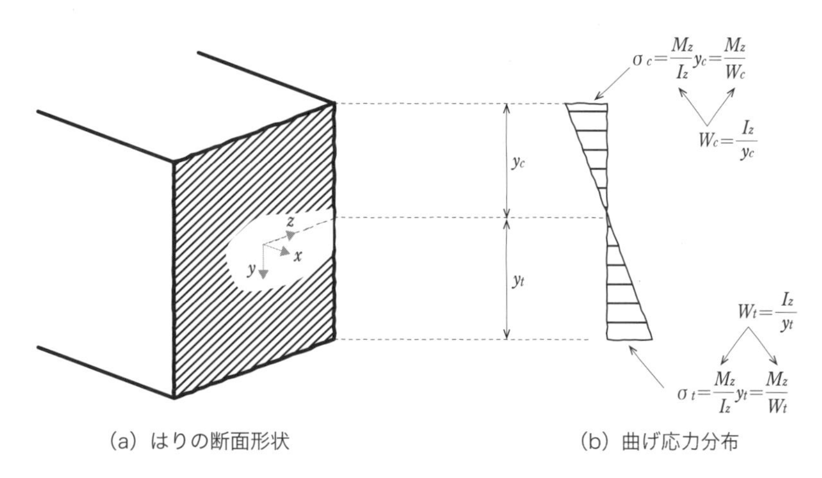

図4･33　曲げを受けるはりの断面形状と応力分布

基本問題⑤　図4･33に示すはりにおいて、幅が38mm、高さが89mmの長方形断面である場合の断面係数W_zを計算しましょう。

解答例

断面は上下対称断面ですので、図心は断面の高さ方向の中央であり、図心から断面の上端または下端までの距離yは$y=\dfrac{h}{2}$となります。一方、長方形断面の断面2次モーメントは表4･5より$I_z=\dfrac{bh^3}{12}$ですので、断面係数は下式で求められます。

$$W_z=\frac{I_z}{y}=\frac{bh^3}{12}\div\frac{h}{2}=\frac{bh^2}{6} \qquad \text{式4・29}$$

この式に$b=38$mm、$h=89$mmを代入すると、

$$W_z=\frac{bh^2}{6}=\frac{38\times 89^2}{6}=50{,}166\text{mm}^3$$

となります。なお、発生している曲げモーメントをこの値で割ると応力が計算できます。

4･3　はりの応力

本節では、はりの断面に発生する応力について説明していきます。羊羹や板コンニャク、消しゴムのような断面の詰まった（「**中実断面**」といいます）物体をイメージしながら考えていきましょう。

4･3･1　軸力による直応力

はりに作用する軸力により生じる直応力は、作用する軸力をその軸力に抵抗している断面の面積で割ることにより求められます。図4･34のように断面積がAのはりにx軸方向の圧縮荷重Pが作用している場合には、断面には軸力Pが生じており、断面に発生する直応力σ_xは4･1･1項で示した式4･1で求めることができます。

$$\sigma_x=\frac{N}{A} \qquad \text{式4・1}'$$

ただし、式4･1が使えるのは、荷重の作用線がはりの断面の図心を通り、荷重の作用点からある程度離れた断面である必要があります。荷重の作用線が図心からずれている場合には圧縮力に加えて曲げが作用することになり（「**付加曲げ**」といいます）、応力は断面全体で一様でなくなります。また、集中荷重を作用させた位置からはりの高さや幅の約2～3倍程度以上離れた位置になると断面内の応力分布が一様になることが経験的にわかっています（「**サンブナンの原理**」といいます）。

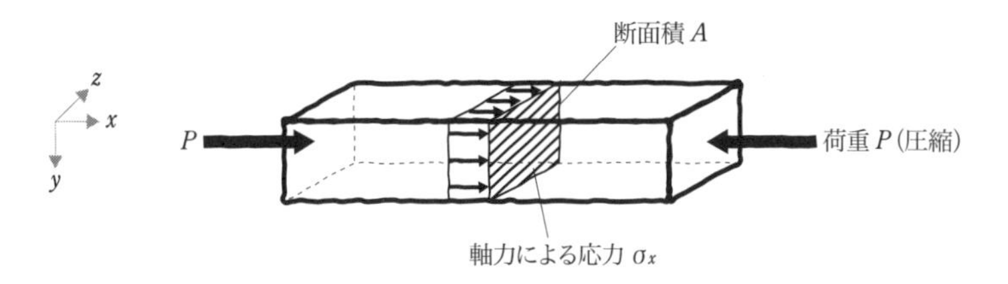

図4･34　圧縮荷重が作用するはり

基本問題⑥　図4･34に示すはりにおいて、断面の幅を120mm、高さを230mm、作用する圧縮軸力Pを370kNとした場合の直応力を求めましょう。

解答例

はりの断面積Aは、

$$A=bh=120\times 230=27{,}600\mathrm{mm}^2$$

式4･1′により断面に発生する応力σ_xは、

$$\sigma_x=\frac{N}{A}=\frac{-370{,}000}{27{,}600}=-13.4\mathrm{N/mm}^2$$

となります(圧縮なのでマイナス)。

4･3･2　曲げ応力

はりに曲げモーメントが作用したときに発生する直応力を「**曲げ応力**」といいます。着目する断面に作用する曲げモーメントをM、はりの図心を通る水平軸まわりの断面2次モーメントをI、断面の図心軸から断面までの距離をyとすると、曲げ応力は先述の式4･2で計算できます。

$$\sigma=\frac{M}{I}y \qquad \text{式4･2}$$

もう少し詳しく見てみましょう。図4･35(a)のようにはりに鉛直下向きの荷重が作用すると、はりは下側にたわみ、はりの上面では圧縮、下面では引張を受ける状態になります。曲げ応力の計算では、まず着目する断面に作用する曲げモーメントMと断面2次モーメントIを求めます(図4･35(b))。次に、着目した断面の応力分布を考えます。その分布は、図4･35(c)に示すように、図心位置の応力がゼロで、はりの上面で圧縮の最大応力、はりの下面で引張の最大応力が生じ、形状は直線的に変化する三角形となります。先の式4･2はこの三角形の分布を表しており、図心から応力を求めたい着目位置までの距離yを式4･2に代入することで曲げ応力が求められます。このとき、図4･35に示す座標軸にしたがうと、引張応力がプラス、圧縮応力がマイナスになります。

なお、図4･35(c)に示すように図心位置では応力がゼロになりますが、応力がゼロである点を連ねたものを「**中立軸**」といい、この図ではz軸が中立軸になります。

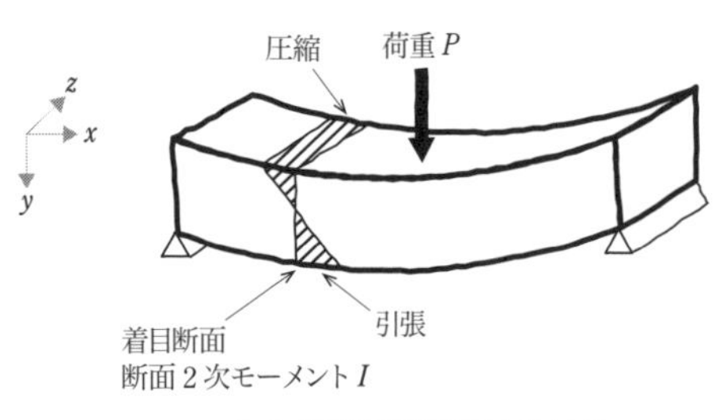

(a) 鉛直荷重を受けるはり

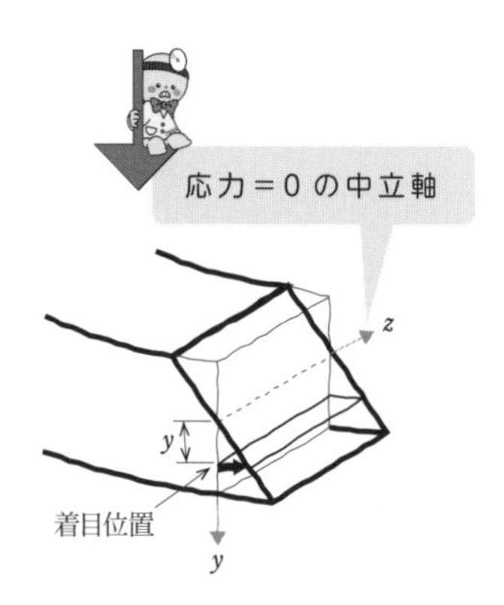

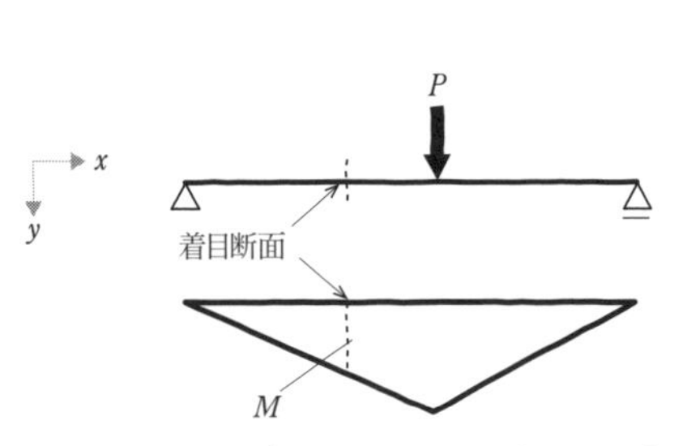

(b) 曲げモーメント分布（骨組モデル図）

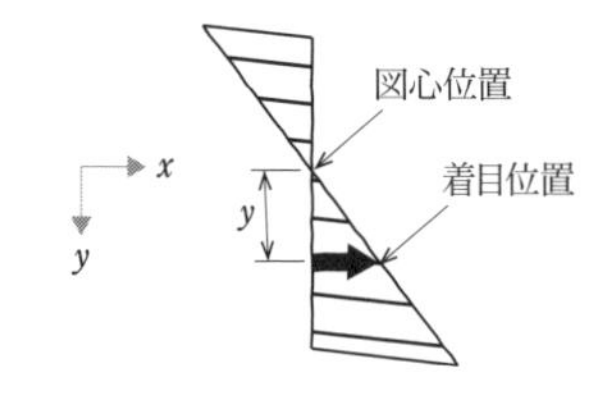

(c) 着目断面の応力分布と着目位置と図心の関係

図4･35　曲げが作用するはり

基本問題⑦　図4･36(a)に示す長方形断面のはりでスパンを2,000mm、断面の幅を120mm、高さを118mmとし、スパン中央に荷重P＝70kNが作用するとき、スパン中央の断面に発生する圧縮の最大応力と引張の最大応力を求めましょう。

解答例

はりのスパン中央に発生する曲げモーメントMは、図4･35(b)より、

$$M=\frac{PL}{4}=\frac{70{,}000\times 2{,}000}{4}=35{,}000{,}000\text{N}\cdot\text{mm}$$

と求められます。また、断面2次モーメントは、

$$I=\frac{bh^3}{12}=\frac{120\times 118^3}{12}=16{,}430{,}320\text{mm}^4$$

となります。

図心位置ははり高さの中央になりますので、圧縮の最大応力が発生する位置ははりの上面で$y=-59$mm、引張の最大応力が発生する位置ははりの下面で$y=59$mmになります。

したがって、圧縮の最大応力σ_cは、

$$\sigma_c=\frac{M}{I}y=\frac{35{,}000{,}000}{16{,}430{,}320}\times(-59)=-125.6\text{N/mm}^2$$

引張の最大応力σ_tは、

$$\sigma_t = \frac{M}{I} y = \frac{35{,}000{,}000}{16{,}430{,}320} \times 59 = 125.6\text{N/mm}^2$$

と求めることができます。

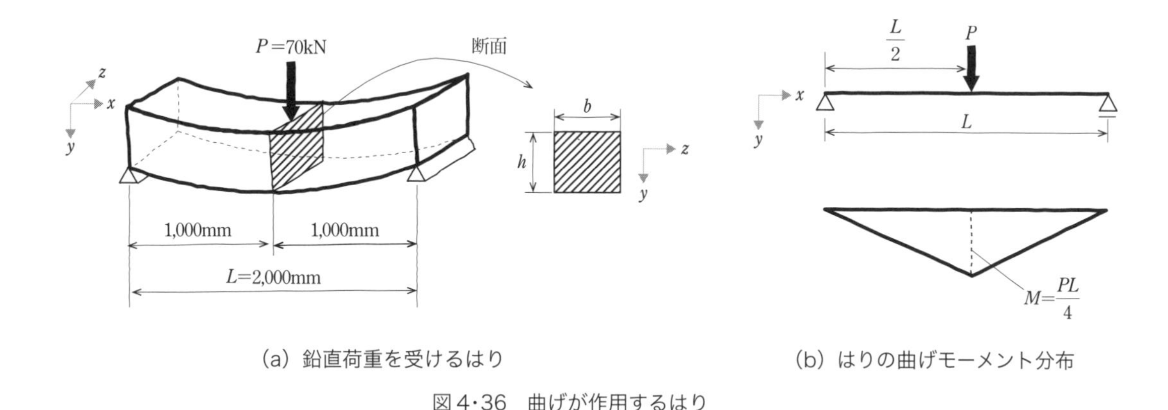

(a) 鉛直荷重を受けるはり　　(b) はりの曲げモーメント分布

図4･36　曲げが作用するはり

基本問題⑧　基本問題⑦のはりのスパン中央の曲げ応力分布で、図心から圧縮応力が－50N/mm^2 となる位置までの距離 y_c と、図心から引張応力が 100N/mm^2 となる位置までの距離 y_t を求めなさい。

解答例

基本問題⑦の結果より、応力分布は、はり上面で圧縮最大応力 σ_c＝－125.6N/mm^2、はり下面で引張最大応力 σ_t＝125.6N/mm^2 とする三角形の分布をしており、図4･37(b) のように図示できます。

ここで、三角形の相似より、

$$-125.6 : -50.0 = -59 : y_c$$

の関係が成り立っており、y_c＝－23.5mm となります。

一方、y_t は、

$$125.6 : 100.0 = 59 : y_t$$

より、y_t＝47.0mm と求めることができます。

もしくは、式4･2に数値を代入することで求めることもできます。

$$-50 = \frac{35{,}000{,}000}{16{,}430{,}320} y_c \quad \Rightarrow \quad y_c = -23.5\text{mm}$$

$$100 = \frac{35{,}000{,}000}{16{,}430{,}320} y_t \quad \Rightarrow \quad y_t = 47.0\text{mm}$$

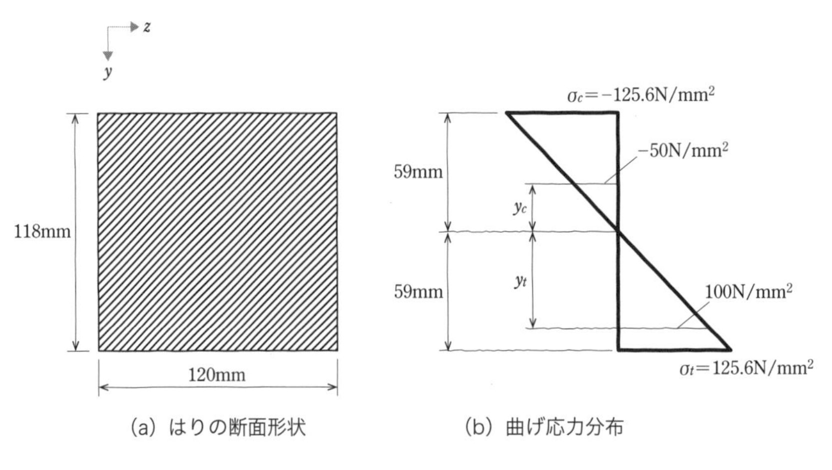

(a) はりの断面形状　　(b) 曲げ応力分布

図4・37　はりの断面と曲げ応力分布

練習問題②　図4・38に示す単純ばりのスパン中央の断面（C点）に発生する最大の圧縮応力 σ_c と引張応力 σ_t を求めましょう。断面形状は(1)～(4)に示すとおりとします。なお、はり全長において断面形状は同一とし、自重は無視します。

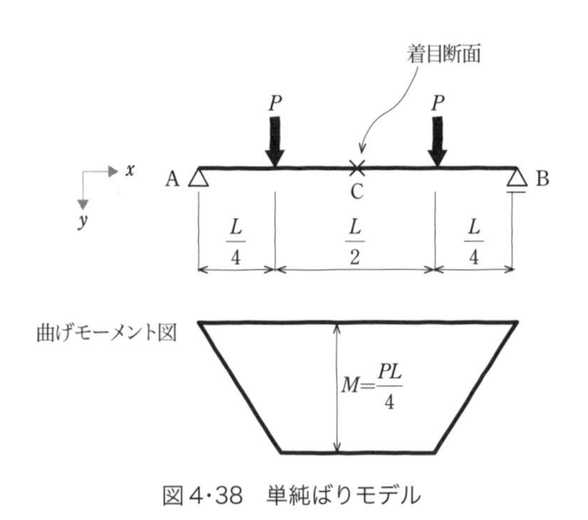

図4・38　単純ばりモデル

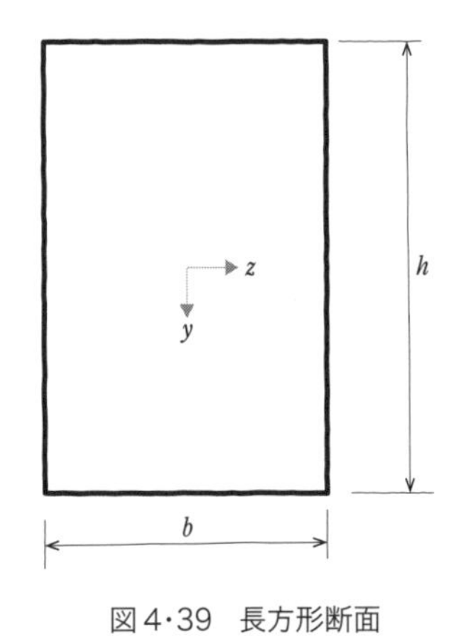

図4・39　長方形断面

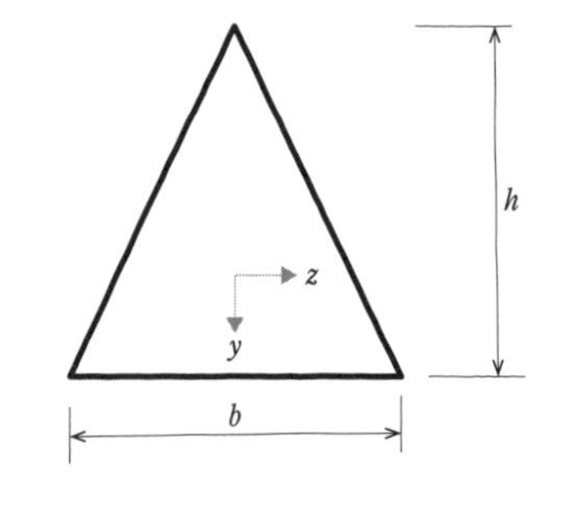

図4・40　三角形断面

(1) 図4･39に示す長方形断面の場合について計算しましょう。

(2) (1)において、P=100kN、L=10m、b=300mm、h=500mmの場合のσ_c、σ_tを計算しましょう。

(3) 図4･40に示す三角形断面の場合について計算しましょう。

(4) (3)において、P=100kN、L=10m、b=300mm、h=500mmの場合のσ_c、σ_tを計算しましょう。

(5) (2)と(4)の計算結果について、比較・考察しましょう。

4･3･3　せん断応力

図4･41(a)のようにはりに鉛直荷重Pが作用すると、図4･41(b)のように分布するせん断力が発生し、はりの断面にはせん断応力が生じます。断面aのせん断応力の分布は図4･41(c)のようになりますが、実際には図心位置でせん断応力が最大、上下端でゼロになる放物線分布となっています。せん断応力分布図では、それを図示するために、実際の状況のイメージとは異なってきますが図4･41(d)のように断面の直角方向に大きさを描画します。

断面bについても同様に考えられますが、発生しているせん断力の方向が逆転していますので、図4･41(e)に示すように上向きのせん断応力が生じていることになります。

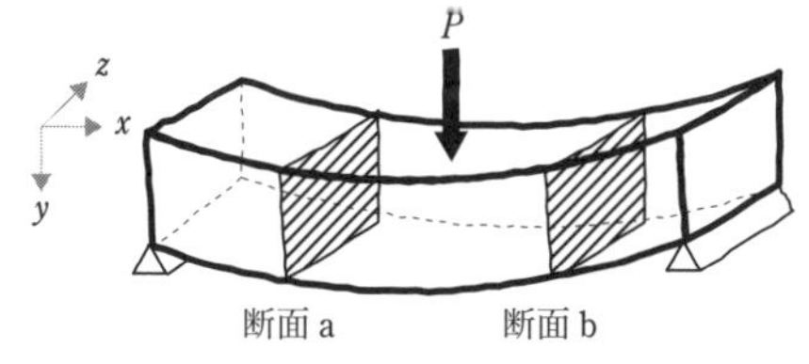

(a) 鉛直荷重と断面位置

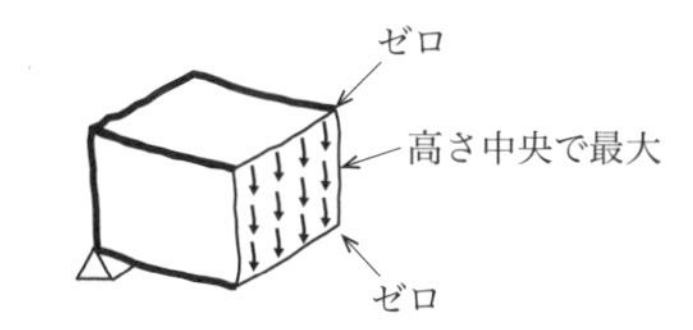

(c) 断面aのせん断応力分布

(d) せん断応力分布の描画方法

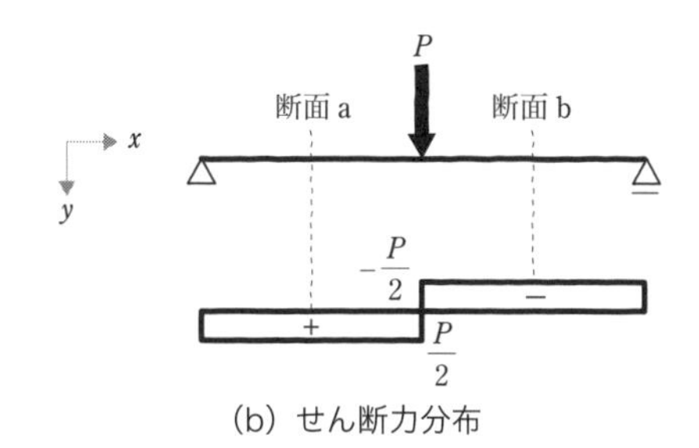

(b) せん断力分布

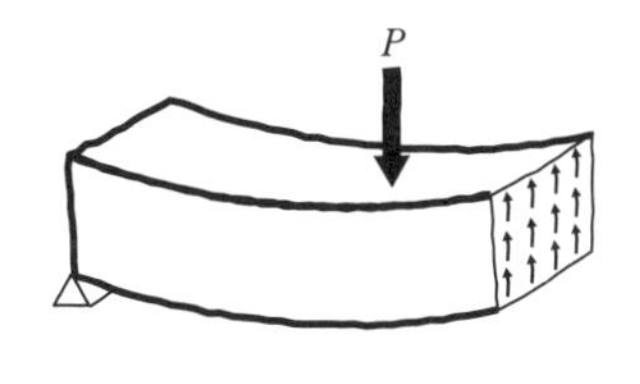

(e) 断面bのせん断応力分布

図4･41　はりのせん断応力分布

断面内の最大せん断応力$\tau_{\max}$は、着目する断面に生じるせん断力をQ、断面積をAとすると、

$$\tau_{\max}=1.5\times\frac{Q}{A} \quad \text{式4･30}$$

で表されます。ただし、式4･30中の係数1.5は長方形断面の場合の値になります。

これに対して、せん断力Qを断面積で割った

$$\tau=\frac{Q}{A} \qquad \text{式4・3}$$

は「**平均せん断応力**」と呼ばれ、一般に通用しているせん断応力はこの平均せん断応力を指しています。

基本問題⑨　図4・42に示すはりにおいて、スパンL=1,000mm、断面の幅b=60mm、高さh=65mm、作用する鉛直荷重P=89kNとしたとき、断面aに生じる最大せん断応力τ_{max}を求めましょう。

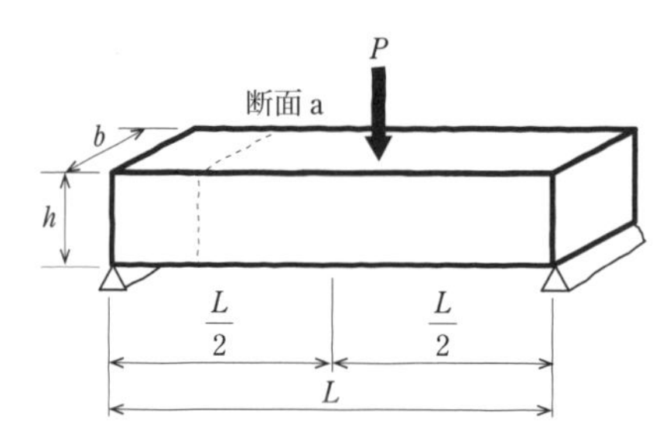

図4・42　鉛直荷重が作用するはり

解答例

断面aに生じるせん断力Qは、

$$Q=\frac{P}{2}=\frac{89}{2}=44.5\text{kN}$$

最大せん断応力τ_{max}は、式4・30より、

$$\tau_{max}=1.5\times\frac{Q}{A}=1.5\times\frac{44{,}500}{60\times65}=17.1\text{N/mm}^2$$

なお、平均せん断応力は、式4・3より、

$$\tau=\frac{Q}{A}=\frac{44{,}500}{60\times65}=11.4\text{N/mm}^2$$

となります。

4・4　組立断面ばりの応力

構造部材の断面形状には、長方形や円形などの中実断面のほかに、橋梁の部材などでは鋼板を溶接により組み立てた図4・43のようなI形や箱形の組立断面も見られます。本節では、そのような組立断面を有するはりの応力について学んでいきましょう。

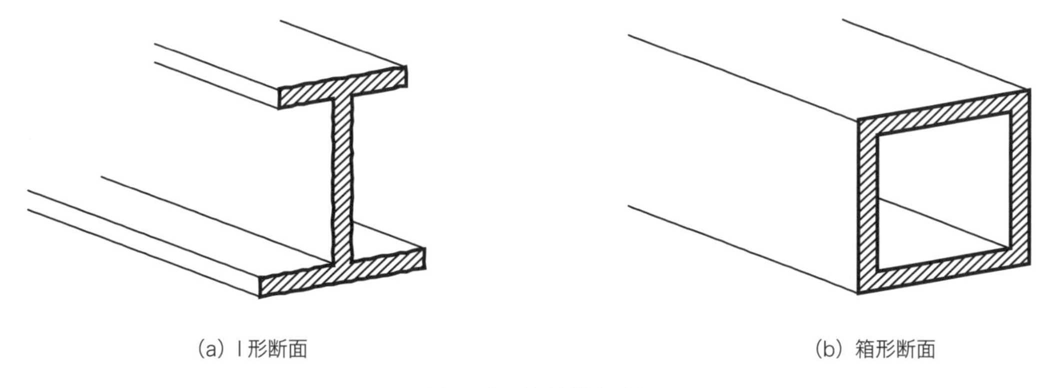

図4･43　組立断面の例

4･4･1　断面2次モーメント

(1) 2軸対称断面の場合

図4･44に示すように、水平方向・鉛直方向の2軸ともで対称な箱形断面を考えてみましょう。断面積を計算する際には、全体の断面から中空部分の断面を差し引くことで、次式により求められることは容易にわかります。

$$A = A_1 - A_2$$ 式4･31

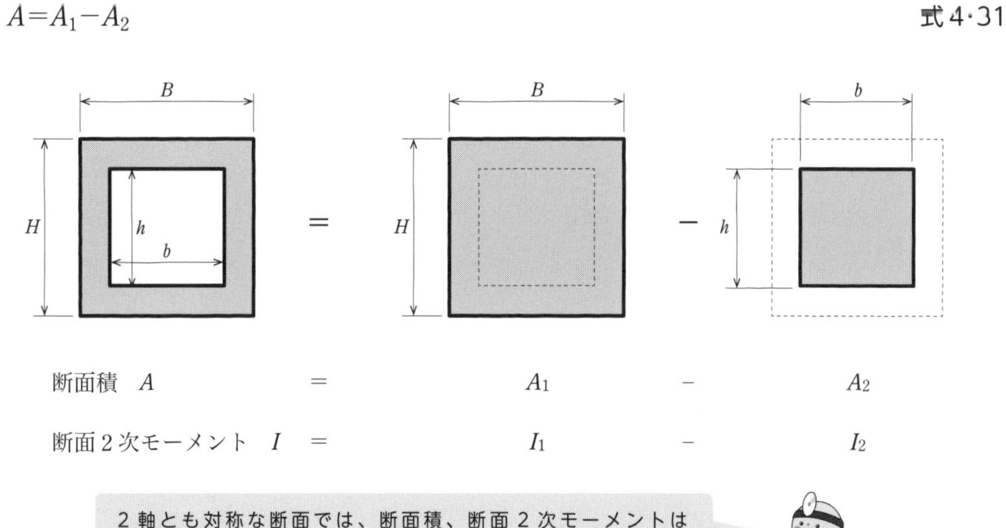

図4･44　箱形断面の断面2次モーメントの計算方法

一方、図心を通る水平軸まわりの断面2次モーメントも同様に考えることができ、全体断面の断面2次モーメントI_1からくり抜く部分の断面2次モーメントI_2を差し引くことで、箱形部分の断面2次モーメントIを計算することができます。これを式に表すと、次式になります。

$$I=I_1-I_2=\frac{BH^3}{12}-\frac{bh^3}{12}$$ 式4・32

このように、2軸対称な断面の場合であれば、簡単に断面2次モーメントが計算できることがあります。ただし、断面積の計算では問題ありませんが、断面2次モーメントで引き算をする際には全体の断面の図心位置とくり抜く断面の図心位置が一致している必要がありますので注意してください。

I形断面の場合、上下対称の断面であれば、全体断面の図心とくり抜く断面の図心が一致するため、断面2次モーメントを引き算で計算することができます。図4・45に示すI形断面のはりの図心を通る水平軸まわりの断面2次モーメントを計算してみましょう。

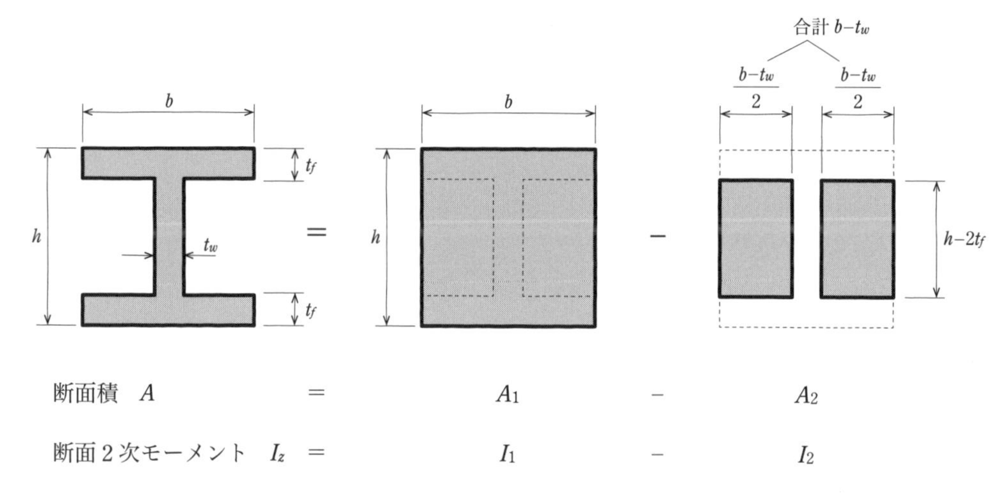

図4・45 I形断面の断面2次モーメントの計算方法

全体断面の断面2次モーメント I_1 は、

$$I_1=\frac{bh^3}{12}$$

です。一方、くり抜く部分の断面2次モーメント I_2 は、

$$I_2=\frac{\left(\frac{b-t_w}{2}\right)(h-2t_f)^3}{12}\times2=\frac{(b-t_w)(h-2t_f)^3}{12}$$

と表されます。したがって、I形断面の断面2次モーメントは、

$$I_z=I_1-I_2=\frac{bh^3}{12}-\frac{(b-t_w)(h-2t_f)^3}{12}$$ 式4・33

となります。

基本問題⑩　次の図4・46～4・48に示す断面の図心を通る水平軸まわりの断面2次モーメントを計算しましょう（単位：mm）。

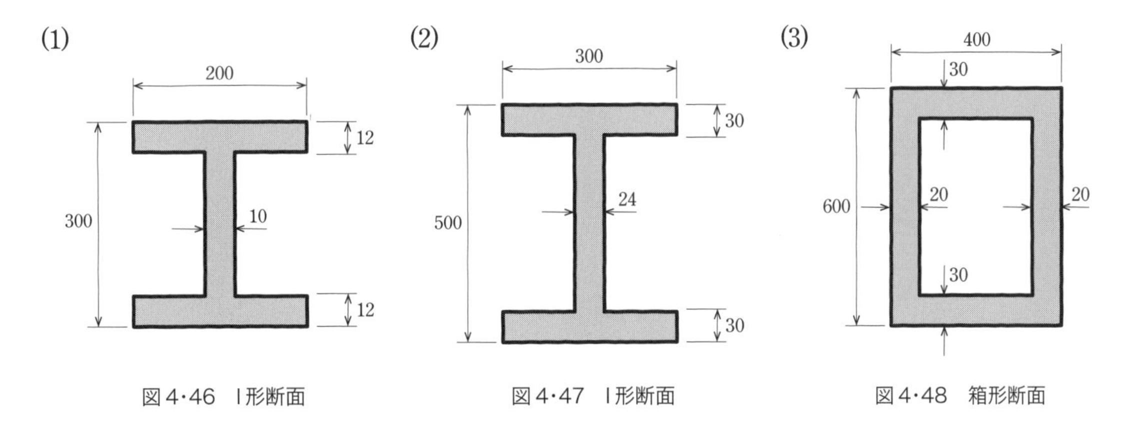

図4・46　I形断面　　図4・47　I形断面　　図4・48　箱形断面

解答例

(1) 式4・33に寸法を代入して計算すると、

$$I_z = I_1 - I_2 = \frac{200 \times 300^3}{12} - \frac{(200-10)(300-2\times12)^3}{12} = 117{,}110{,}880\text{mm}^4$$

と求められます。

(2) 式4・33に寸法を代入して計算すると、

$$I_z = I_1 - I_2 = \frac{300 \times 500^3}{12} - \frac{(300-24)(500-2\times30)^3}{12} = 1{,}165{,}768{,}000\text{mm}^4$$

と求められます。

(3) 断面の中央がくり抜かれていないと仮定したときの全体の断面2次モーメントI_1は、

$$I_1 = \frac{400 \times 600^3}{12} = 7{,}200{,}000{,}000\text{mm}^4$$

となり、くり抜く部分の断面2次モーメントI_2は、

$$I_2 = \frac{(400-2\times20)(600-2\times30)^3}{12} = 4{,}723{,}920{,}000\text{mm}^4$$

と計算できますので、求めたい断面の断面2次モーメントI_zは

$$I_z = I_1 - I_2 = 2{,}476{,}080{,}000\text{mm}^4$$

と求められます。

(2) 非対称断面の場合

上下非対称な断面の場合には、断面全体の図心の位置を求めた後に、図心まわりの断面2次モーメントを計算する2段階の計算が必要となります。計算には、4・2・6項に示した式4・25を使用し

ます。

図4･49に示す上下非対称のI形断面のはりの水平軸まわりの断面2次モーメントを計算してみましょう。計算にあたり、I形断面を「上フランジ」「ウェブ」「下フランジ」の3つの部位に分けて考え、それぞれの部位について断面諸量を求めていきます（表4･6)。ここでは、ウェブの高さの中央$(\frac{h_W}{2})$を仮の原点として、計算を進めます。表中のyは、各プレートの図心までの距離を示します。また、各記号の説明は図4･49のとおりです。

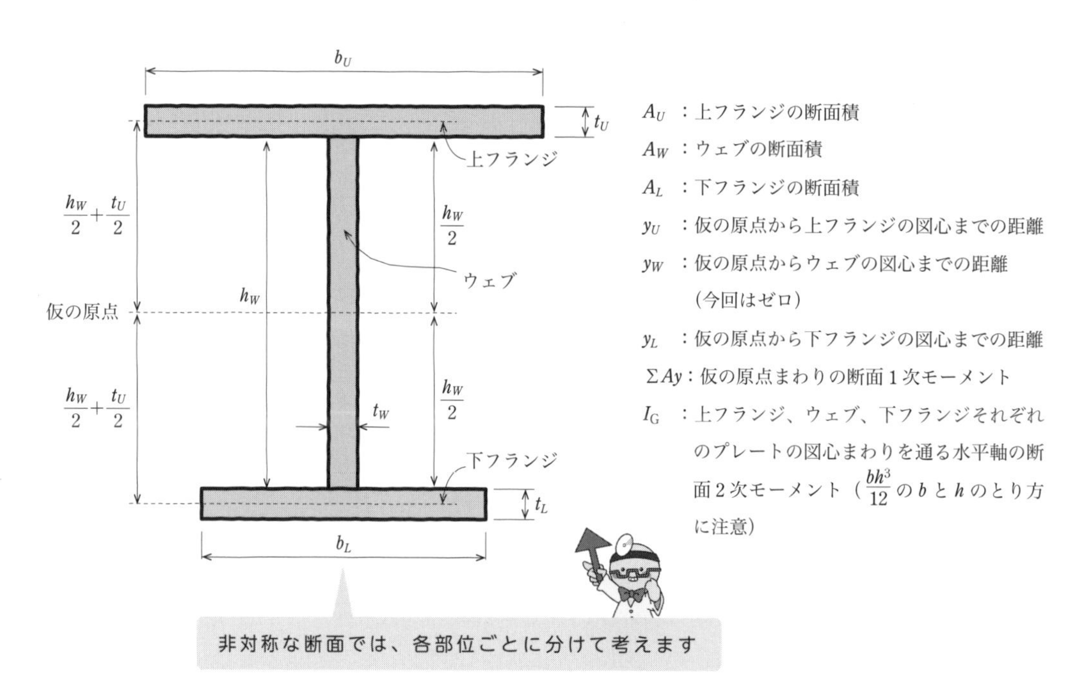

図4･49　非対称I形断面

表4･6　各部位の断面諸量の計算表

部位	A [mm^2]	y [mm]	Ay [mm^3]	Ay^2 [mm^4]	I_G [mm^4]
上フランジ	$A_U = b_U \times t_U$	$y_U = -(h_W/2 + t_U/2)$	$A_U y_U$	$A_U {y_U}^2$	$b_U {t_U}^3/12$
ウェブ	$A_W = h_W \times t_W$	$y_W = 0$	$A_W y_W$	$A_W {y_W}^2$	$t_W {h_W}^3/12$
下フランジ	$A_L = b_L \times t_L$	$y_L = h_W/2 + t_L/2$	$A_L y_L$	$A_L {y_L}^2$	$A_U {y_U}^3/12$
合計	$\sum A$		$\sum Ay$	$\sum Ay^2$	$\sum I_G$

表4･6の2列目では､断面積の合計を計算しています。また、3列目では仮の原点から各プレートの図心までの距離を求めています。これは、図4･28における座標軸の平行移動距離に相当します。4列目では仮の原点まわりの断面1次モーメント（式4･14）を計算しています。

一方、5列目では、座標軸が平行移動した場合の断面2次モーメント算定式である式4･25の右辺第2項を求めています。そして、6列目は各部位の図心を通る水平軸まわりの断面2次モーメントで、式4･25の右辺第1項に当たります。ここではフランジとウェブで水平寸法と鉛直寸法の取り方を間違わないように注意しましょう。以上の5列目と6列目を合算することで、仮の原点まわりの断面2次モーメントI'が求められます。

$$I' = \Sigma Ay^2 + \Sigma I_G \quad \text{式4･34}$$

続いて、I形断面全体について考えます。ウェブの高さの中央とした仮の原点から、I形断面全体の図心までの距離eは、式4･15より、

$$e = \frac{\Sigma Ay}{\Sigma A} \quad \text{式4･35}$$

で求められます。

以上を用いて、I形断面の図心を通る水平軸まわりの断面2次モーメントI_zは、式4･25を変形して

$$I_z = I' - (\Sigma A)\cdot e^2 = \Sigma Ay^2 + \Sigma I_G - (\Sigma A)\cdot e^2 \quad \text{式4･36}$$

と計算できます。

基本問題⑪ 図4･50に示すI形断面の図心を通る水平軸まわりの断面2次モーメントを計算しましょう（単位：mm）。

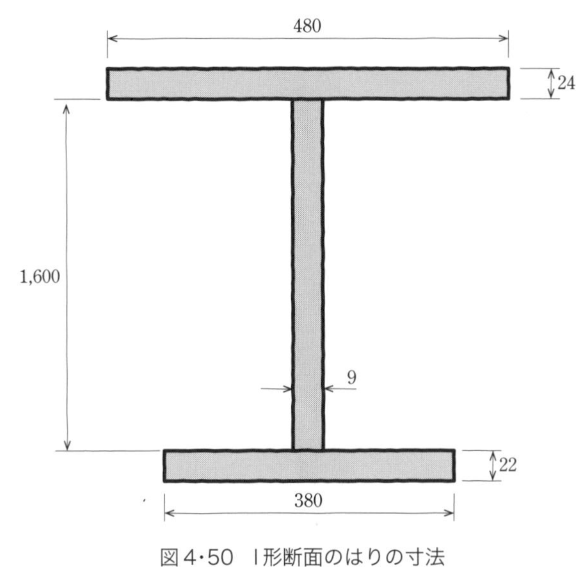

図4･50　I形断面のはりの寸法

解答例

「上フランジ」「ウェブ」「下フランジ」の3つの部位について断面諸量を求めます（表4･7）。

表4·7　各部位の断面諸量の計算表

	A [mm^2]	y [mm]	Ay [mm^3]	Ay^2 [mm^4]	I_G [mm^4]
上フランジ	11,520	−812	−9,354,240	7,595,642,880	552,960
ウェブ	14,400	0	0	0	3,072,000,000
下フランジ	8,360	811	6,779,960	5,498,547,560	337,187
合計	34,280		−2,574,280	13,094,190,440	3,072,890,147

ウェブの高さの中央に設定した仮の原点から、I形断面の図心までの距離eは、

$$e=\frac{\Sigma Ay}{\Sigma A}=\frac{-2,574,280}{34,280}=-75.1\text{mm}$$

となり、仮の原点まわりの断面2次モーメントI'は、

$$I'=13,084,190,440+3,072,890,147=16,167,080,587\text{mm}^4$$

以上より、I形断面の図心まわりの断面2次モーメントI_zは、

$$I_z=16,167,080,587-34,280\times(-75.1)^2=15,973,741,044\text{mm}^4$$

と求められます。

図4·51より、断面の図心から圧縮応力が最大となる上フランジ上縁までの距離は、

$$y_e=-\left(\frac{h_W}{2}+t_U\right)-e=-(800+24)+75.1=-749\text{mm}$$

同様に、下縁までの距離は、

$$y_t=\left(\frac{h_W}{2}+t_L\right)-e=(800+24)+75.1=897\text{mm}$$

となります。

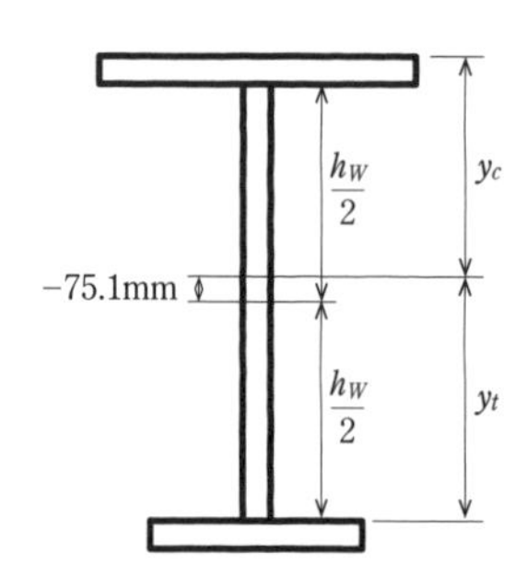

図4·51　図心から上縁・下縁までの距離

ここで、最終的に求められたI形断面全体の断面2次モーメントI_zと表4·7に示す各部位の断面諸量を見比べてみましょう。全体の断面2次モーメントI_zが約16.0×10^9mm^{4}であるのに対して、上フランジのAy^2が約7.6×10^9mm^4、下フランジのAy^2が約5.5×10^9mm^{4}となっており、上下フランジの数値が約80％を占めています。残りの20％はウェブのI_Gの約3.1×10^9mm^{4}が

受けもっており、曲げに対しては上下フランジで抵抗しているといっても過言ではないことがわかります。

練習問題③　図4･52〜4･54に示す非対称のI形断面の図心を通る水平軸まわりの断面2次モーメントを計算しましょう（単位：mm）。

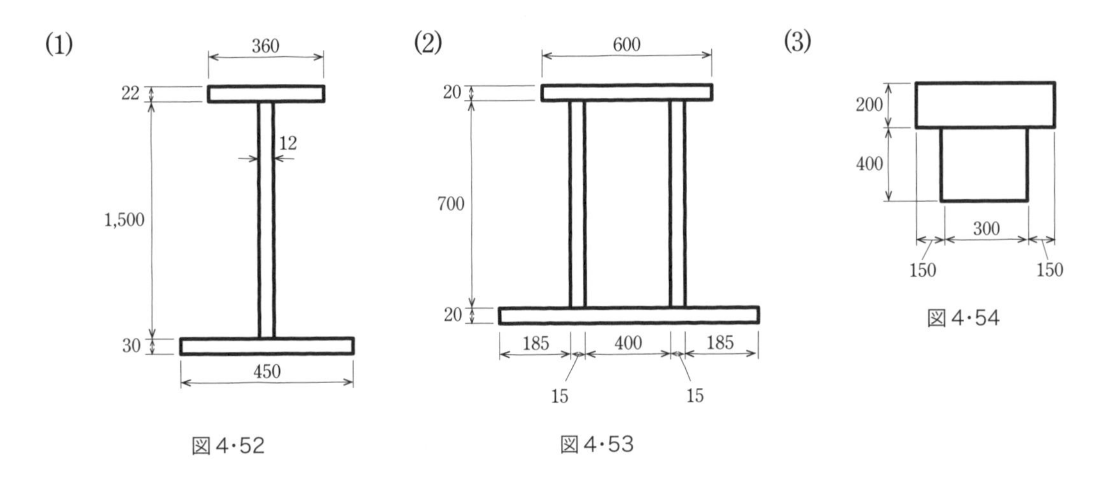

図4･52　図4･53　図4･54

4･4･2　曲げ応力

図4･55(a)に示すI形断面のはりにおける曲げ応力の分布は、側面から見ると図4･55(b)のように図心位置の応力がゼロで、図心位置から離れるほど応力が大きくなる三角形分布となり、4･3･2項で示した中実断面の曲げ応力分布と同じになります。ただし、実際には、図4･55(a)(c)に示すように上下フランジでは応力が発生している部分の幅が広く、その分断面積が大きくなるため、上下フランジが受けもつ曲げモーメントによる直応力の合計は中実断面に比べ大きくなっています。逆に、中実断面から受けもつ応力が小さく寄与率の低い図心付近の断面を削り落としたものがI形断面であるということもできます。

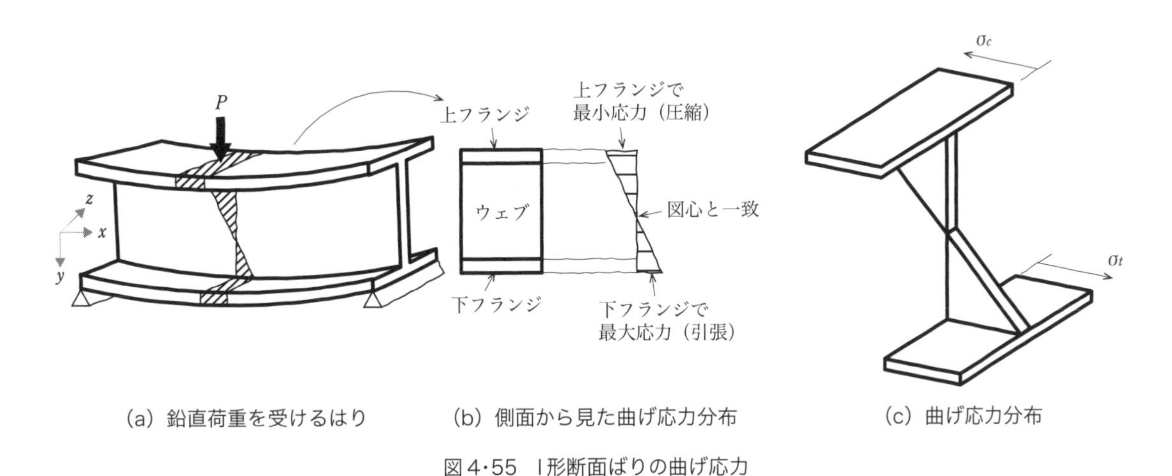

(a) 鉛直荷重を受けるはり　(b) 側面から見た曲げ応力分布　(c) 曲げ応力分布

図4･55　I形断面ばりの曲げ応力

基本問題⑫　図4･56に示すI形断面の単純ばりのA–A断面に生じる曲げ応力分布を図に描きましょう。荷重Pは100kN、はりのスパンLは1,910mmとします。

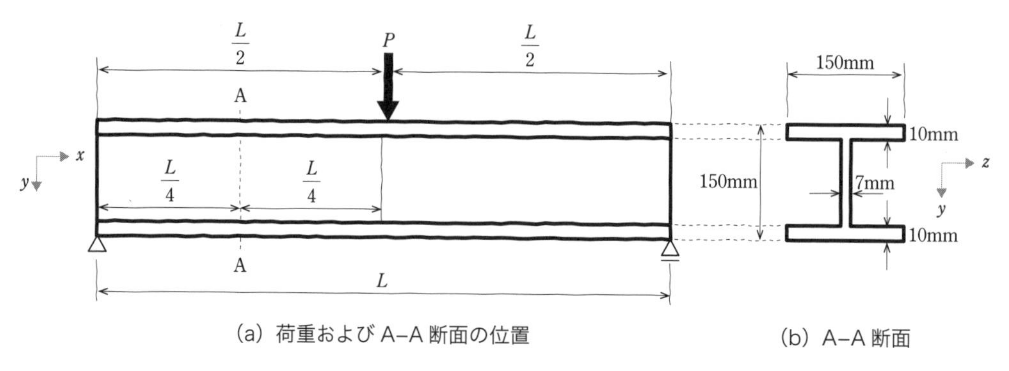

(a) 荷重およびA–A断面の位置　　(b) A–A断面

図4･56　スパン中央に荷重が作用するI形断面の単純ばり

解答例

はりの断面は、図4･56(b)に示されているとおり上下対称ですので、断面2次モーメントIは式4･33により、

$$I=\frac{bh^3}{12}-\frac{(b-t_w)(h-2t_f)^3}{12}=\frac{150\times150^3}{12}-\frac{(150-7)(150-10\times2)^3}{12}=16{,}006{,}583\text{mm}^4$$

一方、曲げモーメント図は図4･57のようになり、A–A断面位置における曲げモーメントは$M=\frac{PL}{8}$となります。$P=100$kN、$L=1{,}910$mmを代入して、

$$M=\frac{100\times1{,}910}{8}=23{,}875\text{kN・mm}=23{,}875{,}000\text{N・mm}$$

また、図心の位置は断面高さの中央になりますので、図心から上フランジ上縁までの距離y_Uは-75mm、下フランジ下縁までの距離y_Lは75mmになります。以上より、上フランジ上縁の曲げ応力σ_U、下フランジ下縁の曲げ応力σ_Lは、

$$\sigma_U=\frac{M}{I}y_U=\frac{23{,}875{,}000}{16{,}006{,}583}\times(-75)=-112\text{N/mm}^2$$

$$\sigma_L=\frac{M}{I}y_L=\frac{23{,}875{,}000}{16{,}006{,}583}\times75=112\text{N/mm}^2$$

と求められます。したがって、曲げ応力分布は図4･58となります。

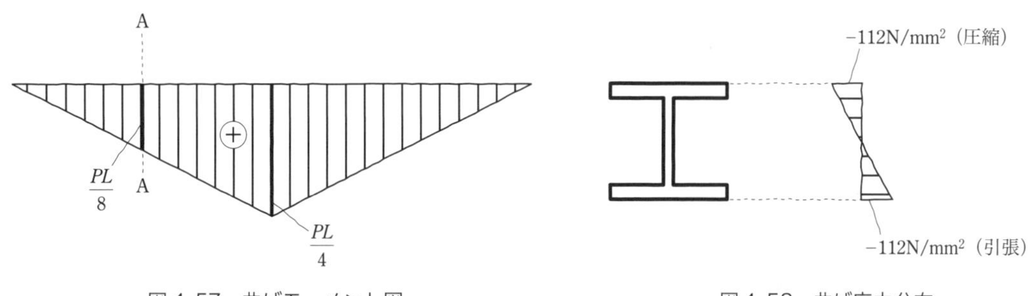

図4･57　曲げモーメント図　　図4･58　曲げ応力分布

練習問題④　図4･59に示す単純ばりのスパン中央の断面（C点）に発生する最大の引張応力 σ_t を求めましょう。断面形状ははり全長で同一とし、自重は無視することとします。

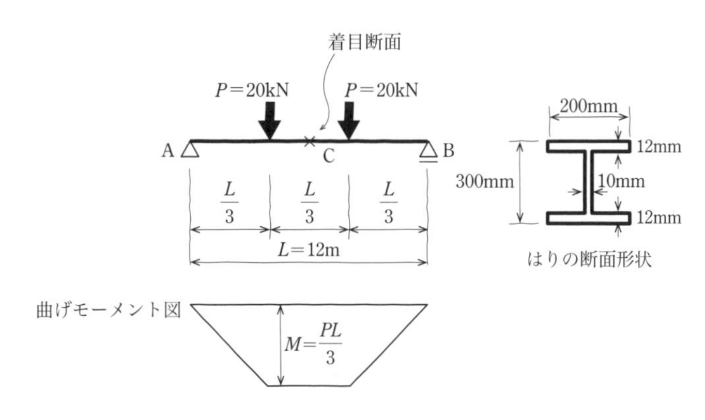

図4･59　2つの荷重が作用するI形断面の単純ばり

4･4･3　せん断応力

I形断面のはりは、せん断力に対してはウェブのみで抵抗するように設計されています。断面にはたらくせん断力を Q、ウェブの断面積を A_W とすると、断面に生じるせん断応力 τ は、

$$\tau=\frac{Q}{A_W} \quad \text{式4･37}$$

で求められます。

理論上のせん断応力の分布は、4･3･3項の中実断面の場合と同様に放物線分布となります。しかしながら、I形断面の場合では、上下のフランジが受けもつせん断応力は小さく、ウェブに生じるせん断応力が支配的であるため、図4･60(b)に示すようなせん断応力分布となります。これに対して、実際の計算ではウェブ部分のせん断応力を図4･60(c)のように一定とみなし、式4･37によりせん断応力を算出しています。

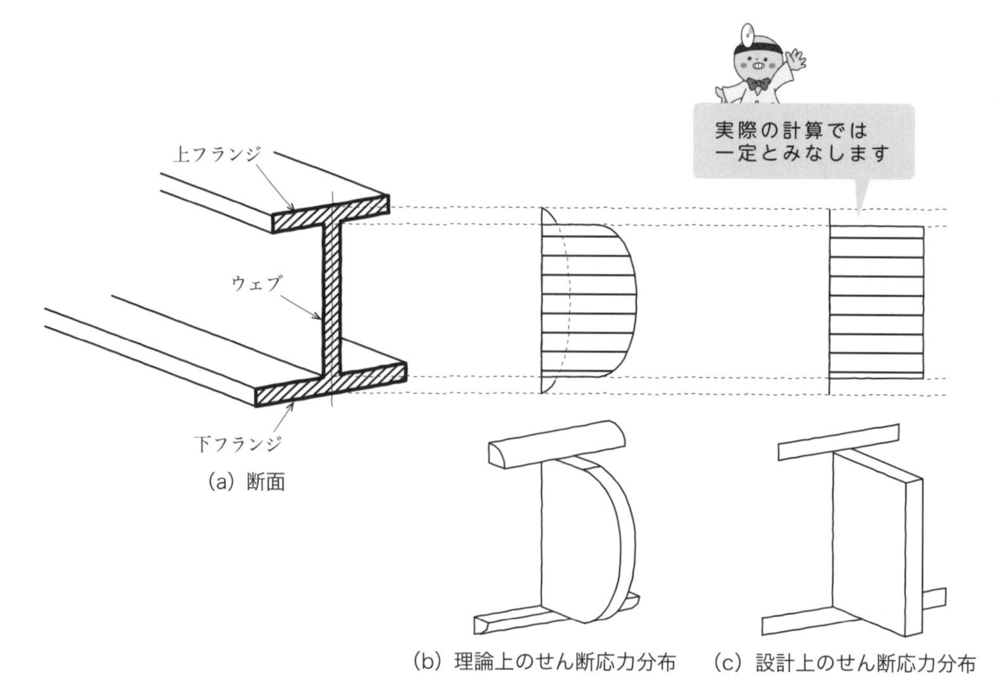

図4・60　I形断面ばりのせん断応力分布

基本問題⑬　図4・56に示すI形断面の単純ばりのA–A断面に生じるせん断応力を求めましょう。荷重Pは100kN、はりの支間Lは1,910mmとします。

解答例

ウェブの断面積A_Wは、

$$A_W=(150-10\times2)\times7=910\text{mm}^2$$

一方、せん断力図は図4・61のようになりますので、A–A断面におけるせん断力は、

$$Q=\frac{P}{2}=50\text{kN}$$

となります。以上より、A–A断面に生じるせん断応力は、

$$\tau=\frac{Q}{A_W}=\frac{50,000}{910}=55\text{N/mm}^2$$

したがって、せん断応力分布は図4・62となります。

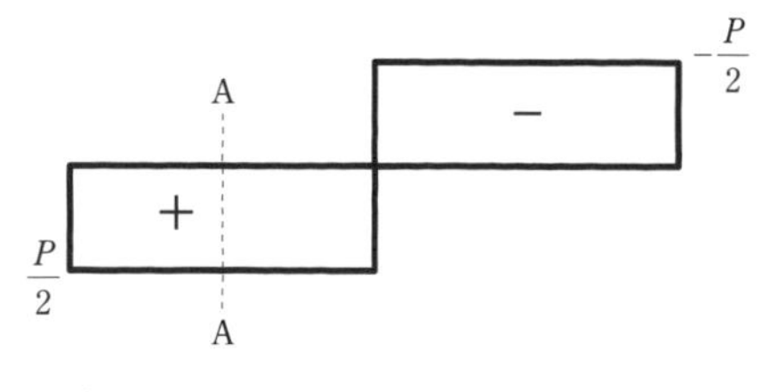

図4・61　せん断力図

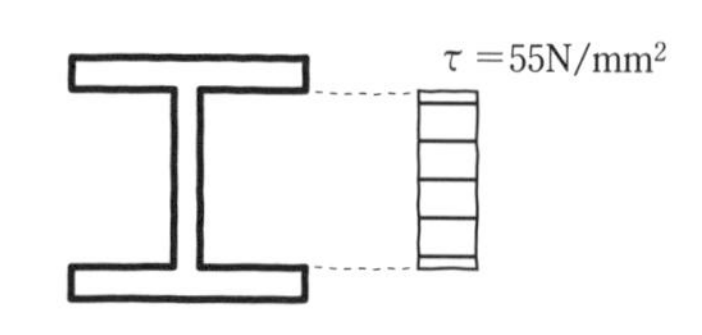

図4・62　せん断応力分布

練習問題⑤ 図4･63に示す単純ばりの支点付近に発生するせん断応力を求めましょう。

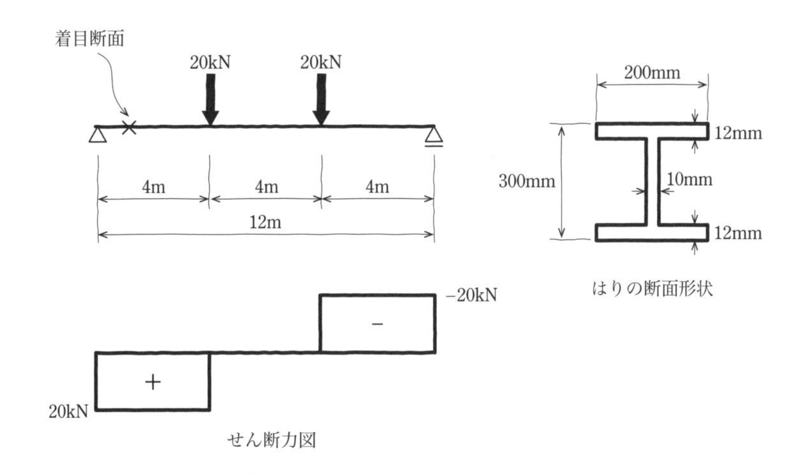

図4･63　2つの荷重が作用するI形断面の単純ばり

5章

構造物の変形

5･1　構造物のモデル化と変形の計算

私たちの身のまわりにある建物や橋などの構造物をはじめとして、机や椅子、定規や鉛筆といった日用品に至るまで、あらゆる物体は力を加えると変形します。変形の仕方は物体に応じて様々で、輪ゴムのように壊れなくても小さな力で大きく変形するものもあれば、コンクリートのように私たちの気には留まらないほど変形が小さいものもあります。写真5･1は鋼板の引張試験における試験片の写真ですが、鋼材のように硬い物体であっても加える力が大きくなると目に見えるほどに変形し、破断することになります。

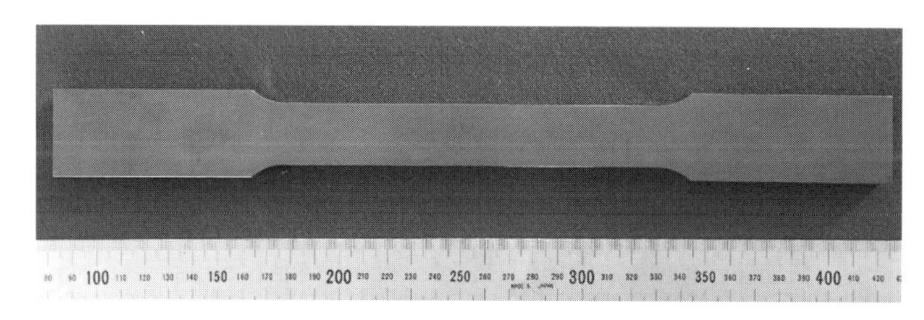

(a) 力を加える前

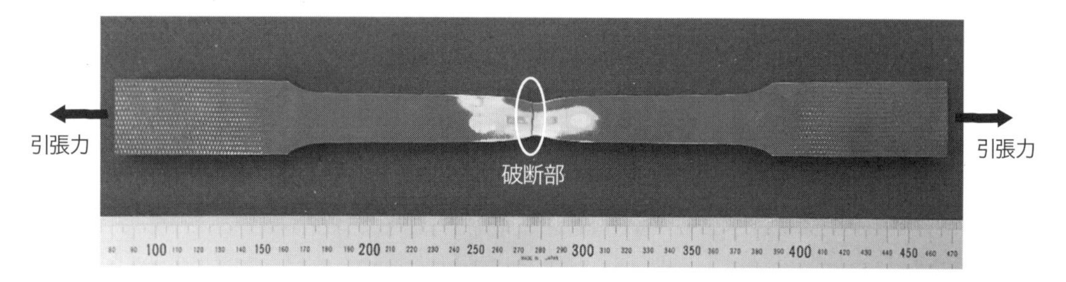

(b) 引張力を加えて変形し破断した状態

写真5･1　鋼板の引張試験片の変形例

構造力学では、はりやラーメンなどの骨組構造物に生じる、見た目ではわからないレベルの小さな変形を扱います。現在、構造物の変形は実験だけでなくコンピューターを使って計算できるようになりました。図5･1は、建設途中の吊橋の変形をコンピューターによって計算した例です。このように高度な計算技術を駆使して構造物のさまざまな挙動をシミュレーションできるようになった一方で、コンピューターの計算結果が正しいのか間違っているのかを判断するのは私たちです。ですので、私たちには、構造物の変形の計算方法を熟知し、変形の形状や大小、荷重との関係などについて直感的に把握できることが求められます。そのためには、構造物の変形に関する多種多様な問題を実際に手計算で解くことを通して、構造物に生ずる変形を頭の中でイメージする能力、計算結果の妥当性を判断する能力を身につける必要があります。

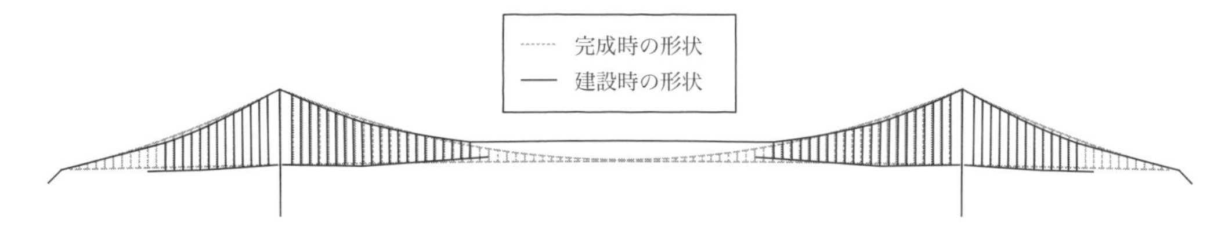

図5・1　コンピューターで計算された建設途中の吊橋の変形

まずは構造物の変形についてイメージをつかむため、写真5・2に示す模型を使って解説していきましょう。定規をはり、本を支点とみなして作成した簡単な単純ばりの模型で、単純ばりの支間長（本と本の間の距離）は30cmです。支間中央には下向きの変形を計測するための定規を立てており、はりに何も載せていない状態ではりの下面が10cmの目盛を指すように設置しています（写真5・3）。

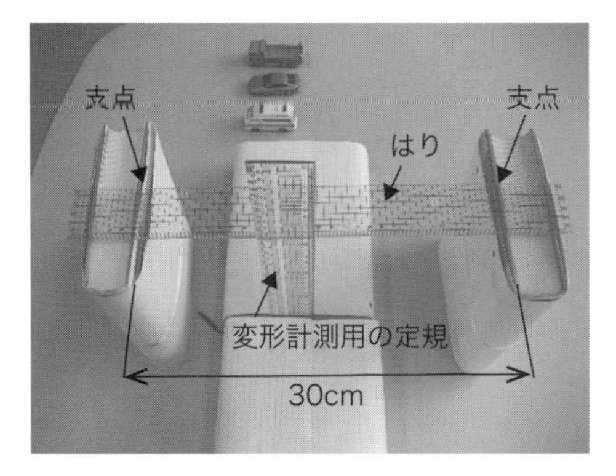

写真5・2　本と定規で作成した単純ばりの模型

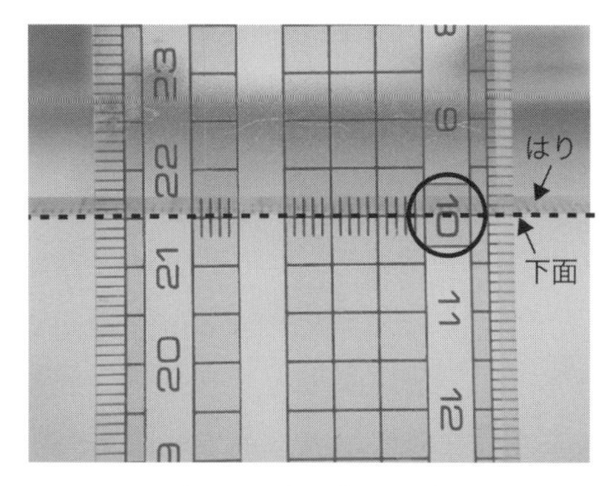

写真5・3　変形計測用の定規

写真5・4、写真5・5に示すように、単純ばりの支間中央をまたぐようにミニカー（救急車と乗用車）を載せました。救急車の重さは65gf（＝0.64N）、乗用車は37gf（＝0.36N）です。はりはタイヤの位置や支点で折れることなく、下向きに滑らかに弧を描くように変形していることがわかります。

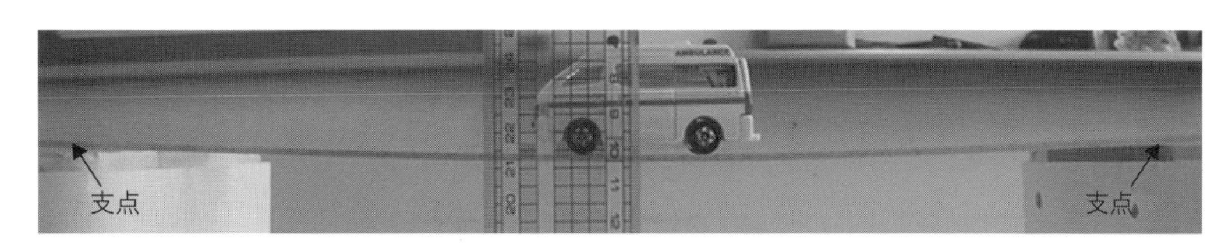

写真5・4　救急車を載せたときの変形

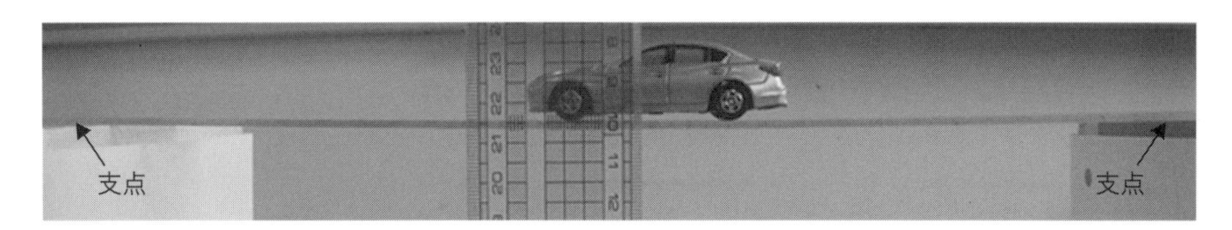

写真5･5　乗用車を載せたときの変形

また、支間中央の変形量は、救急車の場合には 約3.0mm（写真5･6）、乗用車の場合には約1.7mm（写真5･7）で、重い救急車を載せた方が変形が大きいこともわかります。

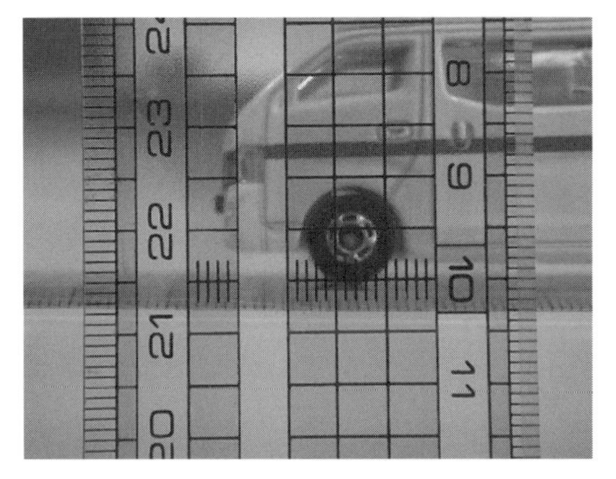

写真5･6　支間中央の変形量（救急車）

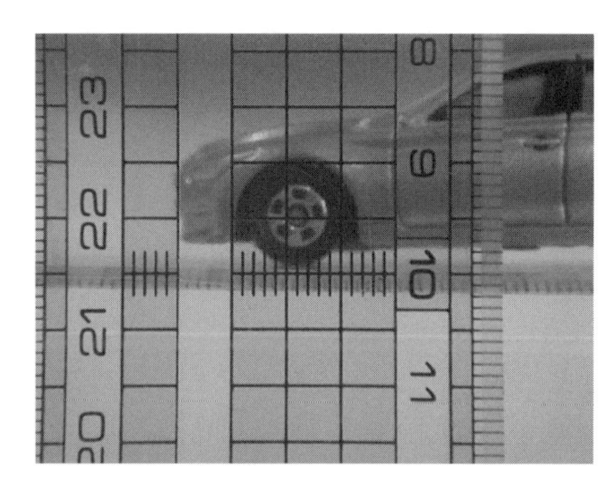

写真5･7　支間中央の変形量（乗用車）

本章で学ぶ変形の計算方法の有用性を示すため、定規にミニカーを載せた状態を図5･2のようにモデル化し、変形を計算してみます。図中のPをミニカーの重さ（救急車0.64N、乗用車0.36N）、Eを定規の弾性係数、Iを定規の断面2次モーメント、Lを支間長とすると、C点の変形量v_Cは次式により計算することができます。

$$v_C = \frac{PL^3}{48EI}$$

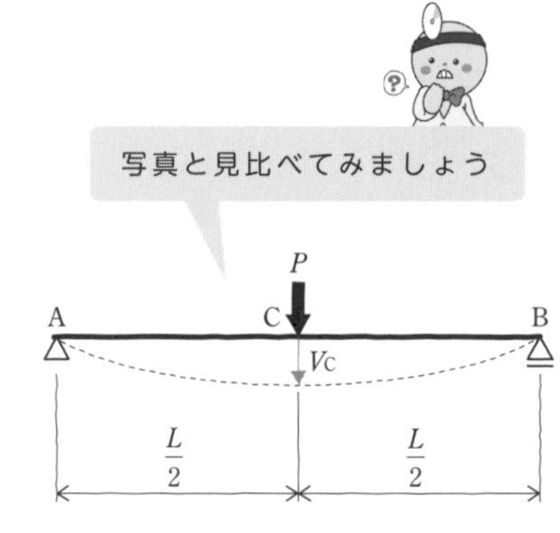

図5･2　定規にミニカーを載せた状態のモデル化

はりである定規は幅43mm、厚さ2mmの矩形断面をもつポリスチレン製で、断面2次モーメントは$I=28.7\mathrm{mm}^4$、平均的な弾性係数は$E=3{,}250\mathrm{N/mm}^2$です。また、支間長は$L=300\mathrm{mm}$です。これらを上の計算式に代入すると、救急車を載せた場合は$v_C=3.9\mathrm{mm}$、乗用車を載せた場合は$v_C=2.2\mathrm{mm}$となり、計測結果と概ね一致しています。計測結果と計算結果の値が異なる要因としては、定規が厳密な単純支持ではないこと、ミニカーの前後の車輪からはりに作用する力を1カ所の集中荷重に置き換えていることなどが考えられますが、大胆なモデル化による計算にもかかわらず、はりの変形量がこの計算式により概ね予測できることがわかります。

一方、救急車と乗用車を載せたとき定規の変形量の比は$\dfrac{3.0\mathrm{mm}}{1.7\mathrm{mm}}=1.76$であるのに対して、救急車と乗用車の重さの比は$\dfrac{0.64\mathrm{N}}{0.36\mathrm{N}}=1.78$で、これらの比も概ね対応しています。このことは同じ構造物に生ずる変形量が作用する力の大きさに比例することを示しており、このような性質をもつ構造は「線形構造」と呼ばれ、構造力学では重要な性質の1つです。先ほどの変形量の計算式を見ても、変形量v_Cと荷重Pは1次関数の関係式として表されており、比例関係にあることがわかります。

所定の力が作用しても壊れない、強い橋を架けたとしても、私たちが橋を渡っているときに大きく変形すると、安心して橋を使うことができなくなります。このため、一般的に、橋の設計では変形が所定の値に収まっているかチェック（たわみの照査）することになっています。

本章では、このような変形を求めるための3つの計算法を紹介します。

5･2　変形・変位・たわみ

構造物に荷重が作用すると、構造物は変形します。構造力学では、この変形のことを「**変形**」「**変位**」「**たわみ**」という言葉で表します。土木学会の『土木用語大辞典』（技報堂出版、1999年）によると、変形、変位、たわみは下記のように定義されています。

・変形　：物体が力、温度、湿度、化学作用など何らかの刺激を受けることによって、その形状を変化させること。

・変位　：物体内の位置ベクトルで示された質点の変形後と変形前の差のベクトル。

・たわみ：曲げ部材に荷重が作用した場合に生じる任意点のある方向への変位量。すなわち、梁、桁、ケーブルなどが荷重を受けて変形するとき、部材軸線のある方向への成分を、その方向のたわみという。とくに、直線梁の場合は、部材軸に垂直な方向変位yをたわみとしている。また、部材軸線のある方向への変形後の状態を示す曲線をその方向のたわみ曲線といい、そのたわみ曲線の任意点での接線と変形前の部材軸線とがなす角をたわみ角という。

ここで、集中荷重が作用する単純ばりの変形を考えてみましょう。荷重によってはりが曲線状に変形した状況を誇張して図示したものが、図5･3になります。A点はA′点に移動し、y方向に変位v_Aを生じます。さらに、はりの軸線が曲がっているため、A′点におけるはりの軸線の接線は水平軸（x軸）に対して傾きをもち、回転角（回転変位）θ_Aも生じています。厳密には、図5･4に示すように支間長が$L \to L'$と短くなっており、A点の変位もy軸と平行ではありませんが、構造力学では見た目でわからないレベルの小さな変形を扱うため、支間長の変化はゼロ（ピンローラー支点の変位$\Delta u \approx 0$：近似的にゼロに等しい）と見なし、断面力の計算と同様に、変形前の形状を基準として変形を計算します（この考え方を「**微小変位理論**」といいます）。

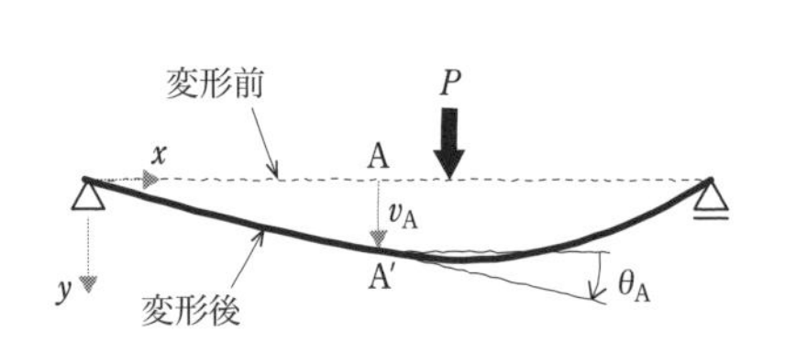

図5･3　集中荷重を受ける単純ばりの変位

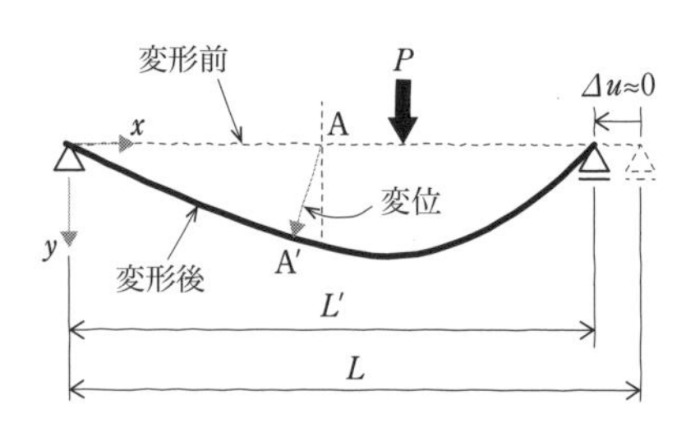

図5･4　単純ばりの支間長の変化

本書では、x軸およびy軸方向に生じる変位（並進変位）をそれぞれuおよびv、回転変位をθと表します。uとvはそれぞれ$+x$、$+y$方向に生じる変位を正とし、θは時計回りに生じる回転変位を正とします。また、変位が生じる位置については右下に添字をつけてv_A、v_B、θ_Cのように表します。

また、図5･5に示すように、単純ばりの左側の支点Aを原点として、水平方向右向きにx軸、鉛直方向下向きにy軸を設定したとき、支点Aからx離れた任意点のy軸方向変位と回転変位は、それぞれ$v(x)$、$\theta(x)$あるいはv_x、θ_xと表記します。一方、図5･6のように水平力を受けるラーメンやはりでは、部材の軸方向に力が作用するため、部材軸に平行な方向に変位u_Cも発生します。

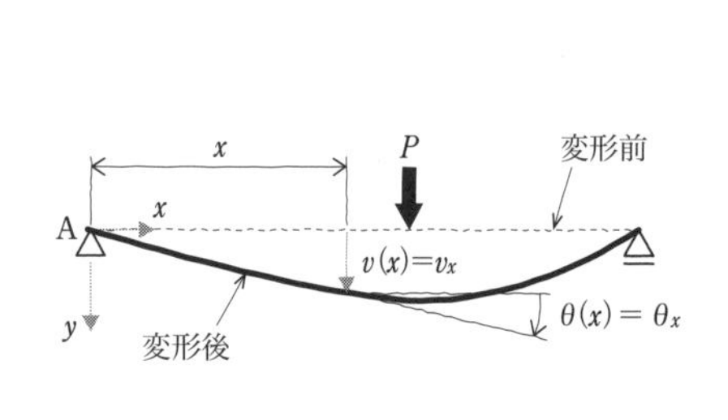

図5･5　任意点の変位$v(x)$、$\theta(x)$

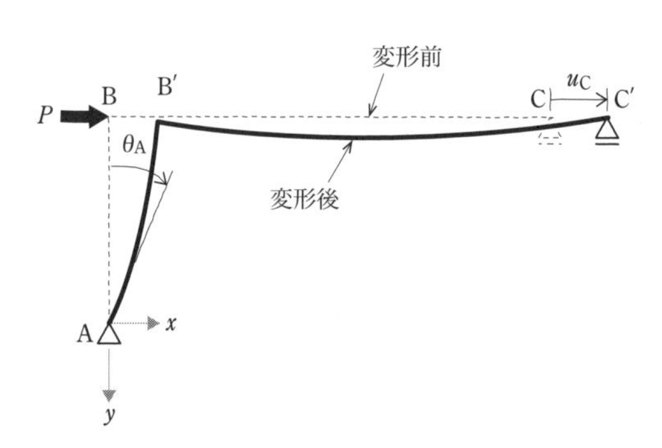

図5･6　水平力を受けるラーメンの変位

構造力学で扱う骨組構造物では、骨組に垂直な方向の変位を「**たわみ**」、回転変位を「**たわみ角**」、曲がったはりの軸線が示す曲線を「**弾性曲線**」あるいは「**たわみ曲線**」と呼んでいます。ここで示した記号でいうと、図5･3のv_A、図5･5の$v(x)$は「たわみ」、図5･3や図5･6のθ_A、図5･5の$\theta(x)$は「たわみ角」になります。

5･3　3つの計算法

本節では、手計算に適した構造物の変形の計算法として、表5･1に示す3つの方法を紹介します。まずは概要を一通り掴んだ上で練習問題を解いてみて、改めて本節を読み直すことをおすすめします。繰り返し学習することで、これらの計算方法をしっかりと身につけましょう。

表5･1には、3つの計算法の特徴、有効性(どのような構造物に対して適用しやすいか)の比較、重要な式、注意事項をまとめました。有効性の比較の欄では、最も有効であれば◎、有効であれば○、不向きであれば△、不可であれば×を付けています。

変形を求めるにあたっては、いずれの方法を使うにしても、あらかじめ構造物の支点反力と断面力を求めておく必要があります。したがって、それらの計算方法が理解できていることが前提となりますので、3章でしっかりと学習しておいてください。また､以降の計算法の学習にあたっては、境界条件、微分方程式、積分に関する数学の知識も必要になります。それらについては7章で解説していますので、自信のない人は復習してから読み進めるようにしてください。

表5･1　手計算による変形の計算法

計算法の名称		たわみ曲線の微分方程式を用いる方法 →5･4節	弾性荷重法 (モールの定理) →5･5節	単位荷重法 (仮想仕事の原理) →5･6節
概要		はりのたわみ曲線の微分方程式を積分していき、境界条件を使って積分定数を決定することで、たわみ曲線が求められます。	曲げモーメントを曲げ剛性で割った弾性荷重を共役ばりに作用させ、着目点の断面力を求めます。着目点の曲げモーメントがたわみ、せん断力がたわみ角になります。	実際の荷重と仮想の単位荷重が作用する場合の断面力をそれぞれ求め、仮想力の原理に基づいて変位を求めます。単位荷重は変位を求めたい点に、求めたい向きに作用させます。
有効性の比較	たわみ曲線の計算	◎	○	△
	任意点のたわみの計算	○	◎	◎
	分布荷重が作用する構造物への適用	◎	△	◎
	ゲルバーばり(3章、6章参照)への適用	△	○	◎
	複数の荷重が作用する静定はりへの適用	△	○	◎
	トラスやラーメンへの適用	×	×	◎
重要な式		$\frac{d^4v_x}{dx^4}=\frac{q(x)}{EI}$ or $\frac{d^2v_x}{dx^2}=-\frac{M_x}{EI}$		u_m or θ_m $=\int_0^L \frac{M_x\bar{M}_x}{EI}dx+\int_0^L \frac{N_x\bar{N}_x}{EA}dx$
		【記号の説明】x:はりの軸線に沿った座標/M_x、N_x:実荷重によって生ずる曲げモーメントおよび軸力/E:弾性係数/I:中立軸まわりの断面2次モーメント/A:断面積/$q(x)$:分布荷重/m:変位を求める点/L:曲げモーメントと軸力の定義域の長さ/$\bar{M}_x$、$\bar{N}_x$:単位荷重によって生じる曲げモーメントおよび軸力		
注意事項		積分が必要で、境界条件として、支点条件や連続条件を理解しておく必要があります。	通常は積分不要ですが、実際のはりと共役ばりの支点条件の違いを理解しておく必要があります。	実荷重系と単位荷重系のそれぞれに対する断面力の計算、さらに定積分が必要です。

5･4　たわみ曲線の微分方程式を用いる方法

5･4･1　概要

荷重が作用するはりにおいては、変位vと曲げモーメントMとの間に下式の関係が成り立っており、これを「**たわみ曲線の微分方程式**」といいます。

$$\frac{\mathrm{d}^2 v}{\mathrm{d}x^2} = -\frac{M}{EI}$$

このたわみ曲線の微分方程式を用いて変形を求める方法は、はりのたわみの形状を式で表したり、グラフに描いたりする場合に有効です。対象とする構造物は静定構造物はもちろん、不静定構造物であっても微分方程式に適正な境界条件を適用することで同じ手順でたわみの形状や断面力図を求めることができます。

5･4･2　計算上の仮定

はりやラーメンの変形をモデル化して計算するために、以下①～③の仮定を適用します。

①**平面保持の仮定**：はりの断面は変形前も変形後も平面を保たなければならない

②**ベルヌーイ・オイラーの仮定**：変形前にはりの軸線に直交する断面は、変形後も変形した軸線に対して直交を保たなければならない

③**断面形状不変（断面内無変形）の仮定**：はりの断面内には変形は生じない（はりの断面形状は変形しない）

以上の仮定にしたがって、変形前および変形後のはりの状態を概略的に示したものが図5･7です。

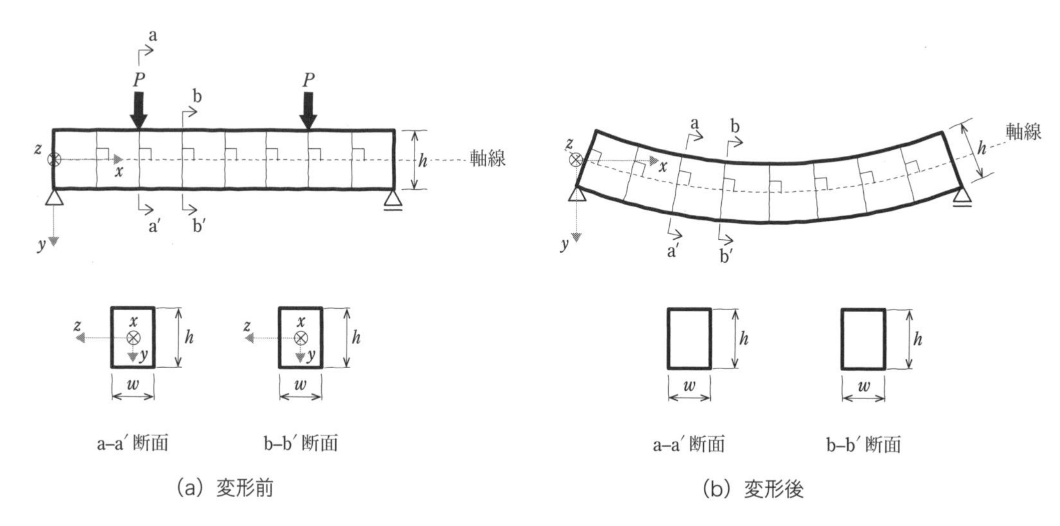

図5･7　計算上の仮定を満足するはりの変形

上記の3つの仮定に即して図を見ると、平面保持の仮定により断面を表す線分aa′とbb′は変形後も直線を保持しています。また、ベルヌーイ・オイラーの仮定により、変形前にはりの軸線に直交していた断面は変形後も曲がった軸線に直交しています。さらには、断面形状不変の仮定により、a–a′断面、b–b′断面とも変形前後で高さ・幅の寸法と四隅の角度（90°）に変化は生じていません。

5·4·3　計算手順

たわみ曲線の微分方程式は式5·1と式5·2で与えられます。たわみ曲線の微分方程式を用いる計算法では、この2つの基本式のいずれかを使って変形を求めます。まずはこの基本式を覚えましょう（ここで、v^{IV}はvのxに関する4階微分を表しています）。

$$M(x)=-EI\frac{\mathrm{d}^2v}{\mathrm{d}x^2}=-EIv'' \qquad \text{式5·1}$$

$$q(x)=EI\frac{\mathrm{d}^4v}{\mathrm{d}x^4}=EIv^{\mathrm{IV}} \qquad \text{式5·2}$$

式中のEIは「**曲げ剛性**」と呼ばれており、はりのたわみやすさを表す尺度です。曲げ剛性が大きいはりほどたわみにくく、小さいほどたわみやすくなります。また、$M(x)$は任意点における曲げモーメント、$q(x)$は分布荷重、およびxは任意点の座標を表しています。

また、詳細は省略しますが、式5·1の右辺のたわみの2階微分$\frac{\mathrm{d}^2v}{\mathrm{d}x^2}=v''$は曲率に、たわみの1階微分$\frac{\mathrm{d}v}{\mathrm{d}x}=v'$はたわみ角$\theta$に等しくなります。すなわち、式5·1の微分方程式は、たわみvを微分したたわみ角をさらに微分した曲率に曲げ剛性を乗じたものが曲げモーメントの分布式に等しいことを表しています。

微分方程式の関係性を図にまとめると、図5·8のようになります。同図中、$Q(x)$は任意点におけるせん断力、C_0、C_1、D_0～D_3は積分定数を表しています。

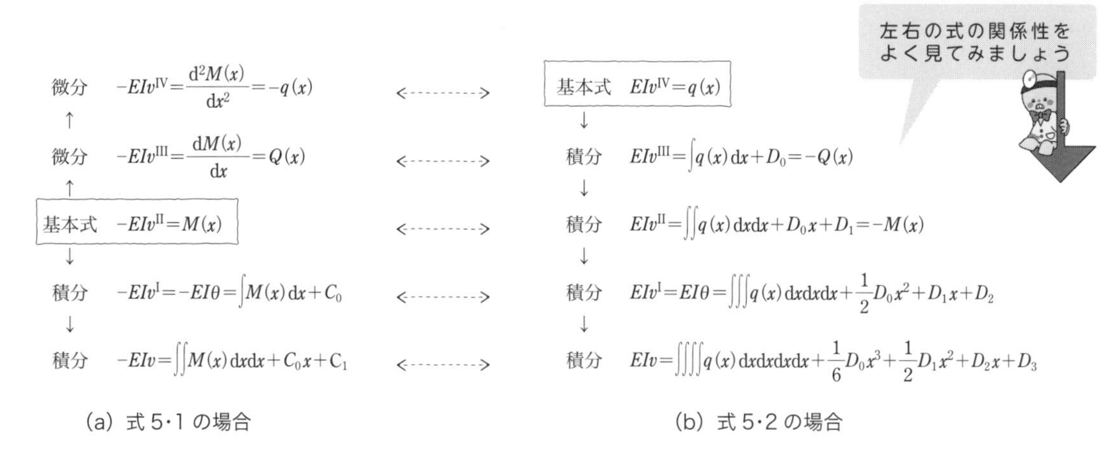

図5·8　たわみ曲線の微分方程式の関係図

たわみ曲線の微分方程式（式5･1）を用いたはりの変形（たわみ曲線式およびたわみ分布式）の計算手順を図5･9に示します。

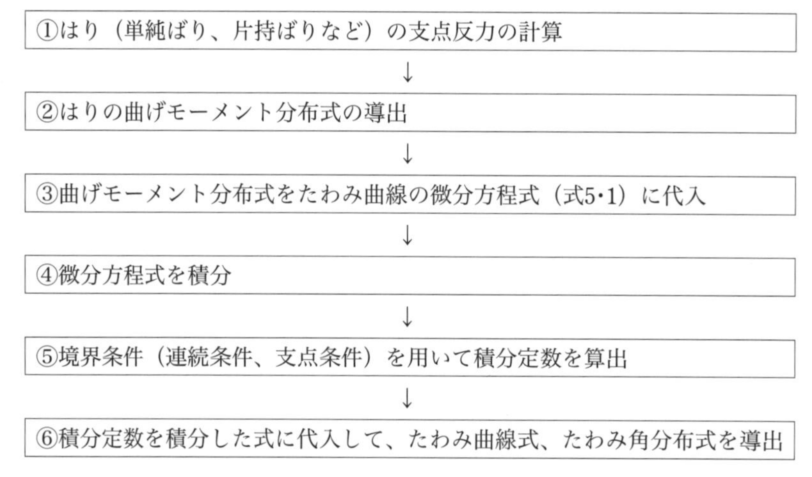

図5･9　たわみ曲線の微分方程式を用いたはりの変形の計算手順（式5･1を用いた場合）

なお、式5･1においては、軸力によるはりの伸縮変形やせん断力によるせん断変形は無視されているので、軸力のみによって変形するトラス構造や、軸力の影響が大きいラーメン構造の変形の計算に式5･1を用いることはできません。

5･4･4　境界条件

式5･1は2階微分方程式であるため、2階積分したたわみv_xの式には2つの積分定数が含まれます。これらを求めるためには境界条件が必要となります。境界条件には、支点における変位の拘束状況から導かれる「**支点条件**」と、作用する荷重が変化する点（集中荷重の作用点、等分布荷重の作用区間の始点と終点など）や曲げ剛性が変化する点における変位の状況から導かれる「**連続条件**」の2つがあります。代表的な支点条件と連続条件をそれぞれ表5･2、表5･3に示します。

表5･2　代表的な支点条件

支点の種類		支点条件（変位の拘束状況）	反力
固定支点 （固定端）		$v = 0$（たわみ0） $v' = \theta = 0$（たわみ角0） $u = 0$（水平変位0）	
ヒンジ支点		$v = 0$（たわみ0） $u = 0$（水平変位0）	$M = 0$
ローラー支点		$v = 0$（たわみ0）	$M = 0$ $H = 0$
自由端			$M = 0$ $H = 0$ $R = 0$

表5·3　代表的な連続条件

連続条件を考える点（右向きの座標）		連続条件
集中荷重作用点 断面剛性変化点		$u_1 = u_2$ $v_1 = v_2$ $\theta_1 = \theta_2$ $(v'_1 = v'_2)$
中間支点		$u_1 = u_2$ $v_1 = v_2$ $\theta_1 = \theta_2$ $(v'_1 = v'_2)$
ヒンジ結合点		$u_1 = u_2$ $v_1 = v_2$

5·4·5　計算例

図5·9に示す計算手順にしたがって具体的に変形を求めてみましょう。ここでは、不静定ばりを含む4つのパターンのはりについて計算例を示します。解き方と同時に、理解しておくべき構造物の変形の性質に関しても解説していきますので、しっかり習得してください。

（1）等分布荷重が作用する単純ばりの計算例（式5·1を用いる場合）

図5·10に示す等分布荷重qが作用する単純ばりのたわみ曲線を求めましょう。ここで、$q(x)$はx軸方向に分布荷重qの変化はなく一定のため、$q(x)=q$となります。また、曲げ剛性EIは一定とします。曲げ剛性が一定というのは、はりの材料が均質で、断面形状も金太郎飴のように長さ方向に一様であることを意味しています。座標軸は、A点を原点として部材軸方向右向きにx軸、鉛直方向下向きにy軸をとります。

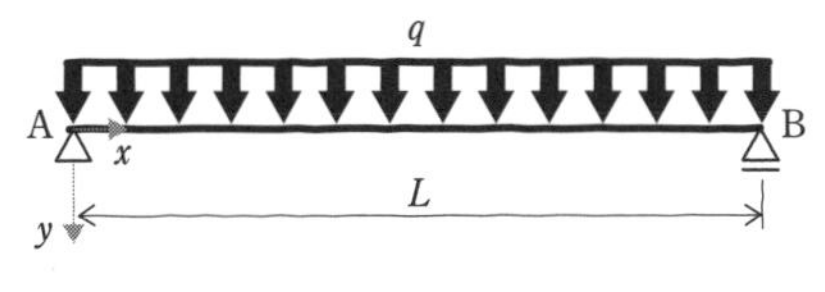

図5·10　等分布荷重が作用する単純ばり

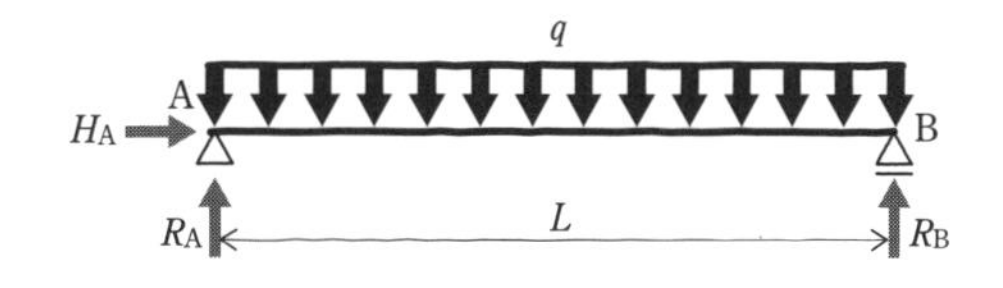

図5·11　支点反力

①支点反力の計算

図5·11に示すように支点反力を定義すると、3·1·2項の基本問題④より、力のつり合い条件

から各反力は次のように求められます。

$$H_A=0、R_A=\frac{1}{2}qL、R_B=\frac{1}{2}qL$$

②曲げモーメント分布式の導出

3・4・1項の図3・67より、曲げモーメント分布式 $M(x)$ は次のように求められます。

$$M(x)=\frac{qL}{2}x-\frac{q}{2}x^2 \qquad \text{式5・3}$$

③曲げモーメント分布式を式5・1の微分方程式に代入

式5・1を変形し式5・3を代入すると、次のようになります。

$$\frac{d^2v(x)}{dx^2}=-\frac{M(x)}{EI}=-\frac{1}{EI}\left(\frac{qL}{2}x-\frac{q}{2}x^2\right)=\frac{q}{2EI}(x^2-Lx) \qquad \text{式5・4}$$

④微分方程式を積分

積分定数を C_0、C_1 として、式5・4を2階積分すると次のようになります。

$$\frac{dv(x)}{dx}=\theta(x)=\int\frac{q}{2EI}(x^2-Lx)dx+C_0=\frac{q}{2EI}\left(\frac{x^3}{3}-\frac{L}{2}x^2\right)+C_0 \qquad \text{式5・5}$$

$$v(x)=\int\left\{\frac{q}{2EI}\left(\frac{x^3}{3}-\frac{L}{2}x^2\right)+C_0\right\}dx+C_1=\frac{q}{2EI}\left(\frac{x^4}{12}-\frac{L}{6}x^3\right)+C_0x+C_1 \qquad \text{式5・6}$$

⑤境界条件を用いて積分定数を算出

たわみ曲線式では、積分定数の合計数に等しい境界条件（連続条件、支点条件）が必ず存在します。

このはりの場合の境界条件（支点条件）は、ピン支点である支点A、ローラー支点である支点Bでともにたわみがゼロとなります（図5・12）。すなわち、たわみ曲線は下に示す2つの境界条件を満たす必要があります。

$x=0：v(0)=v_A=0$

$x=L：v(L)=v_B=0$

式5・6に上の境界条件を代入します。$x=0$ のとき $v_A=0$ より、

$$0=C_1 \qquad \text{式5・7}$$

一方、$x=L$ のとき $v_B=0$ より、

$$0=\frac{q}{2EI}\left(\frac{L^4}{12}-\frac{L^4}{6}\right)+C_0L+0$$

となりますので、これより

$$C_0=\frac{qL^3}{24EI} \qquad \text{式5・8}$$

と求められます。

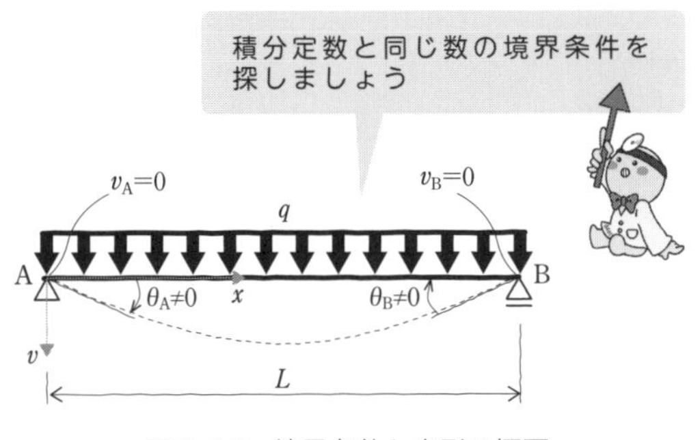

図5･12　境界条件と変形の概要

⑥たわみ曲線式、たわみ角分布式の導出

⑤で求めた積分定数C_0、C_1を式5･5、式5･6に代入すると、たわみ角分布式とたわみ曲線式はそれぞれ次のように求められます。

$$\theta(x)=\frac{\mathrm{d}v(x)}{\mathrm{d}x}=\frac{q}{2EI}\left(\frac{x^3}{3}-\frac{L}{2}x^2\right)+\frac{qL^3}{24EI}=\frac{q}{24EI}(4x^3-6Lx^2+L^3)$$

$$=\frac{qL^3}{24EI}\left\{4\left(\frac{x}{L}\right)^3-6\left(\frac{x}{L}\right)^2+1\right\} \qquad \text{式5･9}$$

$$v(x)=\frac{q}{2EI}\left(\frac{x^4}{12}-\frac{L}{6}x^3\right)+\frac{qL^3}{24EI}x=\frac{q}{24EI}(x^4-2Lx^3+L^3x)$$

$$=\frac{qL^4}{24EI}\left\{\left(\frac{x}{L}\right)^4-2\left(\frac{x}{L}\right)^3+\frac{x}{L}\right\} \qquad \text{式5･10}$$

ここで、等分布荷重を受ける単純ばりでは、はりの全長にわたって1つの座標（変数）xによりたわみ角とたわみの曲線が表されていることに注意してください。また、等分布荷重を受けるはりのたわみ曲線は4次曲線となります。

続いて、たわみが最大となる支間中央（$x=\frac{L}{2}$）におけるたわみ（変位）を求めてみましょう。式5･10に$x=\frac{L}{2}$を代入すると、

$$v\left(\frac{L}{2}\right)=\frac{qL^4}{24EI}\left(\frac{1}{16}-\frac{1}{4}+\frac{1}{2}\right)=\frac{5qL^4}{384EI}=v_{\max} \qquad \text{式5･11}$$

また、A点のたわみ角θ_Aは、式5･9に$x=0$を代入して、

$$\theta_A=\frac{qL^3}{24EI}=\theta_{\max} \qquad \text{式5･12}$$

となります。

なお、式5･11によると、たわみは支間長Lの4乗で求められますので、Lが2割長くなるとたわみは約2倍（1.2の4乗）になります。

次に、たわみ角とたわみの曲線を具体的に図に示してみましょう。ここで、等分布荷重q、曲げ剛性EI、支間長Lの値を無視し一般化して考えるために、たわみ角については式5･9の両辺を$\frac{qL^3}{24EI}$で、たわみについては式5･10の両辺を$\frac{qL^4}{24EI}$で割ることにより無次元化して表示します。

$$\theta\left(\frac{x}{L}\right)=\frac{24EI}{qL^3}\theta(x)=4\left(\frac{x}{L}\right)^3-6\left(\frac{x}{L}\right)^2+1$$

$$v\left(\frac{x}{L}\right)=\frac{24EI}{qL^4}v(x)=\left(\frac{x}{L}\right)^4-2\left(\frac{x}{L}\right)^3+\frac{x}{L}$$

以上の２式をグラフに図示することにより、たわみ角およびたわみの曲線はそれぞれ図5･13、図5･14になります。

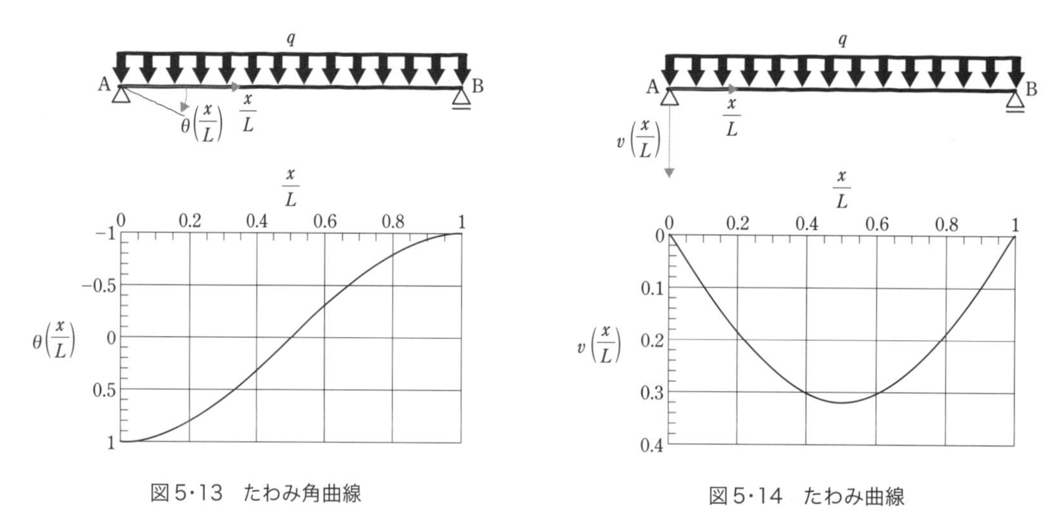

図5･13　たわみ角曲線

図5･14　たわみ曲線

図5･14のたわみ曲線を見ると、A点とB点で$v=0$となっており、境界条件を満たしていることがわかります。また、はりの中央でたわみが最大となり、たわみ角は図5･13に示されるとおりゼロとなります。なお、たわみ角は右回りを正としていますので、A点でプラス側の最大値、はりの中央でゼロ、B点でマイナス側の最大値をとります。

練習問題①　図5･15に示す等分布荷重qが作用する片持ばりのたわみ角分布式とたわみ曲線を求めましょう。座標の原点はA点とし、曲げ剛性EIは一定とします。また、はりのたわみ曲線の微分方程式には式5･1を用いることとします。

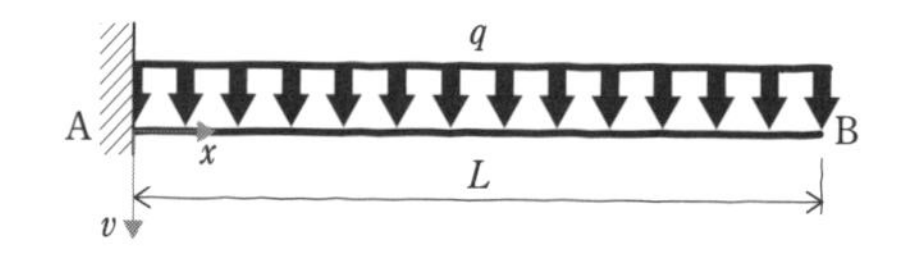

図5･15　等分布荷重が作用する片持ばり

(2) 等分布荷重が作用する片持ばりの計算例（式5･2を用いる場合）

図5･16に示す等分布荷重qが作用する片持ばりのたわみ曲線を求めましょう。たわみの微分方程式には式5･2を用いることとし、曲げ剛性EIは一定とします。座標軸は、図5･16に示すとおりA点を原点としてB点方向を正の向きとするx軸を設定します。

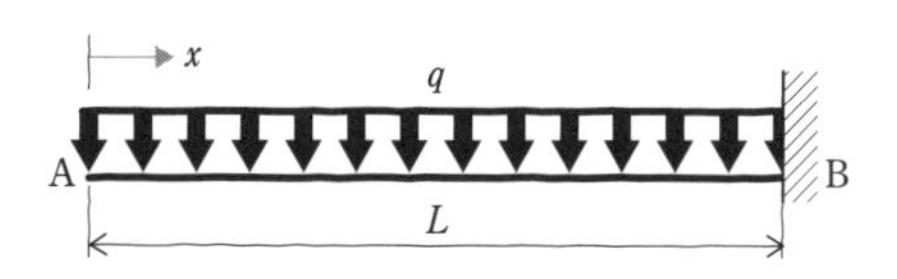

図5･16　等分布荷重が作用する片持ばり

式5･2は、たわみvの4階微分と分布荷重$q(x)$の関係を表すため、それを用いたたわみ曲線の計算では、具体的な$q(x)$の式が必要です。はりの中で分布荷重が作用していない区間に式5･2を適用する場合には、$q(x)=0$となります。また、集中荷重や、集中モーメントが作用する点に関しては、その点を跨いで前後の区間に式5･2を適用します。同式を用いた図5･16のはりの解法は以下のようになります。

①微分方程式を積分

図5･8(b)を参照しながら、式5･2を積分していきます。

$$EIv^{\mathrm{IV}}=q(x) \quad \text{式5･2}$$

図5･16より$q(x)=q$であり、分布荷重は全長にわたって一定であるため、式5･2を積分すると以下のようになります。

$$-Q(x)=EIv^{\mathrm{III}}=\int q\mathrm{d}x+D_0=qx+D_0 \quad \text{式5･13}$$

$$-M(x)=EIv^{\mathrm{II}}=\int (qx+D_0)\mathrm{d}x+D_1=\frac{1}{2}qx^2+D_0x+D_1 \quad \text{式5･14}$$

$$EIv^{\mathrm{I}}=EI\theta=\int \left(\frac{1}{2}qx^2+D_0x+D_1\right)\mathrm{d}x+D_2=\frac{1}{6}qx^3+\frac{1}{2}D_0x^2+D_1x+D_2 \quad \text{式5･15}$$

$$EIv=\int \left(\frac{1}{6}qx^3+\frac{1}{2}D_0x^2+D_1x+D_2\right)\mathrm{d}x+D_3$$

$$=\frac{1}{24}qx^4+\frac{1}{6}D_0x^3+\frac{1}{2}D_1x^2+D_2x+D_3 \quad \text{式5･16}$$

②境界条件を用いて積分定数を算出

これらの式には4個の積分定数（D_0～D_3）があるため、4個の境界条件が必要となります。表5･2の自由端と固定端の欄より、境界条件は次のようになります（図5･17）。

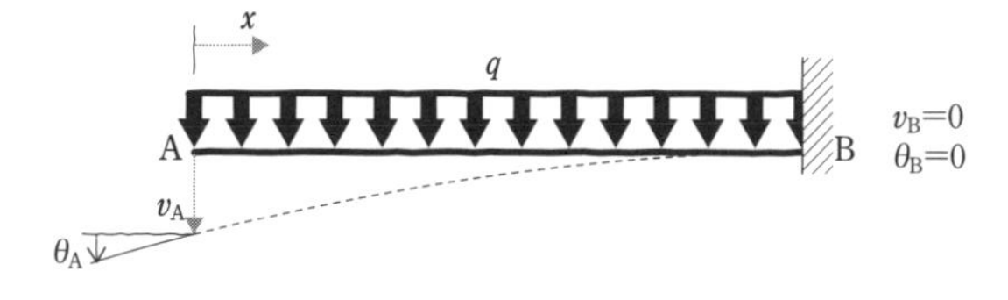

図5･17　境界条件と変形の概要

$x=0$：$Q=0$、$M=0$

$x=L$：$\theta=0$、$v=0$

5章　構造物の変形

これらの境界条件を各式に代入していきます。せん断力を表す式5･13に対して$x=0$、$Q=0$を適用すると、

$$0=D_0 \qquad \text{式5･17}$$

一方、曲げモーメントを表す式5･14に対して$x=0$、$M=0$を適用すると、

$$0=D_1 \qquad \text{式5･18}$$

となります。

次に、たわみ角を表す式5･15に対して$x=L$、$\theta=0$を適用すると、

$$0=\frac{1}{6}qL^3+D_2$$

これより

$$D_2=-\frac{1}{6}qL^3 \qquad \text{式5･19}$$

続いて、たわみを表す式5･16に対して$x=L$、$v=0$を適用すると、

$$0=\frac{1}{24}qL^4-\frac{1}{6}qL^4+D_3$$

これより

$$D_3=\frac{1}{8}qL^4 \qquad \text{式5･20}$$

となります。

③たわみ曲線式、たわみ角分布式の導出

以上の結果（式5･17～5･20）を式5･13～5･16に代入することで、せん断力、曲げモーメント、たわみ角、たわみを表す曲線式が得られます。

式5･13より　$Q(x)=-q(x)$　式5･21

式5･14より　$M(x)=-\frac{1}{2}qx^2$　式5･22

式5･15より　$\theta(x)=\frac{1}{EI}\left(\frac{1}{6}qx^3-\frac{1}{6}qL^3\right)=\frac{qL^3}{6EI}\left\{\left(\frac{x}{L}\right)^3-1\right\}=-\frac{qL^3}{6EI}\left\{1-\left(\frac{x}{L}\right)^3\right\}$　式5･23

式5･16より　$v(x)=\frac{1}{EI}\left(\frac{1}{24}qx^4-\frac{1}{6}qL^3x+\frac{1}{8}qL^4\right)=\frac{qL^4}{24EI}\left\{\left(\frac{x}{L}\right)^4-4\frac{x}{L}+3\right\}$　式5･24

なお、たわみとたわみ角が最大となるA点（$x=0$）の値を計算してみると、

$$\theta_A=-\frac{qL^3}{6EI} \qquad \text{式5･25}$$

$$v_A=\frac{qL^4}{8EI} \qquad \text{式5･26}$$

となります。

練習問題②　図5･10に示す等分布荷重が作用する単純ばりのたわみ曲線を式5･2を使って求めましょう。x軸の原点はA点とし、曲げ剛性EIは一定とします。このときの境界条件としては、両端のたわみがゼロであることに加えて、両端の曲げモーメントもゼロであることを使います。

(3) 集中荷重が作用する単純ばりの計算例（式5･1を用いる場合）

図5･18に示す支間中央に下向きの集中荷重Pが作用する単純ばりのたわみ曲線を求めましょう。たわみの微分方程式には式5･1を用いることとし、曲げ剛性EIは一定とします。

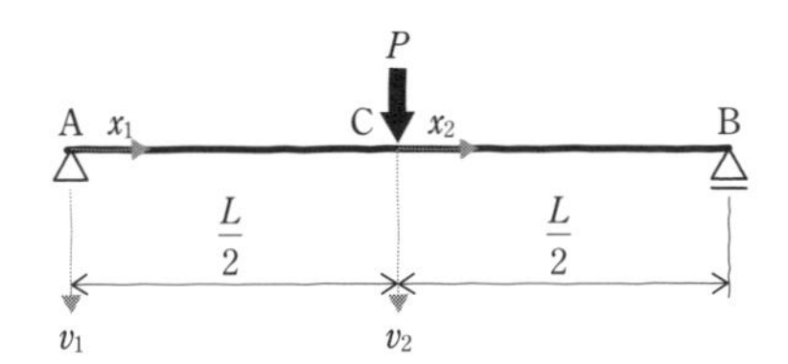

図5･18　集中荷重が作用する単純ばり

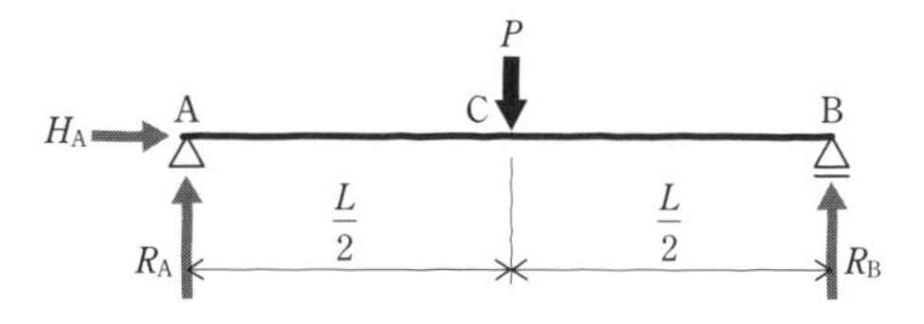

図5･19　支点反力

①支点反力の計算

はりに作用する支点反力は図5･19のようになります。力のつり合い条件から、次のように求められます。

$$H_A = 0、R_A = R_B = \frac{P}{2}$$

②はりの曲げモーメント分布式の導出

3章で学んだように、集中荷重が作用するはりの曲げモーメント分布は、荷重作用点Cを境界としてA～C間、C～B間の区間別に2つの式で表されます。これは、たわみ曲線も同様に2つの式で表されることを意味しています。ここでは、図5･18に示すように、支点Aを原点とする右向きのx_1座標、C点を原点とする右向きのx_2座標を設定し、それぞれA～C間、C～B間の曲げモーメント分布式を求めていきます。

A～C間の曲げモーメント分布式は、

$$M(x_1) = \frac{P}{2}x_1 \quad \left(0 \leqq x_1 \leqq \frac{L}{2}\right) \qquad \text{式5･27}$$

C～B間の曲げモーメント分布式は、

$$M(x_2) = \frac{P}{2}\left(\frac{L}{2} - x_2\right) \quad \left(0 \leqq x_2 \leqq \frac{L}{2}\right) \qquad \text{式5･28}$$

③曲げモーメント分布式を式5･1の微分方程式に代入

以上の2式を式5･1に代入すると、それぞれ次のようになります。

$$\frac{d^2 v(x_1)}{dx_1{}^2} = -\frac{Px_1}{2EI} \quad \left(0 \leqq x_1 \leqq \frac{L}{2}\right) \qquad \text{式5･29}$$

$$\frac{\mathrm{d}^2v(x_2)}{\mathrm{d}{x_2}^2}=\frac{P}{2EI}\left(x_2-\frac{L}{2}\right)\quad\left(0\leqq x_2\leqq\frac{L}{2}\right)\qquad \text{式5・30}$$

④微分方程式を積分

積分定数をC_0、C_1、C_2、C_3として、式5・29と式5・30をそれぞれ積分すると次のようになります。

$$\theta(x_1)=\frac{\mathrm{d}v(x_1)}{\mathrm{d}x_1}=-\frac{P{x_1}^2}{4EI}+C_0\qquad \text{式5・31}$$

$$v(x_1)=-\frac{P{x_1}^3}{12EI}+C_0x_1+C_1\qquad \text{式5・32}$$

$$\theta(x_2)=\frac{\mathrm{d}v(x_2)}{\mathrm{d}x_2}=\frac{P}{2EI}\left(\frac{{x_2}^2}{2}-\frac{L}{2}x_2\right)+C_2\qquad \text{式5・33}$$

$$v(x_2)=\frac{P}{2EI}\left(\frac{{x_2}^3}{6}-\frac{L}{4}{x_2}^2\right)+C_2x_2+C_3\qquad \text{式5・34}$$

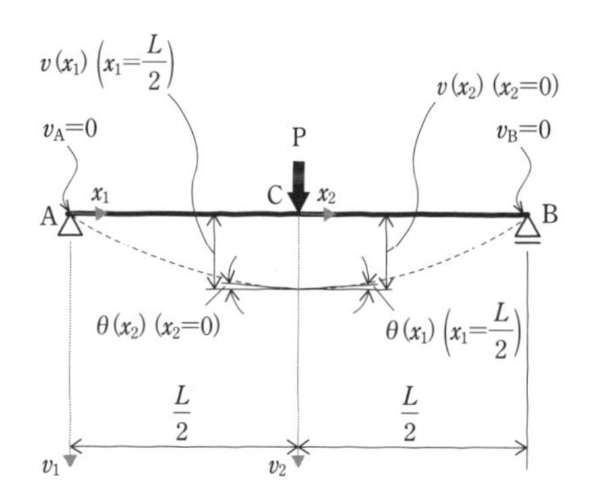

図5・20　境界条件と変形の概要

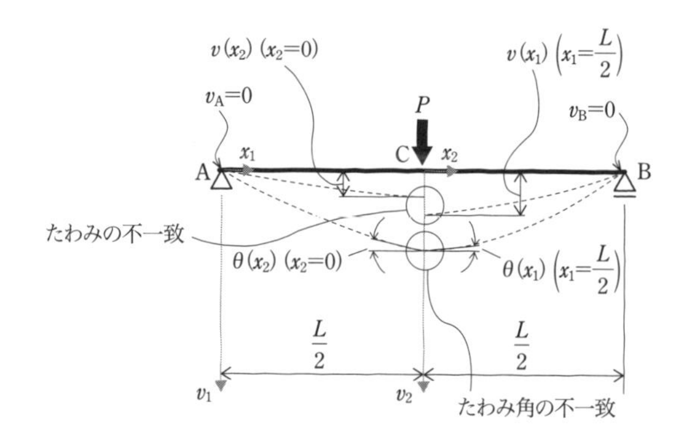

図5・21　C点の連続条件が満たされていない状態

⑤境界条件を用いて積分定数を算出

支点条件としては、図5・20に示すように支点Aがピン支点、支点Bがピンローラー支点ですので、表5・2よりたわみはいずれもゼロ（$v_A=v(0)=0$、$v_B=v\left(\frac{L}{2}\right)=0$）となります。一方、表5・3の連続条件より、荷重作用点Cでは左側のたわみ$v\left(x_1=\frac{L}{2}\right)$と右側のたわみ$v(x_2=0)$の値は等しくなります（両者の値が異なると、図5・21に示すようにC点で切れて破壊していることになります）。また同様に、C点では左側のたわみ角$\theta\left(x_1=\frac{L}{2}\right)$と右側のたわみ角$\theta(x_2=0)$の値も等しくなります（両者の値が異なると、図5・21に示すようにC点で折れ目が生じる形で破壊していることになります）。

式5・32に支点Aの境界条件$v_A=v(0)=0$を、式5・34に支点Bの境界条件$v_B=v\left(\frac{L}{2}\right)=0$を、式5・31および式5・33にC点でのたわみ角の連続条件$\theta\left(x_1=\frac{L}{2}\right)=\theta(x_2=0)$を、式5・32および式5・34にC点でのたわみの連続条件$v\left(x_1=\frac{L}{2}\right)=v(x_2=0)$を代入することで、積分定数$C_0$～$C_3$が以下のように求められます。

$$C_0=\frac{PL^2}{16EI}、C_1=C_2=0、C_3=\frac{PL^3}{48EI}$$

⑥たわみ曲線式、たわみ角分布式の導出

以上で求めた積分定数C_0～C_3を式5･31～5･34に代入すると、たわみ角分布とたわみ曲線はそれぞれ次のように求められます。

$$\theta(x_1)=\frac{dv(x_1)}{dx_1}=-\frac{Px_1^2}{4EI}+\frac{PL^2}{16EI}=-\frac{PL^2}{16EI}\left\{4\left(\frac{x_1}{L}\right)^2-1\right\} \quad \left(0\leqq x_1\leqq\frac{L}{2}\right) \qquad \text{式5･35}$$

$$v(x_1)=-\frac{Px_1^3}{12EI}+\frac{PL^2}{16EI}x_1=-\frac{PL^3}{48EI}\left\{4\left(\frac{x_1}{L}\right)^3-3\frac{x_1}{L}\right\} \quad \left(0\leqq x_1\leqq\frac{L}{2}\right) \qquad \text{式5･36}$$

$$\theta(x_2)=\frac{dv(x_2)}{dx_2}=\frac{P}{2EI}\left(\frac{x_2^2}{2}-\frac{L}{2}x_2\right)=\frac{PL^2}{4EI}\left\{\left(\frac{x_2}{L}\right)^2-\frac{x_2}{L}\right\} \quad \left(0\leqq x_2\leqq\frac{L}{2}\right) \qquad \text{式5･37}$$

$$v(x_2)=\frac{P}{2EI}\left(\frac{x_2^3}{6}-\frac{L}{4}x_2^2\right)+\frac{PL^3}{48EI}=\frac{PL^3}{48EI}\left\{4\left(\frac{x_2}{L}\right)^3-6\left(\frac{x_2}{L}\right)^2+1\right\} \quad \left(0\leqq x_2\leqq\frac{L}{2}\right) \qquad \text{式5･38}$$

たわみの最大値は、荷重作用点Cに生じ、その大きさは式5･36に$x_1=\frac{L}{2}$を代入することで求められます。

$$v_C=v\left(x_1=\frac{L}{2}\right)=-\frac{P}{12EI}\times\left(\frac{L}{2}\right)^3+\frac{PL^2}{16EI}\times\frac{L}{2}=\frac{PL^3}{48EI}=v_{max} \qquad \text{式5･39}$$

また、支点Aのたわみ角は、式5･35に$x_1=0$を代入して、

$$\theta_A=\frac{PL^2}{16EI} \qquad \text{式5･40}$$

となります。

なお、集中荷重が作用するはりにおいては、曲げモーメント分布が複数の式で表されるため、たわみ曲線の微分方程式を用いて変形を求める際には多数の境界条件を考える必要が生じ、その分複雑になります。したがって、特定の点におけるたわみやたわみ角のみを求める場合には、一般に他の方法を用いる方が効率的です（表5･1の「有効性の比較」の欄において、「任意点のたわみの計算」「複数の荷重が作用する静定はりへの適用」の評価が他の2つの方法に比べて低くなっているのは、そのことを表しています）。

練習問題③　図5･22に示す先端に集中荷重が作用する片持ばりのたわみ曲線を式5･1を使って求めましょう。x軸の原点はA点とし、曲げ剛性EIは一定とします。

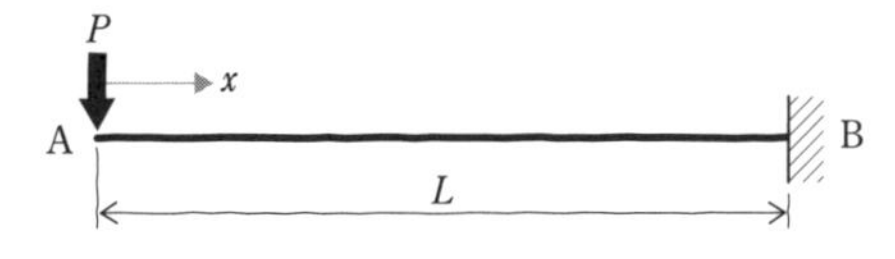

図5･22　先端に集中荷重が作用する片持ばり

(4) 等分布荷重が作用する不静定ばりの計算例（式5・2を用いる場合）

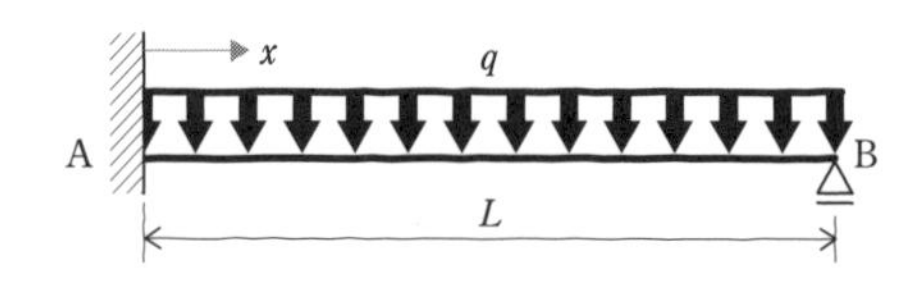

図5・23　等分布荷重が作用する不静定ばり

図5・23に示す等分布荷重qが作用する不静定ばりのたわみ曲線を求めましょう。たわみの微分方程式には式5・2を用いることとし、曲げ剛性EIは一定とします。座標軸は、A点を原点とし、B方向を正とするx軸を設定します。

はりのたわみ曲線の微分方程式として式5・2を用いる場合には、(2)の静定ばりでの計算手順と同様、反力の計算および曲げモーメント分布式の導出は不要です。

①微分方程式を積分

式5・2を積分していきます。(2)の静定ばりの場合と同じく$q(x)=q$ですので、不静定ばりでも同様の式5・13～5・16が導かれます。

$$EIv^{\mathrm{IV}}=q(x) \quad \text{式5・2}$$

$$-Q(x)=EIv^{\mathrm{III}}=qx+D_0 \quad \text{式5・13}$$

$$-M(x)=EIv^{\mathrm{II}}=\frac{1}{2}qx^2+D_0x+D_1 \quad \text{式5・14}$$

$$EIv^{\mathrm{I}}=EI\theta=\frac{1}{6}qx^3+\frac{1}{2}D_0x^2+D_1x+D_2 \quad \text{式5・15}$$

$$EIv=\frac{1}{24}qx^4+\frac{1}{6}D_0x^3+\frac{1}{2}D_1x^2+D_2x+D_3 \quad \text{式5・16}$$

②境界条件を用いて積分定数を算出

(2)の静定ばりの場合とは境界条件が違ってきます。固定端（固定支点）であるA点では、変位と回転角がゼロであることから、

$x=0$：$v=0$、$\theta=0$

一方、B点は（ピン）ローラー支点で、変位と曲げモーメントがゼロであることから、

$x=L$：$v=0$、$M=0$

以上で、4つの積分定数に対して4つの境界条件がそろいました。

式5・16に$x=0$、$v=0$を代入すると、

$$D_3=0 \quad \text{式5・41}$$

となり、式5・15に$x=0$、$\theta=0$を代入すると、

$$D_2=0 \quad \text{式5・42}$$

となります。

次に、曲げモーメントを表す式5･14に$x=L$、$M=0$を代入すると、

$$0=\frac{1}{2}qL^2+D_0L+D_1$$

さらに、式5･16に$x=L$、$v=0$を代入すると、

$$0=\frac{1}{24}qL^4+\frac{1}{6}D_0L^3+\frac{1}{2}D_1L^2=\frac{L^2}{2}\left(\frac{1}{12}qL^2+\frac{1}{3}D_0L+D_1\right) \quad \Rightarrow \quad 0=\frac{1}{12}qL^2+\frac{1}{3}D_0L+D_1$$

上の2式を引き算すると、

$$0=\frac{5}{12}qL^2+\frac{2}{3}D_0L$$

となり、これよりD_0は次のように求められます。

$$D_0=-\frac{5}{8}qL \qquad \text{式5･43}$$

この式5･43を3つ上の式に代入して、D_1が求まります。

$$0=\frac{1}{12}qL^2+\frac{1}{3}\left(-\frac{5}{8}qL\right)L+D_1$$

$$D_1=\frac{1}{8}qL^2 \qquad \text{式5･44}$$

③たわみ曲線式、たわみ角分布式の導出

式5･41～5･44を式5･13～5･16に代入して、

式5･13より $$Q(x)=-qx+\frac{5}{8}qL \qquad \text{式5･45}$$

式5･14より $$M(x)=-\frac{1}{2}qx^2+\frac{5}{8}qLx-\frac{1}{8}qL^2=\frac{qL^2}{8}\left\{-4\left(\frac{x}{L}\right)^2+5\frac{x}{L}-1\right\} \qquad \text{式5･46}$$

式5･15より $$\theta(x)=\frac{1}{EI}\left(\frac{1}{6}qx^3-\frac{5}{16}qLx^2+\frac{1}{8}qL^2x\right)$$

$$=\frac{qL^3}{48EI}\left\{8\left(\frac{x}{L}\right)^3-15\left(\frac{x}{L}\right)^2+6\frac{x}{L}\right\} \qquad \text{式5･47}$$

式5･16より $$v(x)=\frac{1}{EI}\left(\frac{1}{24}qx^4-\frac{5}{48}qLx^3+\frac{1}{16}qL^2x^2\right)$$

$$=\frac{qL^4}{48EI}\left\{2\left(\frac{x}{L}\right)^4-5\left(\frac{x}{L}\right)^3+3\left(\frac{x}{L}\right)^2\right\} \qquad \text{式5･48}$$

ここで、支点反力を求めましょう。式5･45に$x=L$を代入すると、

$$Q(L)=-\frac{3}{8}qL$$

となります。3章で説明しましたが、このせん断力は、図5･24に示す向きを正としています。同図に示しているように、上向きを正としてB点の上下方向の反力を定義し、B点の左側で切断し

たB点を含む自由物体の鉛直方向の力のつり合いを考えることにより、B点の反力は、

$$R_B = \frac{3}{8}qL$$

であることがわかります。

同様に$x=0$を代入すると、せん断力は$Q(0)=\dfrac{5}{8}qL$ですので、A点の右側で切断した左側の自由物体の上下方向の力のつり合いを考えることにより、A点の反力は、

$$R_A = \frac{5}{8}qL$$

と求められます。また、式5･46に$x=0$を代入すると、

$$M(0) = -\frac{1}{8}qL^2$$

となり、図5･24に示すA点の右側で切断した左側の自由物体のモーメントのつり合いから、モーメント反力M_Aは、

$$M_A = -\frac{1}{8}qL^2$$

であることがわかります。

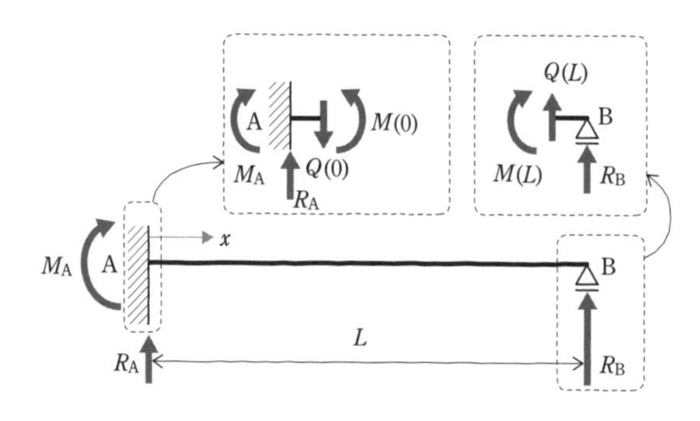

図 5.24　図 5.23 の支点反力と断面力の正の向き

以上より、式5･45および式5･46を図示することで、せん断力図および曲げモーメント図は図5･25のようになります。

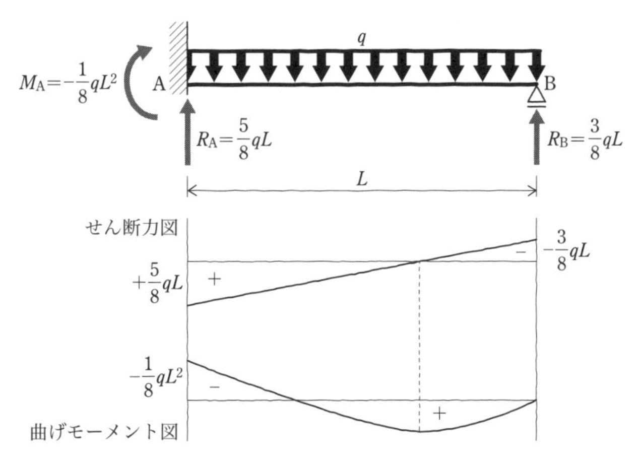

図5･25　反力およびせん断力図・曲げモーメント図

このように、等分布荷重が作用するはりの場合には、式5･2の微分方程式を用いることで比較的簡単にせん断力図、曲げモーメント図、たわみ角分布図、たわみ曲線図を得られることがあります。また、分布荷重が三角形や放物線形状であっても、はりの全長にわたって載荷されていれば同様にこの方法を適用でき、比較的簡単に解くことができます。

なお、はりに作用する荷重とたわみ曲線の関係について整理すると、表5･4のようになります。分布荷重が作用するはりのたわみ曲線では、荷重分布形状を表す曲線の次数+4の関係があり、たわみ曲線の計算結果をチェックする際の参考になります。

表5･4　はりに作用する荷重とたわみ曲線の次数の関係

はりに作用する荷重とその一例		⏟で示した区間のたわみ曲線の次数
集中荷重、集中モーメント（支点反力含む）		3
等分布荷重（0次）		4
線形分布荷重（1次）		5

応用問題① 図5･26に示す三角形分布荷重が作用する不静定ばりを式5･2を用いて解いてみましょう（ヒント：$q(x)=\frac{q_0}{L}x$）。㊥

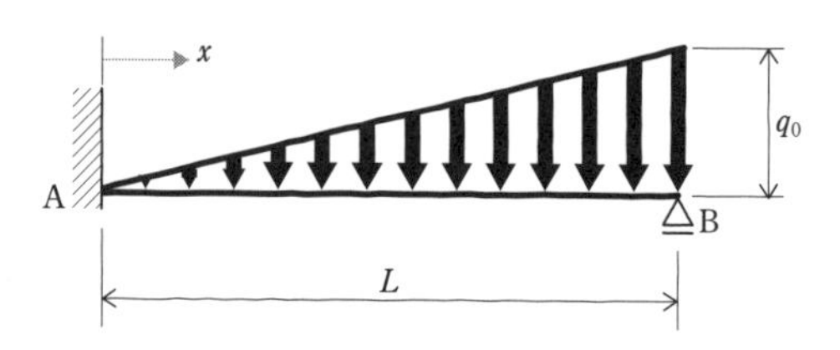

図5･26　三角形分布荷重が作用する不静定ばり

5･5　弾性荷重法

5･5･1　概要

詳細は省略しますが、等分布荷重を受けるはりの微小な長さに対して、上下方向の力のつり合い式とモーメントのつり合い式から、曲げモーメントと分布荷重の関係を表す下記の微分方程式を導くことができます。

$$\frac{\mathrm{d}^2M(x)}{\mathrm{d}x}=-q(x)$$

この微分方程式と、式5･1で表されるたわみ曲線の微分方程式の対応関係を示したものが図5･27になりますが、図の左右の式を比べると「$M(x)$ と $v(x)$」「$q(x)$ と $\frac{M(x)}{EI}$」「$Q(x)$ と $\theta(x)$」が対応している（相似の関係にある）ことがわかります。この対応関係を用いる計算法が「**弾性荷重法**」で、微分方程式を解くことなく、たわみ角とたわみを求めることができます。

図5･27を詳しく見ていきましょう。左側のフロー図から、分布荷重 $q(x)$ が作用するはりのせん断力 $Q(x)$ は、曲げモーメントの微分方程式を1階積分して境界条件を適用することによって求められます。さらに、$Q(x)$ を1階積分して境界条件を適用すると曲げモーメント $M(x)$ が求められます。しかし、$Q(x)$ や $M(x)$ は力のつり合い条件から求めるほうが簡単なため、一般的に曲げモーメントの微分方程式を解く必要はありません。つまり、たわみ曲線の微分方程式についても、$v(x)$ を $M(x)$、$\theta(x)$ を $Q(x)$、$\frac{M(x)}{EI}$ を $q(x)$ とみなすことで、微分方程式を解くことなく、力のつり合い条件から $v(x)$、$\theta(x)$ が求められます。

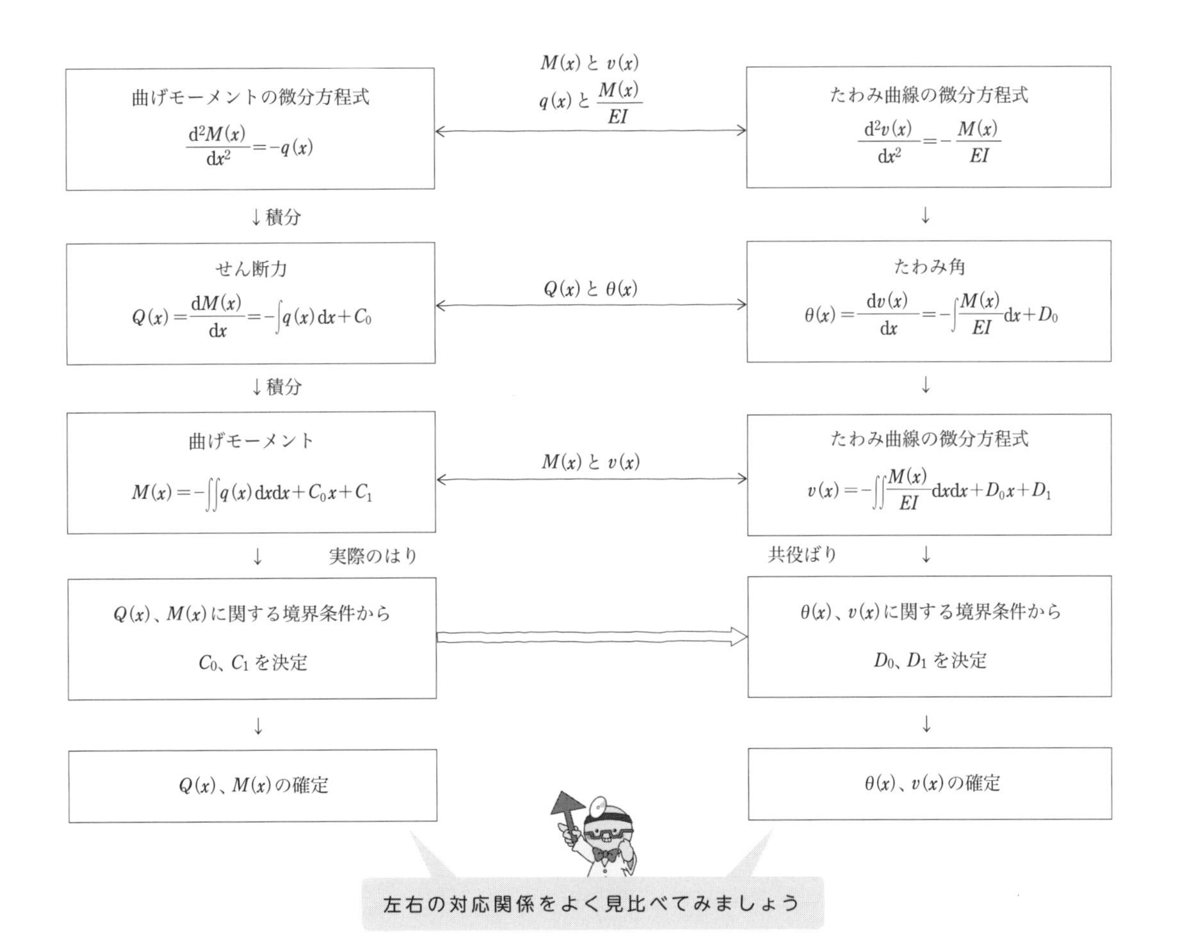

図5･27　曲げモーメントの微分方程式とたわみ曲線の微分方程式の対応関係

「$\frac{M(x)}{EI}$ を $q(x)$ とみなす」とは、たわみやたわみ曲線を求めようとしているはりの曲げモーメント $M(x)$ を求めて曲げ剛性 EI で割ったものを $q(x)$ とすることを意味しています。$\frac{M(x)}{EI}$ は「**弾性荷重**」と呼ばれています。

「$v(x)$ を $M(x)$ とみなす」「$\theta(x)$ を $Q(x)$ とみなす」とは、固定端のように、たわみ $v(x)$ とたわみ角 $\theta(x)$ がゼロとなる点は曲げモーメント $M(x)$ とせん断力 $Q(x)$ がゼロとなる点、すなわち自由端に置き換えることを意味しています。逆にピン支点やローラー支点のように $v(x)$ がゼロで、なおかつ $M(x)$ もゼロとなる点は境界条件の置き換えが不要であることを意味しています。また、$v(x)$ がゼロの中間支点は $M(x)$ がゼロとなる点、すなわち中間ヒンジへの置き換えが必要であることを意味しています。さらに、$v(x)$ と $\theta(x)$ を自由に生ずる自由端は、$M(x)$ と $Q(x)$ がゼロでない点、すなわち固定端に置き換える必要があります。境界条件の置き換えについては、表5･5、表5･6を参照してください。このようにして実際の（元の）はりから境界条件が置き換えられたはりは、「**共役ばり**」と呼ばれています。

弾性荷重法では、共役ばりに弾性荷重を作用させて、その曲げモーメントとせん断力、すなわちたわみとたわみ角を求めます。いい換えれば、はりの変形の問題を力のつり合いの問題に置き換えています。この方法は、ドイツの土木技師であるクリスチャン・オットー・モールが考え出したため、「**モールの定理**」とも呼ばれています。

5･5･2　計算手順

弾性荷重法によるはりの変形（たわみ角およびたわみ）の計算手順を図5･28に示します。なお、本書では、共役ばりと実際のはりとを明確に区別するため、共役ばりの反力をV_i、せん断力を$F(x)$、曲げモーメントを$B(x)$と表します。

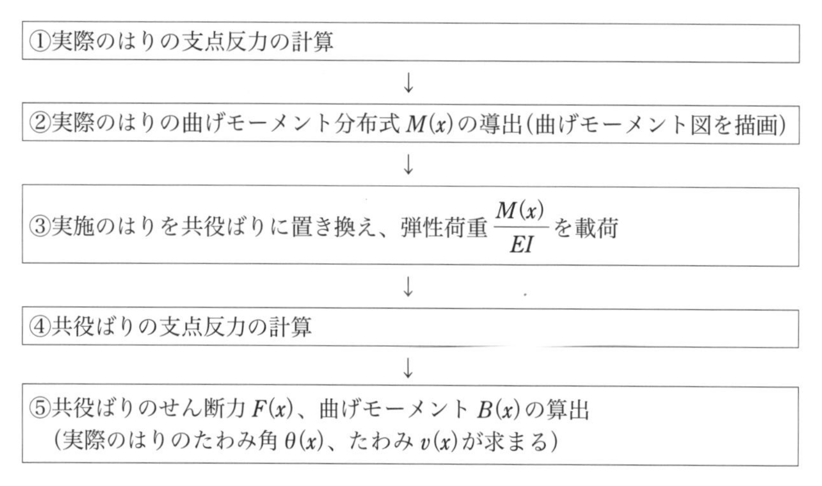

図5･28　弾性荷重法によるはりの変形の計算手順

図5･28の⑤において、共役ばりのせん断力および曲げモーメントを求めますが、これらが実際のはりのたわみ角およびたわみに相当することになります。

5･5･3　共役ばり

弾性荷重法では、与えられた実際のはりを共役ばりに正しく置き換えることが重要になります。ここで注意を要するのが、境界条件です。実際のはりの境界条件から共役ばりの境界条件への置き換えについて一覧にまとめたものが、表5･5になります。また、実際のはりを共役ばりへ置き換えた4つの事例を表5･6に示します。

表5･5　実際のはりの境界条件から共役ばりの境界条件への置き換え

実際のはり			→	共役ばり		
境界条件		たわみ角とたわみ		せん断力と曲げモーメント	境界（支点）条件	
固定支点 (固定端)		$\theta(x)=0$ $v(x)=0$	→	$F(x)=0$ $B(x)=0$		自由端
ピン支点 ローラー支点		$\theta(x)\neq 0$ $v(x)=0$	→	$F(x)\neq 0$ $B(x)=0$		ピン支点 ローラー支点
自由端		$\theta(x)\neq 0$ $v(x)\neq 0$	→	$F(x)\neq 0$ $B(x)\neq 0$		固定支点 (固定端)
中間支点＊1		$\theta(x)$(左) $=\theta(x)$(右) $v(x)=0$	→	$F(x)$(左) $=F(x)$(右) $B(x)=0$		ヒンジ結合点
ヒンジ結合点＊1		$\theta(x)$(左) $\neq\theta(x)$(右) $v(x)$(左) $=v(x)$(右)	→	$F(x)$(左) $\neq F(x)$(右) $B(x)$(左) $=B(x)$(右)		中間支点

＊1：(左)、(右) はいずれも中間支点ないしはヒンジ結合点のすぐ隣の位置であることを示す。

表5･6　共役ばりへの置き換え例

実際のはり	単純ばり A　B	片持ばり A　B	張出ばり A　B　C	ゲルバーばり A　B　C　D
↓	↓	↓	↓	↓
共役ばり	単純ばり A　B	片持ばり A　B	ゲルバーばり A　B　C	張出ばり A　B　C　D

5･5･4　計算例

図5･28に示す計算手順にしたがって、図5･29に示す支間中央に集中荷重が作用する単純ばりの支点Aのたわみ角と支間中央C点のたわみについて、弾性荷重法を用いて求めてみましょう。ここで、曲げ剛性EIは一定とします。

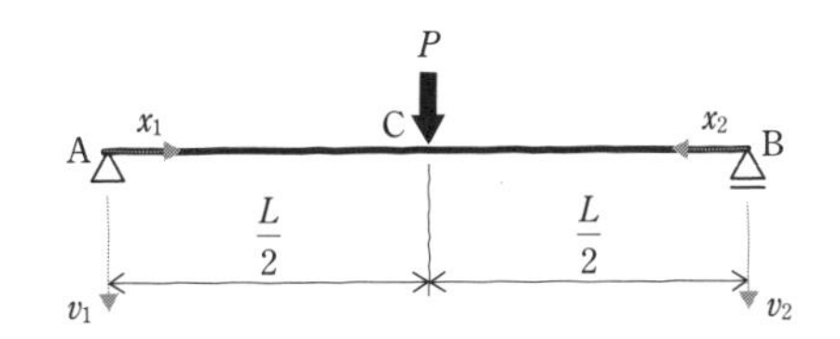

図5･29　支間中央に集中荷重が作用する単純ばり

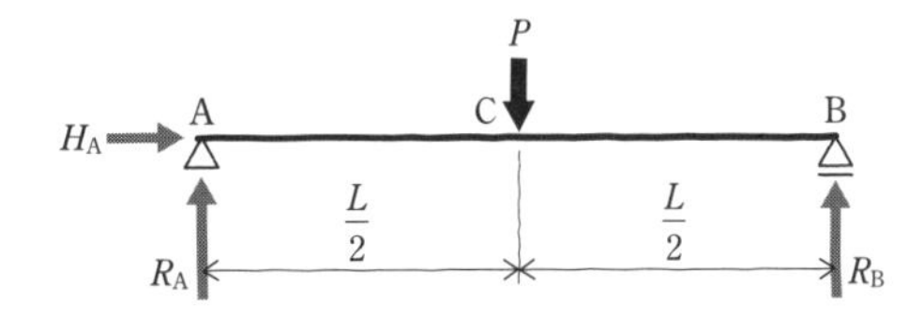

図5･30　支点反力

①実際のはりの支点反力の計算

図5･30に示すように支点反力の向きを定義すると、支点反力は次のように求められます。

$$H_A=0、R_A=\frac{P}{2}、R_B=\frac{P}{2}$$

②実際のはりの曲げモーメント分布式$M(x)$の導出

曲げモーメント分布式を求めるにあたり、A点を原点として右向きを正とするx_1軸とB点を原点として左向きを正とするx_2軸の2つの座標軸を設定します。A～C間、C～B間の曲げモーメント分布式は、それぞれ次のように求められます。

$$M(x_1)=\frac{P}{2}x_1 \quad \left(0 \leqq x_1 \leqq \frac{L}{2}\right)$$

$$M(x_2)=\frac{P}{2}x_2 \quad \left(0 \leqq x_2 \leqq \frac{L}{2}\right)$$

以上の式で表される曲げモーメント分布を図示すると、図5･31になります。

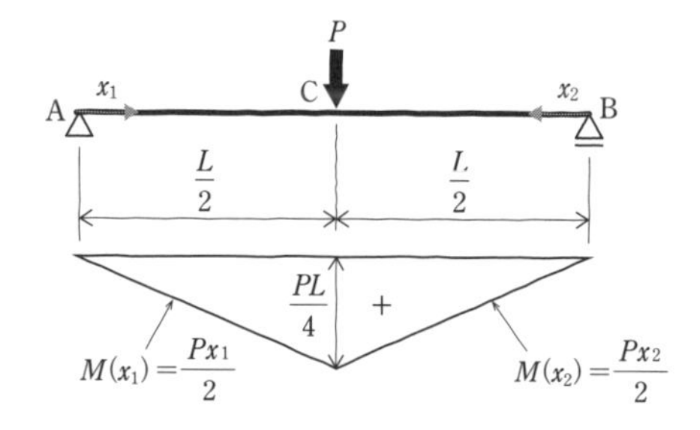

図5･31　実際のはりの曲げモーメント図

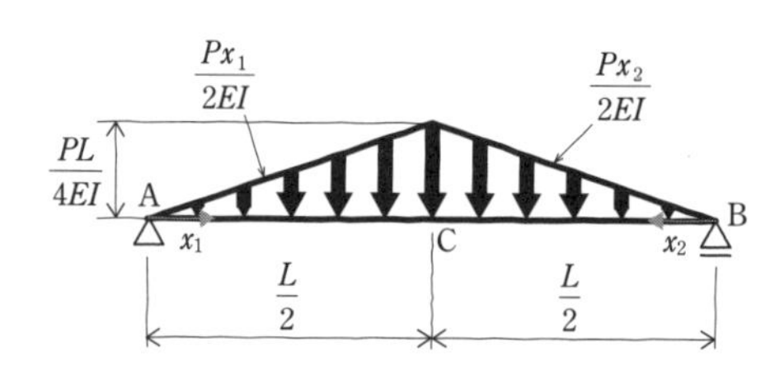

図5･32　共役ばりへの置き換えと弾性荷重

③実際のはりを共役ばりに置き換え、弾性荷重$\frac{M(x)}{EI}$を載荷

表5･6に示すように、単純ばりの場合には共役ばりに置き換えても境界条件は変わりません。弾性荷重は曲げモーメントを曲げ剛性で除して表されますので、共役ばりに弾性荷重を作用させた状態は図5･32のように表されます。

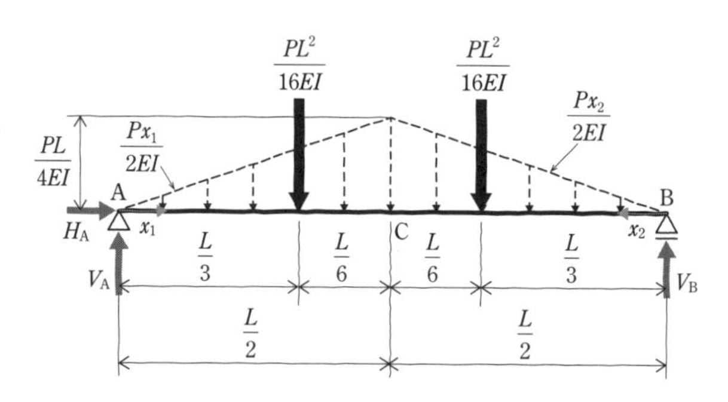

図5･33　共役ばりの支点反力

④共役ばりの支点反力の計算

共役ばりの支点反力を図5･33に示すように設定します。弾性荷重法では三角形分布荷重を扱うことが多く、以下で説明する集中荷重とその作用点の計算を頻繁に使いますので、しっかり覚えておきましょう。なお、2次以上の曲線で表される分布荷重についても、等価な集中荷重の大きさとその作用点が図5･34のような公式として示されています。同図(a)に示すように、分布荷重が1次式（三角形分布荷重）の場合は、集中荷重の分母は2、その作用位置は荷重強度の大きいほうから$\dfrac{l}{3}$、同図(b)に示すように、分布荷重が2次式の場合は、集中荷重の分母は3、その作用位置は荷重強度の大きいほうから$\dfrac{l}{4}$というように、次数が1つずつ上がるごとに、それらの数字も1つずつ大きくなると覚えておくとよいでしょう。その意味で、キャプションには同図(a)のように(1, 2, 3)、同図(b)には(2, 3, 4)と示しています。

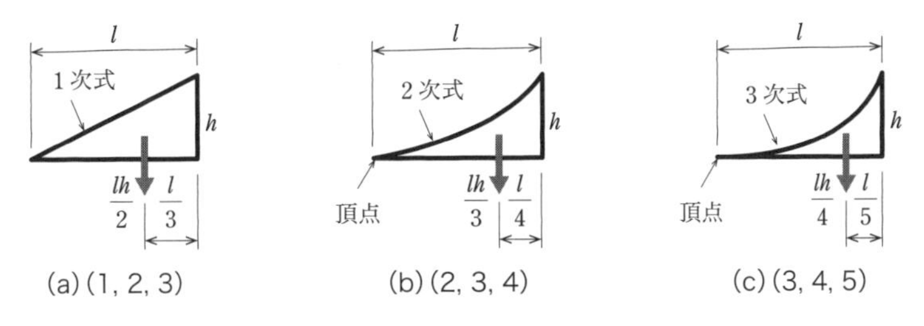

(a)(1, 2, 3)　(b)(2, 3, 4)　(c)(3, 4, 5)

図5･34　非線形分布荷重の等価な集中荷重とその作用点
（出典：崎元達郎『構造力学[第2版]〈下〉』森北出版、2012年）

図5･34(a)を用いると、等価な集中荷重は、A～C間、C～B間のいずれの三角形分布荷重に対しても、

$$P_{eq}=\frac{1}{2}\times\frac{PL^2}{4EI}\times\frac{L}{2}=\frac{PL^2}{16EI}$$

と求められ、それらは図5･33に示すように支間中央から$\dfrac{L}{6}$の位置に作用することになります。

共役ばりのA、B点の垂直反力V_A、V_Bは、対称性を考慮してA～C間、C～B間の集中荷重をそれぞれA、B点が担うものとして次のように求められます。

$$V_A=V_B=\frac{PL^2}{16EI}$$

⑤共役ばりのせん断力$F(x)$、曲げモーメント$B(x)$の算出

続いて、共役ばりのせん断力（＝実際のはりのたわみ角）および曲げモーメント（＝実際のはりのたわみ）を求めます。

反力V_Aと支点Aのせん断力は等しいので、

$$F(0)=V_A=\frac{PL^2}{16EI}$$

となり、実際のはりの支点Aのたわみ角は$\theta_A=\dfrac{PL^2}{16EI}$と求められます。同様に考えると、支点Bのたわみ角は、

5章　構造物の変形

$$\theta_B = F(L) = -V_B = -\frac{PL^2}{16EI}$$

となります。

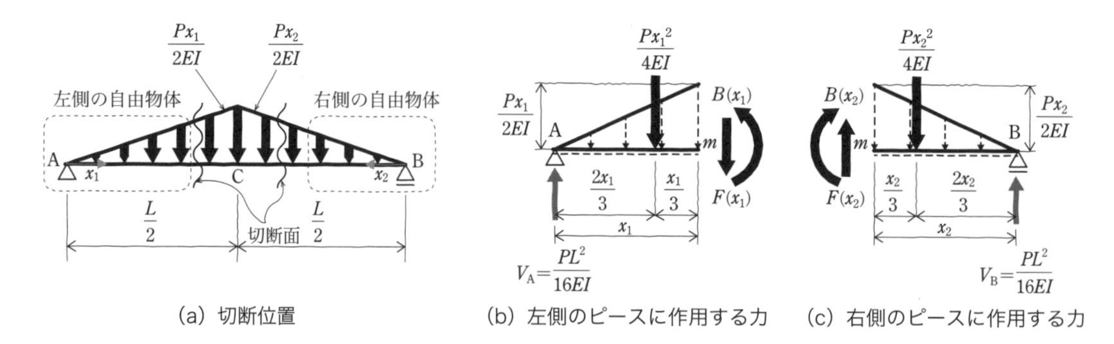

図5･35　共役ばりの切断と各ピースに作用する力

次に、共役ばりの曲げモーメントの最大値を求めましょう。曲げモーメントは支間中央のC点で最大となりますが､図5･32に示すようにC点では弾性荷重の分布が滑らかでなく折れ曲がっているため、A～C間とB～C間の2つの区間に分けて考える必要があります。そこで、図5･35(a)に示すようにそれぞれの区間でx_1、x_2軸を設定し、同図(b)(c)に示す左右2つのピースに分割します。

左右どちらのピースでも計算することができますが、ここでは図5･35(b)の左側のピースに着目して力のつり合いを考え、共役ばりのC点における曲げモーメントを計算します。

$$B\left(\frac{L}{2}\right) = \frac{PL^2}{16EI} \times \frac{L}{2} - \frac{PL^2}{16EI} \times \frac{L}{6} = \frac{PL^3}{48EI} = v_C$$

したがって、C点のたわみは$v_C = \frac{PL^3}{48EI}$となります。

このように、弾性荷重法では共役ばりのせん断力と曲げモーメントを求めることでたわみ角とたわみを計算できるため、特定の点におけるたわみ角やたわみを求める問題に向いています。また、微分方程式による方法では煩雑になる複数の集中荷重が作用する場合でも、比較的容易にたわみ角やたわみを求めることができます。

練習問題④　図5･36に示す先端に集中荷重が作用する等断面片持ばりについて、弾性荷重法を用いてA点、B点それぞれのたわみ角とたわみを求めましょう。曲げ剛性EIは一定とします。

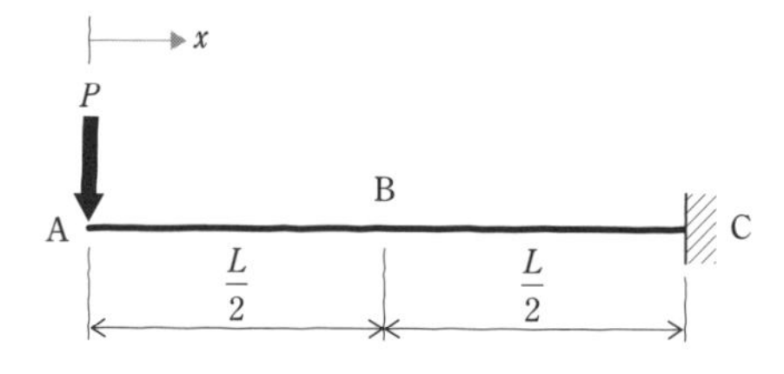

図5･36　先端に集中荷重が作用する等断面片持ばり

応用問題② 図5･37に示す先端に集中荷重が作用する変断面片持ばりについて、弾性荷重法を用いてA点、B点それぞれのたわみ角とたわみを求めましょう。曲げ剛性はA～B区間はEI、B～C区間は$2EI$とします。㊥

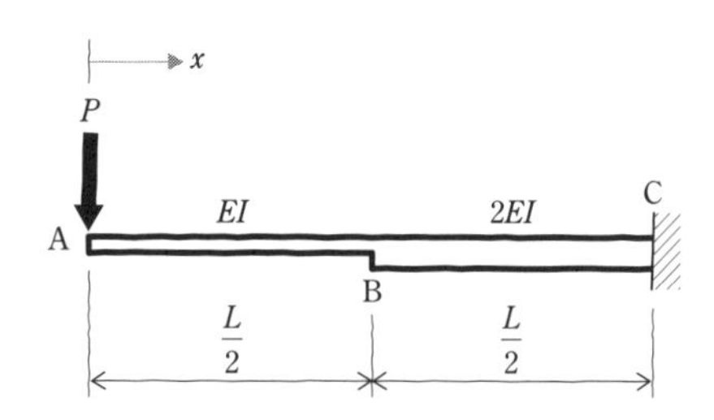

図5･37 先端に集中荷重が作用する変断面片持ばり

応用問題③ 図5･38に示す等分布荷重が作用する単純ばりについて、弾性荷重法を用いて支点Aのたわみ角と支間中央C点のたわみを求めましょう。曲げ剛性EIは一定とします。なお、放物線形状の面積と図心位置の求め方は図5･39のとおりです。

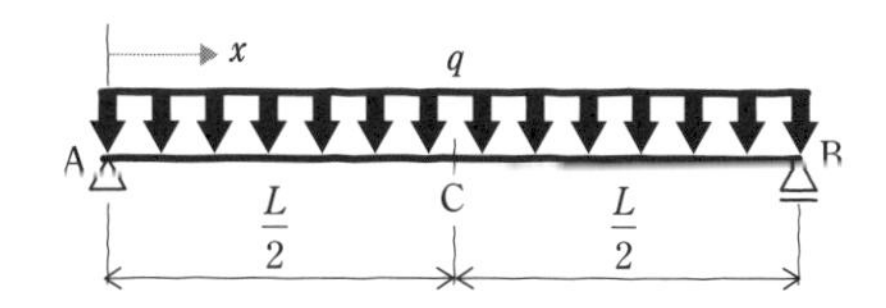

図5･38 等分布荷重が作用する単純ばり

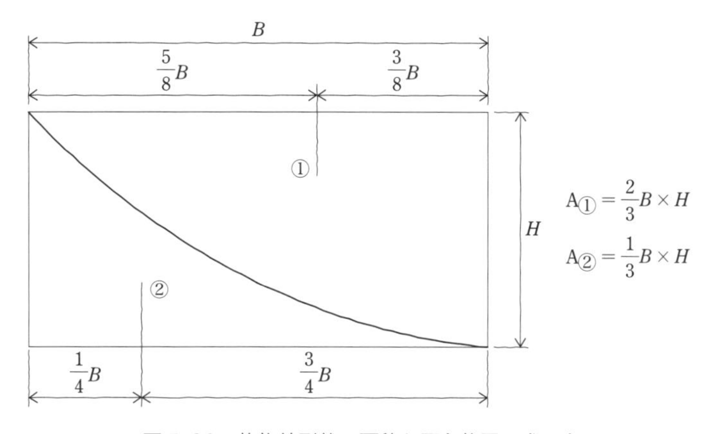

図5･39 放物線形状の面積と図心位置の求め方

5･6 単位荷重法

5･6･1 概要

単位荷重法は、物理学で有名なエネルギー保存則を用いて構造物に生じる変形を求める計算法です。エネルギー保存則の考えを構造力学に適用するエネルギー法については、6･4節で少し詳しく解説しています。

一般的なエネルギー保存則では運動エネルギーと位置エネルギーを考えますが、構造力学では加速度などの動的な影響は無視しますので運動エネルギーは考慮に入れず、位置エネルギーの保存のみを考えます。エネルギーは「**仕事**」とも呼ばれ、変位が生じる間に力やモーメントが変化しなければ、図5･40に示すように、物体に力Pを加えてその方向に変位vが生じた場合の仕事は$P \times v$、物体にモーメントMを加えてその向きにθ回転した場合の仕事は$M \times \theta$で表されます。

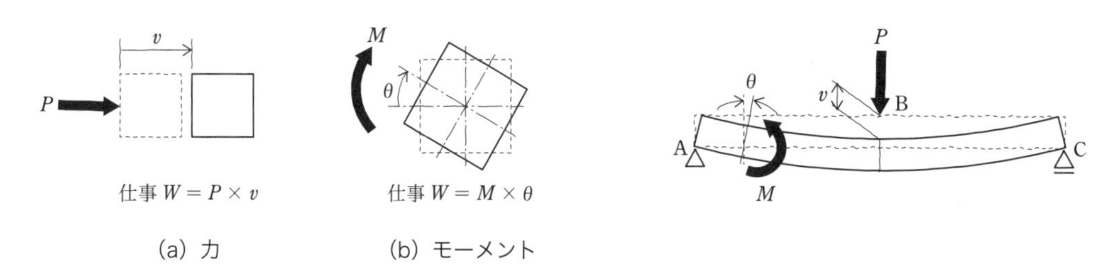

図5･40　力とモーメントによる仕事

図5･41　集中荷重が作用する単純ばりの変形と仕事

ここで、図5･41に示す単純ばりに下向きの集中荷重を作用させた場合を考えてみましょう。Pの作用方向の変位vが小さければ、下向きにはりがたわむための外力による仕事$P \cdot v$が発生しています。一方、はりには内力として曲げモーメントMとそれに伴うたわみ角θが生じており、θが小さければそれによる仕事$M \cdot \theta$がはりの内部のあらゆる断面に蓄積されています。簡単にいえば、単位荷重法とは、エネルギー保存則により「外力による仕事」と構造物全体で集めた「内力による仕事」が等しくなることを利用して、構造物の変形量を求める計算法になります。

以下に単位荷重法の概要について解説していきますが、単位荷重法をきちんと理解するには「仮想力の原理」「ひずみエネルギー密度」「ひずみエネルギー」といった事柄について知っておく必要があります。それらについては本書では最低限の解説にとどめていますので、より理解を深めたい人は巻末に示す参考文献3および4などを参照してください。

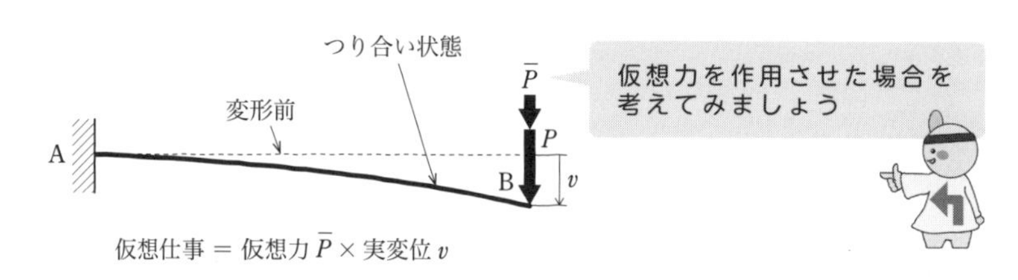

図5･42　仮想力$\bar{P}$の導入

単位荷重法の解説に先がけて、その考え方のもととなっている「仮想力の原理」について説明します。図5･42に示すような、B点に外力P（実際の荷重で「**実荷重**」という）が作用してたわみvを生じた片持ちばりを考えます。この状態からさらに仮想の微小な力$\bar{P}$をB点に作用させる場合を考えてみましょう。構造力学では、この力$\bar{P}$を「**仮想力**」と呼びます（一般に、仮想的な力を表す記号には上にバーを付けて表します）。

なお、仮想力の原理を考える上では、この仮想力によって部材内部に曲げモーメントや軸力、応力は生じますが、部材の変形やそれに伴う部材内部のひずみは生じないと仮定します。したがって、仮想力$\bar{P}$がなす仕事は実荷重による変位vとの積$\bar{P}\cdot v$で表され、これを「**仮想仕事**」といいます。

構造力学では、5·1節で述べたように、変形量が作用する力の大きさに比例する構造物（＝線形構造）を扱いますので、図5·42のB点における荷重Pとたわみvの関係は図5·43のように直線のグラフで表されます。また、仮想仕事$\bar{P}\cdot v$は、同図において短冊形状の斜線部の面積で示されます。

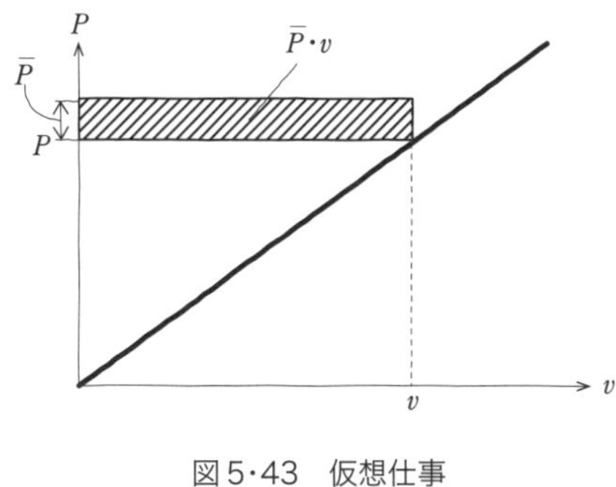

図5·43　仮想仕事

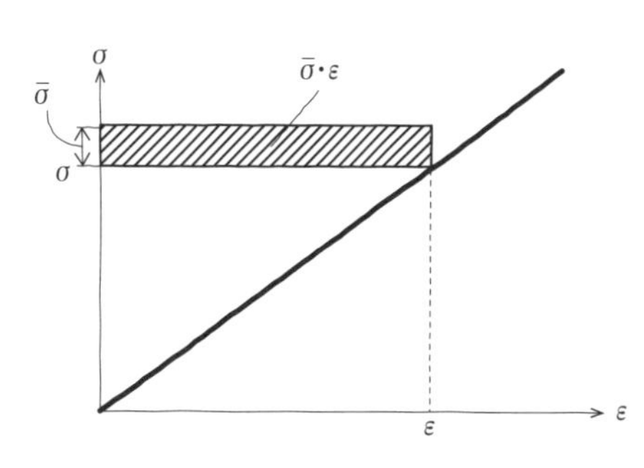

図5·44　補仮想ひずみエネルギー密度

一方、図5·42の片持ちばりの例に限らず、荷重Pが作用すると構造物の内部には応力とひずみが生じます。4章で学んだように、構造力学では応力とひずみの間に比例関係（**フックの法則**）が成立する構造物しか取り扱いませんので、荷重Pの作用によって生じた応力σとひずみεの関係は図5·44のように表されます。ここで、図5·42のB点に仮想力$\bar{P}$を作用させた場合に片持ちばりのある点に生ずる応力を$\bar{\sigma}$としたとき、構造物の単位体積当たりの内力による仕事はひずみεとの積として$\bar{\sigma}\cdot\varepsilon$で表されます。これは図5·44の斜線部の面積に相当し、「**補仮想ひずみエネルギー密度**」と呼ばれ、一般的な構造物に関しても同様に表すことができます。

先に紹介したエネルギー保存則により、補仮想ひずみエネルギー密度を体積にわたって集めて足し合わせた（積分した）もの（＝内力による仕事、「**補仮想ひずみエネルギー**」という）は外力による仮想仕事と等しくなりますので、仮想力の原理を表す次式が成立します。

$$\bar{P}\cdot v=\int_V \bar{\sigma}\varepsilon \mathrm{d}V \qquad \text{式5·49}$$

式5·49の右辺$\int_V \bar{\sigma}\varepsilon \mathrm{d}V$は、補仮想ひずみエネルギー密度$\bar{\sigma}\varepsilon$を構造物全体で積分することを意味しています。構造力学で対象とするはり、ラーメン構造やトラス構造の部材は一般的に断面形状が一定で長さが異なりますので、部材の断面積をA、長さをLとしたとき式5·49の右辺は次のように表されます。

$$\bar{P}\cdot v=\Sigma_m\int_L\int_A \bar{\sigma}\varepsilon \mathrm{d}A\mathrm{d}x \qquad \text{式5·50}$$

式5･50の右辺において、Σ_mはすべての部材について合計すること、$\int_L$●dxは●を各部材の長さLで、$\int_A$●dAは●を各部材の断面積Aで積分することを意味しています。

一方、4章の式4･2より、図5･42に示すような片持ちばりでは、仮想力$\bar{P}$によって生ずる応力$\bar{\sigma}$は次式で表されます。

$$\bar{\sigma}=\frac{\bar{M}(x)}{I}y \qquad \text{式5･51}$$

ここで、$\bar{M}(x)$は仮想力に$\bar{P}$よって生じる曲げモーメント、Iは断面二次モーメント、yは中立軸からの距離を表しています。

また、フックの法則が成立することから、実荷重によって生じるひずみεは次のように表されます。

$$\varepsilon=\frac{\sigma}{E}=\frac{M(x)}{EI}y \qquad \text{式5･52}$$

ここで、$M(x)$は実荷重Pによって生じる曲げモーメント、Iは断面二次モーメント、Eは弾性係数を表しています。

式5･51、式5･52を式5･50に代入し、y以外は断面内の積分には無関係であることに注意すると、

$$\bar{P}\cdot v=\Sigma_m\int_L\int_A\frac{\bar{M}(x)}{I}y\frac{M(x)}{EI}y\mathrm{d}A\mathrm{d}x=\Sigma_m\int_L\frac{\bar{M}(x)M(x)}{EI^2}\int_A y^2\mathrm{d}A\mathrm{d}x \qquad \text{式5･53}$$

4章4･2･3項で述べたように断面2次モーメント$I=\int_A y^2\mathrm{d}A$であることから、式5･53は次のように表されます。

$$\bar{P}\cdot v=\Sigma_m\int_L\frac{\bar{M}(x)M(x)}{EI}\mathrm{d}x \qquad \text{式5･54}$$

この式5･54は、図5･42に示す片持ちばり以外の一般的な構造物に関しても成立します。

以上では、仮想力と実荷重によって曲げモーメントが生じるはりについて考えましたが、次にトラス構造のように軸力のみが生じる部材について考えてみましょう。仮想力$\bar{P}$によって生じる応力$\bar{\sigma}$と、実荷重Pによって生じるひずみεはそれぞれ次のように表されます。

$$\bar{\sigma}=\frac{\bar{N}(x)}{A} \qquad \text{式5･55}$$

$$\varepsilon=\frac{\sigma}{E}=\frac{N(x)}{EA} \qquad \text{式5･56}$$

ここで、$\bar{N}(x)$は仮想力により生じる軸力、$N(x)$は実荷重Pにより生じる軸力、Aは断面積、Eは弾性係数を表しています。

式5･50に式5･55と式5･56を代入し、$\bar{N}(x)$、$N(x)$、AおよびEは断面内の積分には無関係であることに注意すると、トラス構造では下式が成立します。

$$\bar{P}\cdot v=\Sigma_m\int_L\int_A\frac{\bar{N}(x)}{A}\frac{N(x)}{EA}\mathrm{d}A\mathrm{d}x=\Sigma_m\int_L\frac{\bar{N}(x)N(x)}{EA^2}\int_A\mathrm{d}A\mathrm{d}x$$

$$= \Sigma_m \int_L \int_A \frac{\bar{N}(x) N(x)}{EA^2} A \mathrm{d}x = \Sigma_m \int_L \frac{\bar{N}(x) N(x)}{EA} \mathrm{d}x \quad \text{式5·57}$$

一方、仮想力として集中モーメント$\bar{M}$を作用させる場合でも、式5·54、式5·57と同様の関係が成立します（左辺の仮想力$\bar{P}$を仮想モーメント$\bar{M}$に、変位vをたわみ角θに置き換えた関係式になります）。また、複数の仮想力を同時に作用させる場合については、それらを足し合わせることで仮想力の原理の式が得られます。したがって、せん断変形の影響を無視できるはりやラーメン構造、トラス構造における仮想力の原理は、軸力と曲げモーメントを用いて下記の式5·58のような一般式として表すことができます。ここで、左辺のΣの記号は、複数の仮想力および仮想モーメントによる仮想仕事を足し合わせることを意味しています。また、右辺については、すべての部材や、曲げモーメントや軸力が一つの関数で表される部材内の区間について足し合わせることを示すΣ_mの記号を省略しています。式5·58の右辺については、一つの部材内でも、複数の区間で曲げモーメントや軸力が異なる式で表される場合には、それぞれの区間について積分した補仮想ひずみエネルギーをすべて合計する必要があります。

$$\Sigma(\bar{P} \cdot v + \bar{M} \cdot \theta) = \int_0^L \bar{N}(x) \frac{N(x)}{EA} \mathrm{d}x + \int_0^L \bar{M}(x) \frac{M(x)}{EI} \mathrm{d}x \quad \text{式5·58}$$

$\bar{P}$：仮想力（外力）
$\bar{M}$：仮想モーメント（外力）
v：の作用点での実荷重による変位（「実変位」という）
θ：の作用点での実荷重による回転角（「実回転角」という）
$\bar{N}(x)$：仮想力による軸力（内力、「仮想軸力」ともいう）
$N(x)$：実荷重による軸力
$\bar{M}(x)$：仮想力による曲げモーメント（内力、「仮想曲げモーメント」ともいう）
$M(x)$：実荷重による曲げモーメント（内力）
E：弾性係数
A：部材の断面積
L：部材中の断面力が連続関数として表される区間の長さ
I：部材の断面2次モーメント

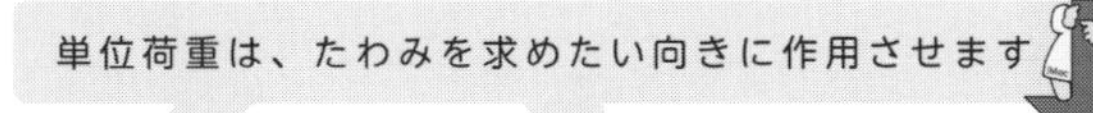

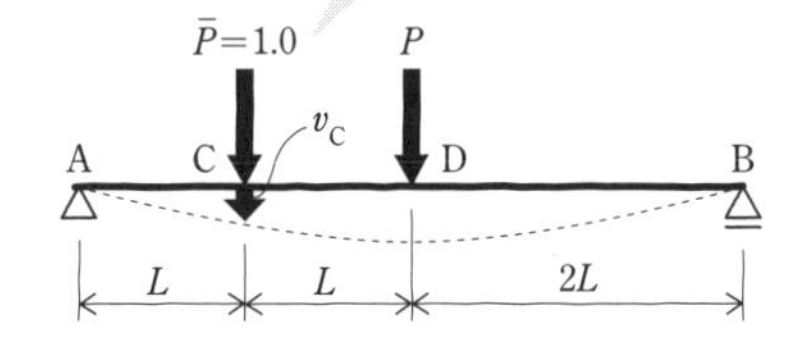

(a) 単位荷重$\bar{P}$（v_Cを求める）

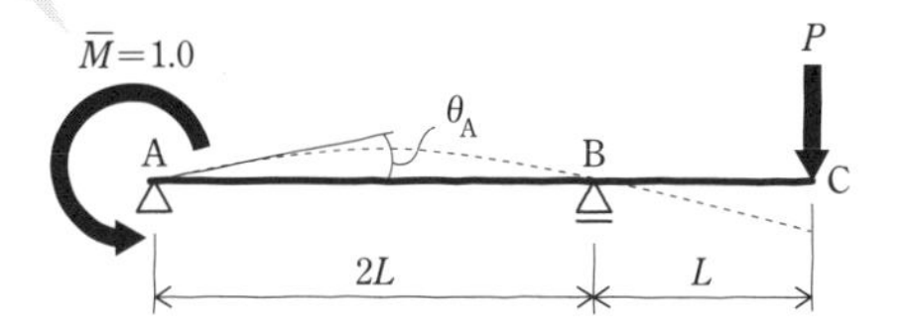

(b) 単位モーメント荷重$\bar{M}$（θ_Aを求める）

図5·45　単位荷重

図5･45に示すように、任意の荷重Pが作用する構造物のある点に生ずる変位やたわみ角を求めるために、仮想力として大きさ1の単位荷重あるいは単位モーメント荷重をその点に作用させる手法が「**単位荷重法**」です。この単位荷重法は構造物の変形を求める上ではとても有効な計算法になります。

具体的な計算式として表してみましょう。仮想力の原理の一般式である式5･58に$\bar{P}=1$、$\bar{M}=1$を代入すると、次式のようなたわみv、たわみ角θの計算式が導かれます（たわみvを求めたい箇所に単位荷重を、たわみ角θを求めたい箇所に単位モーメント荷重を作用させます）。

$$1\times v=\int_0^L \bar{N}(x)\frac{N(x)}{EA}\mathrm{d}x+\int_0^L \bar{M}(x)\frac{M(x)}{EI}\mathrm{d}x$$（$\bar{M}(x)$は$\bar{P}=1$による曲げモーメント）　式5･59

$$1\times \theta=\int_0^L \bar{N}(x)\frac{N(x)}{EA}\mathrm{d}x+\int_0^L \bar{M}(x)\frac{M(x)}{EI}\mathrm{d}x$$（$\bar{M}(x)$は$\bar{M}=1$による曲げモーメント）　式5･60

さらに、軸力が発生しないはりの場合であれば、右辺の軸力による補仮想ひずみエネルギーの項を省略した次式によりたわみとたわみ角が求められます。

$$v=\int_0^L \bar{M}(x)\frac{M(x)}{EI}\mathrm{d}x$$　式5･61

$$\theta=\int_0^L \bar{M}(x)\frac{M(x)}{EI}\mathrm{d}x$$　式5･62

一方、トラス構造では、曲げモーメントが発生せず、各部材に生じる軸力と仮想軸力は部材内で一定ですので、式5･59の右辺の曲げモーメントに関する項を省略し、部材単位の積分は部材長の積に置き換わります。よって、式5･58の右辺はトラス構造を構成する全部材の補仮想ひずみエネルギーの総和として、次のように表すことができます。

$$v=\sum_{i=1}^{m}\frac{\bar{N}_i N_i L_i}{E_i A_i}$$　式5･63

m：トラス構造を構成する部材の総数
$\bar{N}_i$：仮想力によってi番目の部材に生ずる軸力（内力、「仮想軸力」という）
N_i：実荷重によってi番目の部材に生ずる軸力（内力）
L_i：i番目の部材の長さ
E_i：i番目の部材の弾性係数（部材内でE_iは一定）
A_i：i番目の部材の断面積（部材内でA_iは一定）

以上の式のうち、式5･59、式5･60、式5･63はよく使いますので覚えてください。

5･6･2　計算手順

単位荷重法による構造物の変形の計算手順を図5･46に示します。

①構造物に作用する実荷重による支点反力の算出（実荷重が作用する構造を「実系」と呼びます）

↓

②構造物に作用する実荷重による実断面力分布式（曲げモーメント $M(x)$、軸力 $N(x)$）の導出

↓

③実荷重を取り除いた構造物において、変形を求めたい点に求めたい変形を生ずる向きに単位荷重を載荷し、支点反力を算出（仮想力を作用させた構造を「仮想系」と呼びます）

↓

④単位荷重を載荷した構造物の仮想断面力分布式（曲げモーメント $\overline{M}(x)$、軸力 $\overline{N}(x)$）の導出

↓

⑤単位荷重法の変形の計算式5･59〜5･63に実断面力分布式、仮想断面力分布式、曲げ剛性 EI、伸び剛性 EA 等を代入、断面力分布式の区間ごとに積分して実変形を算出

図5･46　単位荷重法による構造物の変形の計算手順

③の過程では、図5･45に示したように、たわみを求める場合には単位荷重、たわみ角を求める場合には単位モーメント荷重を作用させますが、この際に単位荷重や単位モーメントは求めたいたわみやたわみ角の向きに作用させることに注意してください。また、②と④の過程で導出する実断面力分布力と仮想断面力分布式においては、座標軸と断面力の正の向きを統一しておく必要があります。

5･6･3　はりの計算例

図5･46に示した計算手順にしたがって実際に計算例を解くことで、具体的な単位荷重法の使い方を学んでいきましょう。先に解説した微分方程式による計算法、弾性荷重法の場合と比較することで、単位荷重法の有効性を理解してください。

ここでは、図5･47に示す支間中央に集中荷重が作用する単純ばりの支間中央のたわみとA点のたわみ角を求めます。はりの曲げ剛性は EI とします。

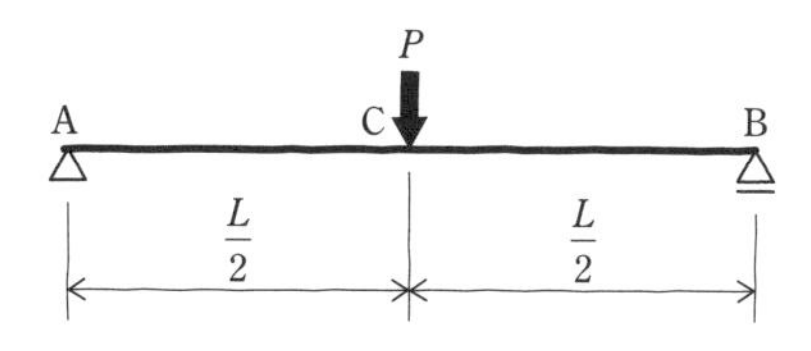

図5･47　集中荷重が作用する単純ばり

(1) C点のたわみの計算

まず、支間中央C点のたわみ v_C を計算します。座標軸については、はりの対称性を考慮し、A点、B点両側に原点をとり、それぞれに支間中央方向を正の向きとする x_1 軸、x_2 軸を設定します（図5・48)。①実荷重による支点反力の算出

力のつり合い条件より、実荷重による支点反力は、

$$H_A=0、R_A=\frac{1}{2}P、R_B=\frac{1}{2}P$$

と求められます。

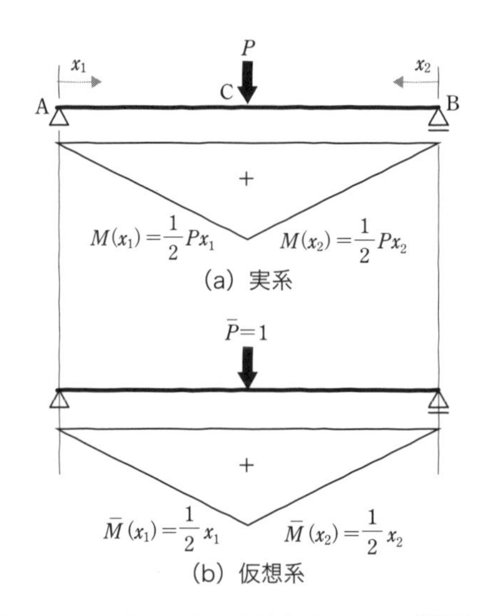

図5・48　C点のたわみを算出するための断面力図

②実断面力分布式の導出

はりの対称性を考慮して左半分を考えると、実曲げモーメント分布式は、

$$x_1=0\sim\frac{L}{2}:M(x_1)=\frac{1}{2}Px_1$$

となります（図5・48(a))。

③単位荷重による支点反力の算出

たわみを求めたい支間中央に、求めたいたわみの向きに単位荷重を載荷します（図5・48(b))。このときの支点反力は、

$$\overline{H}_A=0、\overline{R}_A=\frac{1}{2}、\overline{R}_B=\frac{1}{2}$$

となります。

④仮想断面力分布式の導出

単位荷重を載荷した場合の仮想曲げモーメント分布式は、

$$x_1=0\sim\frac{L}{2}:\bar{M}(x_1)=\frac{1}{2}x_1$$

となります（図 5･48(b)）。

⑤たわみの算出

以上の結果を式 5･61 に代入します。この場合の計算では、はりの対称性を利用しての区間の積分を 2 倍します。したがって、支間中央のたわみ v_C は、

$$v_C=2\times\int_0^{\frac{L}{2}}\frac{1}{EI}\left(\frac{1}{2}Px_1\right)\left(\frac{1}{2}x_1\right)\mathrm{d}x_1=\frac{P}{2EI}\int_0^{\frac{L}{2}}x_1{}^2\mathrm{d}x_1=\frac{P}{2EI}\left[\frac{1}{3}x_1{}^3\right]_0^{\frac{L}{2}}=\frac{PL^3}{48EI}$$

となります。

(2) A 点のたわみ角の計算

次に、A 点のたわみ角 θ_A を求めましょう。先ほどの C 点のたわみを求める場合と異なり、仮想曲げモーメント分布は 1 つの式で表すことができますが、実曲げモーメント分布は 1 つの式で表すことができませんので、図 5･49 に示すように A 点を原点として右向きを正とする x_1 軸と、B 点を原点として左向きを正とする x_2 軸を設定して、仮想曲げモーメントを表します。

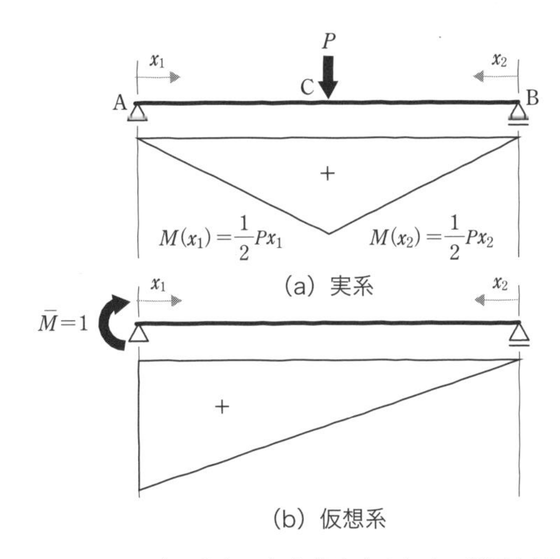

図 5･49　A 点のたわみ角を算出するための断面力図

①実荷重による支点反力の算出

実荷重による支点反力は、C 点のたわみを求める場合と同様に、

$$H_A=0、R_A=-\frac{1}{L}、R_B=\frac{1}{L}$$

となります。

②実断面力分布式の導出

実曲げモーメント分布式は、支間中央（C 点）を境界として、

$$x_1=0\sim\frac{L}{2}:M(x_1)=\frac{1}{2}Px_1$$

5章　構造物の変形

$$x_2=0\sim\frac{L}{2}:M(x_2)=\frac{1}{2}Px_2$$

となります（図5･49(a)）。

③単位荷重による支点反力の算出

A点に右まわりの単位モーメント荷重を載荷します（図5･49(b)）。このときの支点反力は、

$$\overline{H}_{\mathrm{A}}=0、\overline{R}_{\mathrm{A}}=-\frac{1}{L}、\overline{R}_{\mathrm{B}}=\frac{1}{L}$$

となります。

④仮想断面力分布式の導出

仮想曲げモーメント分布式は、図5･49(b)より、実系にそろえてA～C間、B～C間で導出すると、

$$x_1=0\sim\frac{L}{2}:\overline{M}(x_1)=\frac{1}{L}(L-x_1)$$

$$x_2=0\sim\frac{L}{2}:\overline{M}(x_2)=\frac{1}{L}x_2$$

となります（仮想系の曲げモーメント図によっては、はりの対称性は成立しません）。

⑤たわみ角の算出

座標系としてx_1、x_2軸を定義していること、それぞれの定義域が$0\leqq x_1\leqq\frac{L}{2}$（A～C間）、$0\leqq x_2\leqq\frac{L}{2}$（B～C間）であることに注意して、実曲げモーメント式と仮想曲げモーメント式を式5･62に代入します。すなわち、積分もx_1、x_2軸に分けて計算することになります。

$$\theta_{\mathrm{A}}=\int_0^{\frac{L}{2}}\frac{1}{EI}\left(\frac{1}{2}Px_1\right)\left\{\frac{1}{L}(L-x_1)\right\}\mathrm{d}x_1+\int_0^{\frac{L}{2}}\frac{1}{EI}\left(\frac{1}{2}Px_2\right)\left(\frac{1}{L}x_2\right)\mathrm{d}x_2$$

$$=\frac{P}{2EIL}\int_0^{\frac{L}{2}}(Lx_1-x_1{}^2)\mathrm{d}x_1+\frac{P}{2EIL}\int_0^{\frac{L}{2}}x_2{}^2\mathrm{d}x_2=\frac{P}{2EIL}\left[\frac{L}{2}x_1{}^2-\frac{x_1{}^3}{3}\right]_0^{\frac{L}{2}}+\frac{P}{6EIL}\left[x_2{}^3\right]_0^{\frac{L}{2}}$$

$$=\frac{P}{2EIL}\left(\frac{L^3}{8}-\frac{L^3}{24}\right)+\frac{P}{6EIL}\left(\frac{L}{2}\right)^3=\frac{PL^2}{16EI}$$

となります。

練習問題⑤　図5･50、図5･51に示すはりのA点のたわみとたわみ角を単位荷重を用いて求めましょう。はりの曲げ剛性EIは一定とします。

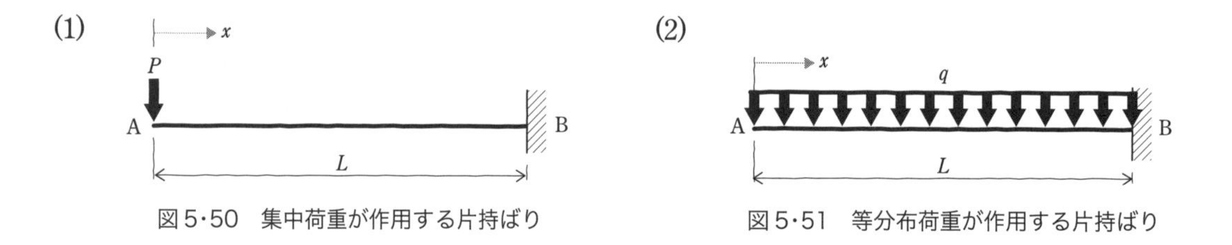

図5･50　集中荷重が作用する片持ばり

図5･51　等分布荷重が作用する片持ばり

応用問題④ 図5·52、図5·53に示すはりのC点のたわみとたわみ角を単位荷重法を用いて求めましょう。はりの曲げ剛性EIは一定とします。

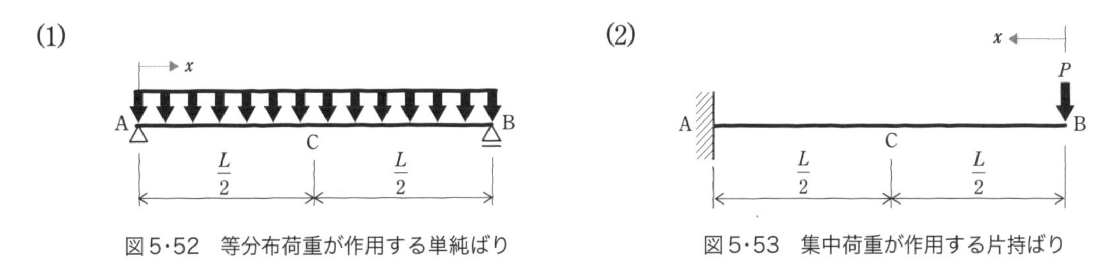

図5·52 等分布荷重が作用する単純ばり

図5·53 集中荷重が作用する片持ばり

5·6·4 ラーメン構造およびトラス構造の計算例

ラーメン構造およびトラス構造では、変形を考える上で軸力の影響を無視できません。先に説明した3つの変形の計算法のうち、軸力を考慮している計算法は単位荷重法のみであり、ラーメン構造およびトラス構造の変形の計算に適用できる唯一の方法になります。計算手順は図5·46に示すフローと同じです。

(1) ラーメン構造の計算例

図5·54(a)に示す逆L形ラーメン構造のA点のたわみとたわみ角を求めましょう。同構造の曲げ剛性EI、伸び剛性はEAとします。

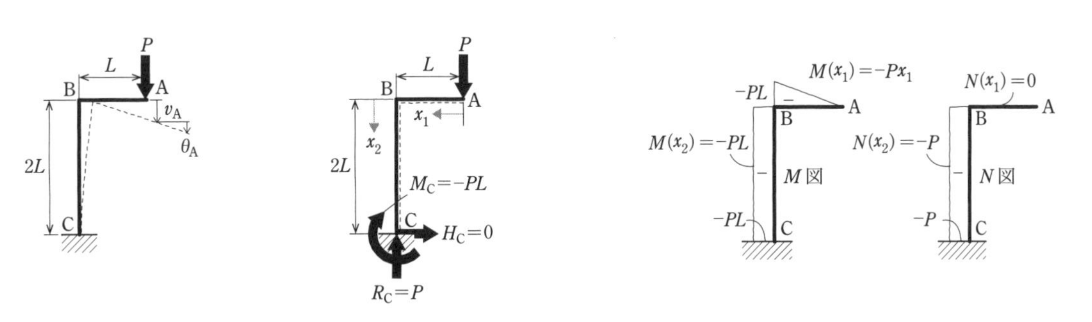

(a) 逆L形ラーメン (b) 実荷重による支点反力 (c) 実断面力

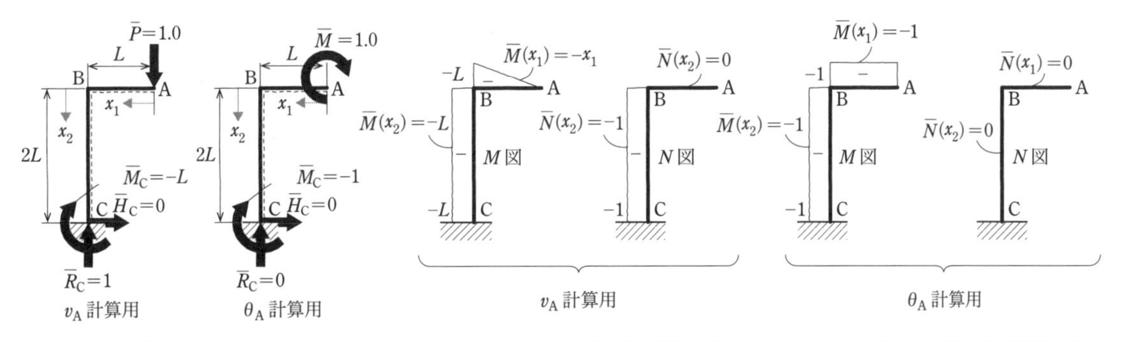

(d) 単位荷重による支点反力 (e) たわみv_A計算用仮想断面力 (f) たわみ角θ_A計算用仮想断面力

図5·54 逆L形ラーメンの変形の計算手順

1）A点のたわみの計算

まずはA点のたわみv_Aを求めます。

①実荷重による支点反力の算出

実荷重による支点反力は、力のつり合い条件より、

$$H_C=0、R_C=P、M_C=-PL$$

となります（図5･54(b)）。

②実断面力分布式の導出

実断面力を求めるにあたり、図5･54(b)に示すようにA～B区間のはり部分ではA点に、B～C区間の柱部分ではB点に原点をとり、それぞれにx_1軸、x_2軸を設定します。曲げモーメントと軸力は区間別に下式で表され、実系の断面力図は図5･54(c)のようになります。

曲げモーメント　A～B区間：$M(x_1)=-Px_1\quad(x_1=0\sim L)$

　　　　　　　　B～C区間：$M(x_2)=-PL\quad(x_2=0\sim 2L)$

軸力　　　　　　A～B区間：$N(x_1)=0\quad(x_1=0\sim L)$

　　　　　　　　B～C区間：$N(x_2)=-P\quad(x_2=0\sim 2L)$

③単位荷重による支点反力の算出

続いて、たわみを求めたいA点に単位荷重$\bar{P}=1$を載荷した場合を考えます。単位荷重による支点反力は、

$$\bar{H}_C=0、\bar{R}_C=1、\bar{M}_C=-L$$

となります（図5･54(d)左側）。

④仮想断面力分布式の導出

単位荷重による仮想断面力は区間別に下式で表され、断面力図は図5･54(e)のようになります。

仮想曲げモーメント　A～B区間：$\bar{M}(x_1)=-x_1\ (x_1=0\sim L)$

　　　　　　　　　　B～C区間：$\bar{M}(x_2)=-L\ (x_2=0\sim 2L)$

仮想軸力　　　　　　A～B区間：$\bar{N}(x_1)=0\ (x_1=0\sim L)$

　　　　　　　　　　B～C区間：$\bar{N}(x_2)=-1\ (x_2=0\sim 2L)$

⑤たわみの算出

これらを式5･59に代入します。A～B区間のはり部分には軸力が発生していないので省略し、たわみv_Aは、

$$v_A=\int_0^{2L}\frac{1}{EI}(-PL)(-L)\mathrm{d}x_2+\int_0^{L}\frac{1}{EI}(-Px_1)(-x_1)\mathrm{d}x_1+\int_0^{2L}\frac{1}{EA}(-P)(-1)\mathrm{d}x_2$$

$$=\frac{2PL^3}{EI}+\frac{PL^3}{3EI}+\frac{2PL}{EA}=\frac{7PL^3}{3EI}+\frac{2PL}{EA}$$

と求められます。

2）A点のたわみ角の計算

次にA点のたわみ角θ_Aを求めます。①②の過程はたわみの計算時と同様ですので、③から計算していきます。

③単位荷重による支点反力の算出

たわみ角を求めたいA点に単位モーメント荷重$\overline{M}=1$を載荷した場合を考えます。単位モーメント荷重による支点反力は、

$$\overline{H}_C=0、\overline{R}_C=0、\overline{M}_C=-1$$

となります（図5･54(d)右側）。

④仮想断面力分布式の導出

単位モーメント荷重による仮想断面力は区間別に下式で表され、断面力図は図5･54(f)のようになります。

仮想曲げモーメント　A～B区間：$\overline{M}(x_1)=-1\ (x_1=0\sim L)$

B～C区間：$\overline{M}(x_2)=-1\ (x_2=0\sim 2L)$

仮想軸力　A～B区間：$\overline{N}(x_1)=0$

B～C区間：$\overline{N}(x_2)=0$

⑤たわみ角の算出

これらを式5･60に代入します。仮想軸力がどちらの区間ともゼロですので軸力に関する項が消えて、たわみ角θ_Aは、

$$\theta_A=\int_0^L\frac{1}{EI}(-Px_1)(-1)dx_1+\int_0^{2L}\frac{1}{EI}(-PL)(-1)dx_2=\frac{PL^2}{2EI}+\frac{2PL^2}{EI}=\frac{5PL^2}{2EI}$$

と求められます。

求められたたわみ角θ_Aの第2項$\frac{2PL^2}{EI}$はB点の回転変位を表しており、それにA～B区間の部材の長さLを乗じたものがv_Aの第1項$\frac{2PL^3}{EI}$に相当しています。

練習問題⑥　図5･54(a)に示す逆L形ラーメンのB点の水平変位を単位荷重法を用いて求めましょう。向きはA点方向を正とします。

(2) トラス構造の計算例

図5･55に示すトラス構造のC点のたわみv_Cを単位荷重法で求めてみましょう。ここで、すべての部材の伸び剛性EAは一定とします。

まず、実荷重による部材軸力を求めます。この問題では切断法でC点まわりの力のつり合いを考えると、2つの部材の軸力は次のように求めることができます。

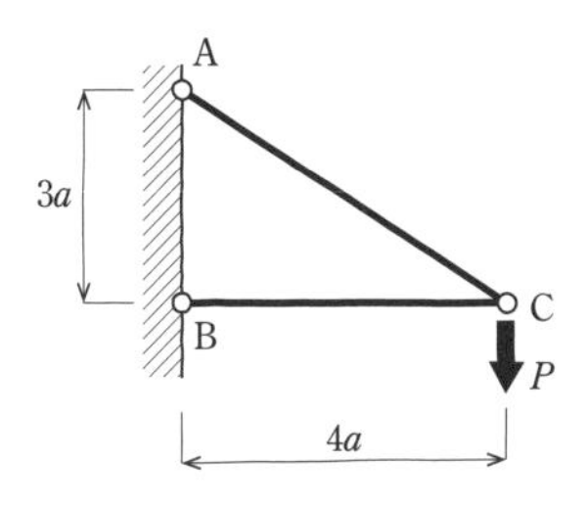

図5･55　トラス構造の計算例

$$N_{AC}=\frac{5}{3}P$$

$$N_{BC}=-\frac{4}{3}P$$

たわみを求めたいC点に単位荷重$\bar{P}=1$を載荷します。このときの仮想軸力は実系での計算を参照して、

$$\bar{N}_{AC}=\frac{5}{3}$$

$$\bar{N}_{BC}=-\frac{4}{3}$$

と求めることができます。

以上の結果を式5･63に代入します。

$$v_C=\frac{1}{EA}\left\{\frac{5}{3}P\times\frac{5}{3}\times 5a+\left(-\frac{4}{3}P\right)\times\left(-\frac{4}{3}\right)\times 4a\right\}$$

このとき部材長さがそれぞれ異なることに注意しましょう。これを解くことにより、たわみは、

$$v_C=\frac{21Pa}{EA}$$

と求められます。

練習問題⑦ 図5･55に示すトラス構造のC点の水平方向の変位u_Cを単位荷重法を用いて求めましょう。

6章
もう一歩先の構造力学

6·1 ゲルバーばりの解法

6·1·1 ゲルバーばりとは

図6·1(a)(b)に示すような不静定な連続ばりに対して、図6·1(c)(d)のように支間の一部にヒンジを設けて静定構造にしたものを「**ゲルバーばり**」と呼びます。名称は、この構造を考案したドイツ人工学者のハインリッヒ・ゲルバーにちなんでいます。連続ばりのような不静定構造物では支点反力や断面力を求めるのに手間がかかる一方、静定構造であるゲルバーばりでは力のつり合いを考えるだけで支点反力や断面力を求めることができます。

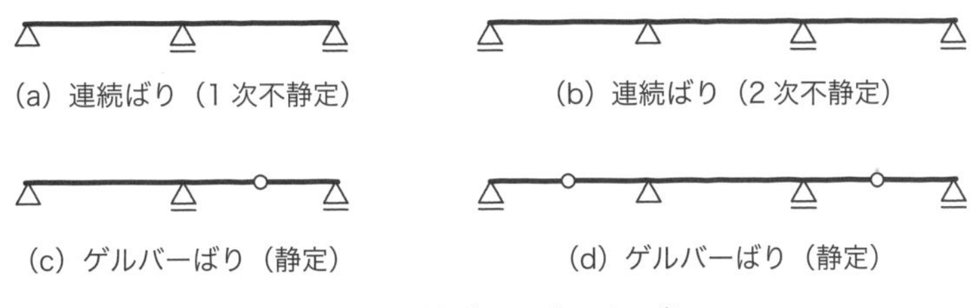

図6·1　連続ばりとゲルバーばり

ゲルバーばりに設けられたヒンジのことを「**ゲルバーヒンジ**」と呼びます。構造力学では、図6·1(c)(d)のようにこのヒンジを○の記号でシンプルに描きます。しかし、実際のヒンジの構造は複雑で、図6·2のようにヒンジのところではりに食い違いを設けて、間にヒンジ支点を設け、上からもう一方のはりを載せる構造となっています。その実例を写真6·1に示します。

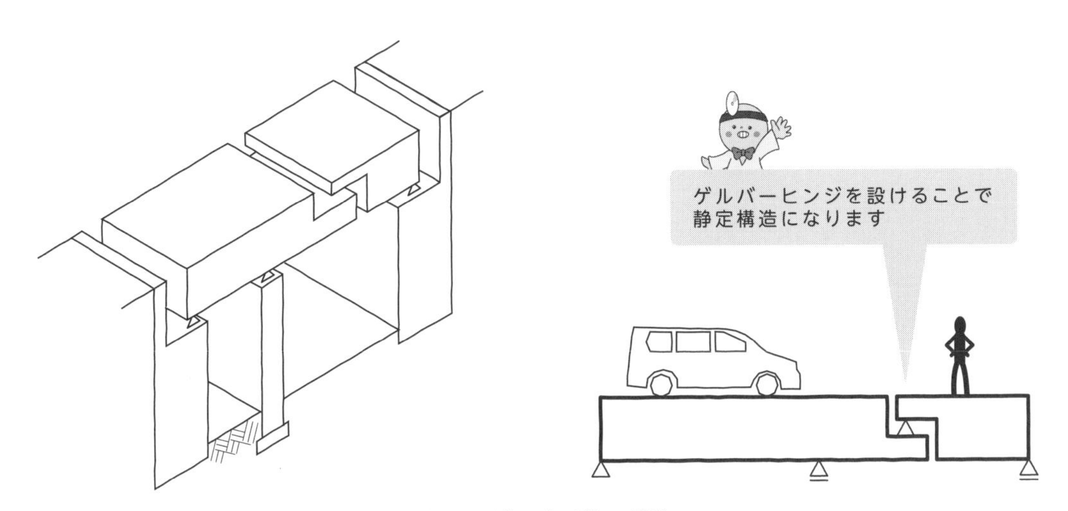

図6·2　ゲルバーばりの構造

写真6·1　鋼橋のゲルバーヒンジ部

6·1·2　不静定次数と支点反力の求め方

ゲルバーばりが静定かどうかは、支点の数とゲルバーヒンジの数で決まります。不静定次数の確認方法と支点反力の求め方について基本問題を解きながら学んでいきましょう。

基本問題①　図6·3に示すゲルバーばりが静定であることを示し、支点反力を求めましょう。

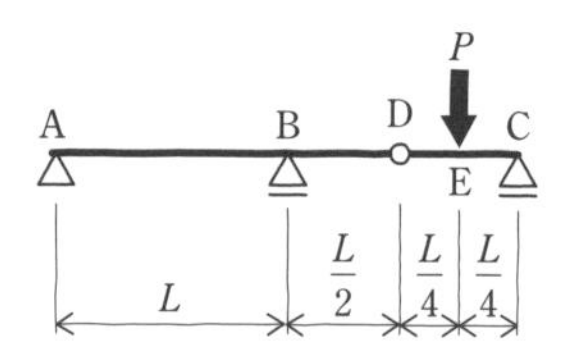

図6·3　外力が作用するゲルバーばり

解答例

まず、D点のゲルバーヒンジではりを左右に分割すると、図6·4のようになります。ヒンジ部に発生する内力であるV_DとH_Dは、作用・反作用の関係から左右のピースで互いに作用方向が反対向きになります（V_D、H_Dの方向は解答者が決めます）。

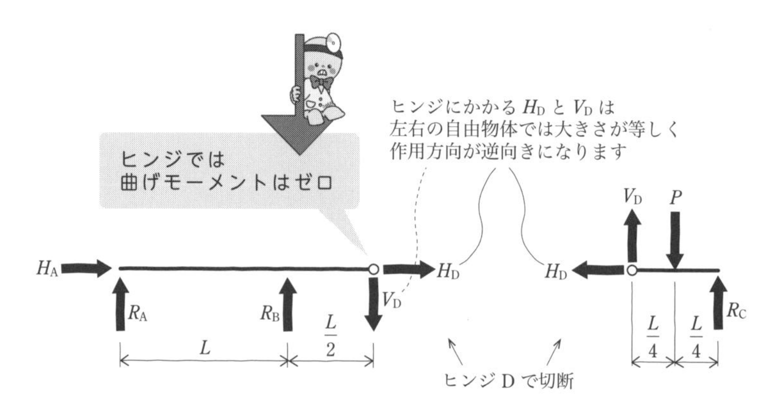

図6·4　ゲルバーばりの分割

次に不静定次数を求めましょう。**不静定次数**とは、構造物が静定か不静定かを判別するための指標であり、下式で求められます。

$$n=p+r-3\times m \quad \text{式6·1}$$

ここで、nは不静定次数、pはヒンジに作用する内力の数、rは支点反力の数、mはピースの数を表しています。こうして求められる不静定次数nは、反力などを求める上で不足している条件の数を表しており、$n=0$であれば静定、$n>0$であれば不静定と判定されます。

左右に分割した図6·4のゲルバーばり全体では、ピースの数mは2、支点反力の数rは4、ヒンジに作用する内力の数pは2となります。これらを式6·1に代入すると、

$$n=2+4-3\times 2=0$$

となります。不静定次数nがゼロのときは静定ですので、このゲルバーばりが静定であることが確認できました。

続いて、支点反力を求めていきましょう。図6·4の左側のピースの力のつり合いを考えると、

水平方向のつり合い　$\rightarrow \Sigma H=0$ より　$H_A+H_D=0$　式6·2

鉛直方向のつり合い　$\downarrow \Sigma V=0$ より　$-R_A-R_B+V_D=0$　式6·3

回転のつり合い　$\curvearrowright \Sigma M_{\text{at A点}}=0$ より　$-R_B\times L+V_D\times \frac{3}{2}L=0$　式6·4

となります。同じく、右側のピースのつり合いを考えると、

水平方向のつり合い　$\rightarrow \Sigma H=0$ より　$H_D=0$　式6·5

鉛直方向のつり合い　$\downarrow \Sigma V=0$ より　$-V_D+P-R_C=0$　式6·6

回転のつり合い　$\curvearrowright \Sigma M_{\text{at D点}}=0$ より　$P\times \frac{1}{4}L-R_C\times \frac{1}{2}L=0$　式6·7

となります。式6·2～6·7を解いて支点反力を求めていきます。

まず、水平方向の力の式6·5を式6·2に代入すると、

$$H_D=H_A=0 \quad \text{式6·8}$$

となります。次に、図6·4の右側のピースに着目します。式6·7を変形してC点の反力R_Cを求めると、

$$R_C=\frac{1}{2}P \quad \text{式6·9}$$

となり、式6·9を式6·6に代入すると、

$$V_D=P-R_C=\frac{1}{2}P \quad \text{式6·10}$$

となります。V_DとH_Dが求まりましたので、図6·4の左側のピースを考えます。式6·4に式6·10を代入してB点の反力R_Bを求めると、

$$R_B=\frac{3}{2}V_D=\frac{3}{4}P \quad \text{式6·11}$$

となります。式6·10、式6·11を式6·3に代入すると、A点の反力R_Aが求まります。

$$R_A=-R_B+V_D=-\frac{3}{4}P+\frac{1}{2}P=-\frac{1}{4}P$$ 式6・12

以上のように、静定構造のゲルバーばりの支点反力は力のつり合いから求めることができます。

練習問題① 図6・5、6・6に示すゲルバーばりのすべての支点反力を求めましょう。

図6・5　図6・6

応用問題① 図6・7〜6・10に示すゲルバーばりのすべての支点反力を求めましょう。

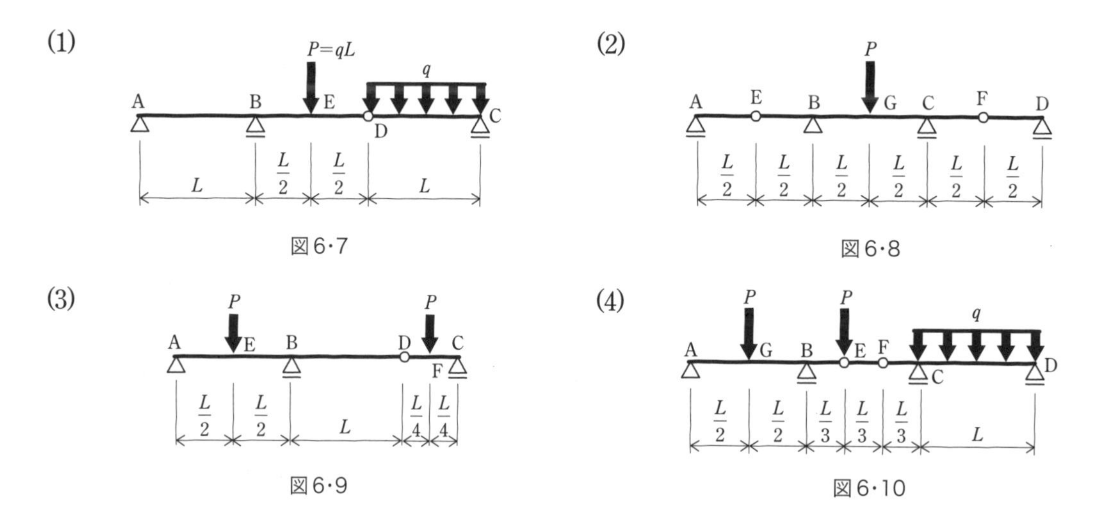

図6・7　図6・8

図6・9　図6・10

6・1・3 断面力の求め方

ゲルバーばりの断面力を求めるには、まず支点反力とヒンジに発生する内力を求めた後、それらを使用して断面力を計算します。基本問題を解きながら、その計算方法を学んでいきましょう。

基本問題② 基本問題①の図6・3に示すゲルバーばりの断面力を求めましょう。

解答例

支点反力とヒンジに発生する力は先の基本問題①ですでに求めていますので、その値を使って断面力を計算していきます。まず、断面力を求めるために切断する位置として図6・11に示す4カ所を考えます。

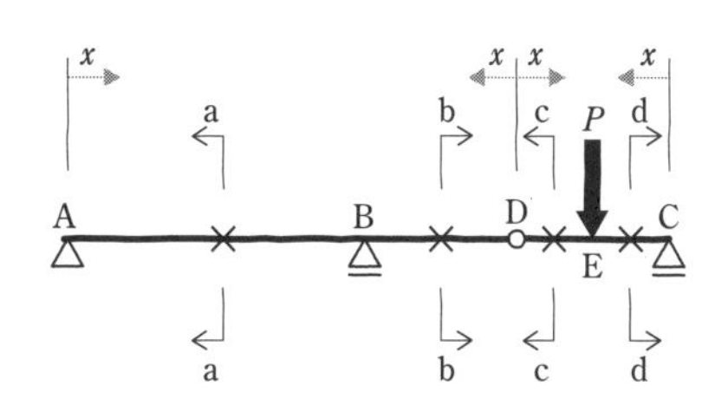

図6・11　断面力を求めるための切断位置と x 軸の設定

切断した各ピースに作用する力を示したものが図6・12になります。ちなみに、図6・12ではヒンジ部分で分解したうえで切断し、着目する片側のみを図示していますが、反対側のピースで断面力を計算しても同じ結果が得られます。

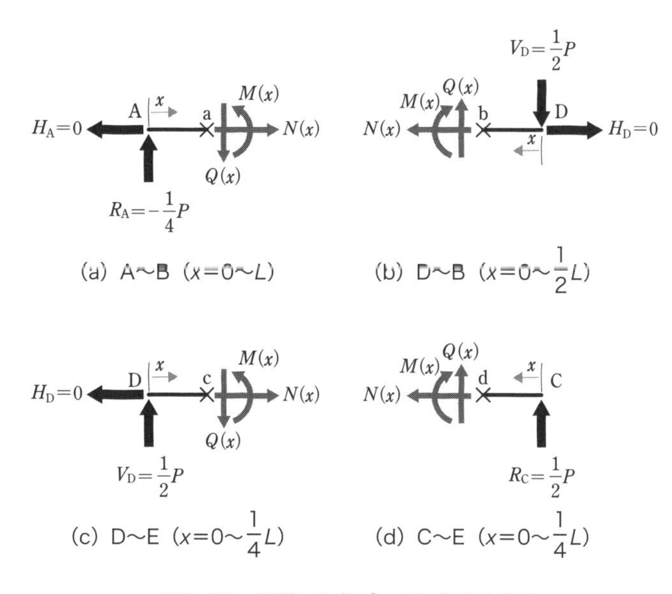

(a) A～B ($x=0$～L)　(b) D～B ($x=0$～$\frac{1}{2}L$)

(c) D～E ($x=0$～$\frac{1}{4}L$)　(d) C～E ($x=0$～$\frac{1}{4}L$)

図6・12　切断した各ピースに作用する力

なお、このはりには鉛直方向の荷重しか作用しておらず、はりに軸力が発生しないことは $H_A=H_D=0$ からも自明であるため、軸力 $N(x)$ については計算を省略します。

では、図6・12(a) に示すA～B間について断面力を求めましょう。a点まわりのモーメントのつり合いを考えると、曲げモーメント式は、

$$\curvearrowleft \Sigma M_{\text{at a点}}=0 \text{ より} \quad R_A \times x - M(x)=0 \quad \Rightarrow \quad M(x)=R_A \times x=-\frac{1}{4}Px \qquad \text{式6・13}$$

となります。次に、鉛直方向のつり合いを考えると、せん断力式は、

$$\downarrow \Sigma V=0 \text{ より} \quad -R_A+Q(x)=0 \quad \Rightarrow \quad Q(x)=R_A=-\frac{1}{4}P \qquad \text{式6・14}$$

となります。

続いて、図6・12(b) に示すD～B間の断面力を求めます。b点まわりのモーメントのつり合い

を考えると、曲げモーメント式は、

$$\curvearrowright \Sigma M_{\text{at b点}}=0 \text{より} \quad M(x)+V_D\times x=0 \quad\Rightarrow\quad M(x)=-V_D\times x=-\frac{1}{2}Px \qquad \text{式6・15}$$

となります。一方、鉛直方向のつり合いを考えると、せん断力式は、

$$\downarrow \Sigma V=0 \text{より} \quad -Q(x)+V_D=0 \quad\Rightarrow\quad Q(x)=V_D=\frac{1}{2}P \qquad \text{式6・16}$$

となります。

さらに、図6・12(c)に示すD～E間の断面力を求めます。c点まわりのモーメントのつり合いを考えると、曲げモーメント式は、

$$\curvearrowright \Sigma M_{\text{at c点}}=0 \text{より} \quad V_D\times x-M(x)=0 \quad\Rightarrow\quad M(x)=V_D\times x=\frac{1}{2}Px \qquad \text{式6・17}$$

となります。また、鉛直方向のつり合いを考えると、せん断力式は、

$$\downarrow \Sigma V=0 \text{より} \quad -V_D+Q(x)=0 \quad\Rightarrow\quad Q(x)=V_D=\frac{1}{2}P \qquad \text{式6・18}$$

となります。

最後に、図6・12(d)に示すC～E間の断面力を求めます。d点まわりのモーメントのつり合いを考えると、曲げモーメント式は、

$$\curvearrowright \Sigma M_{\text{at d点}}=0 \text{より} \quad M(x)-R_C\times x=0 \quad\Rightarrow\quad M(x)=R_C\times x=\frac{1}{2}Px \qquad \text{式6・19}$$

となります。次に、鉛直方向のつり合いを考えると、せん断力式は、

$$\downarrow \Sigma V=0 \text{より} \quad -Q(x)-R_C=0 \quad\Rightarrow\quad Q(x)=-R_C=-\frac{1}{2}P \qquad \text{式6・20}$$

となります。

以上の計算結果を図示すると、断面力図は図6・13のようになります。

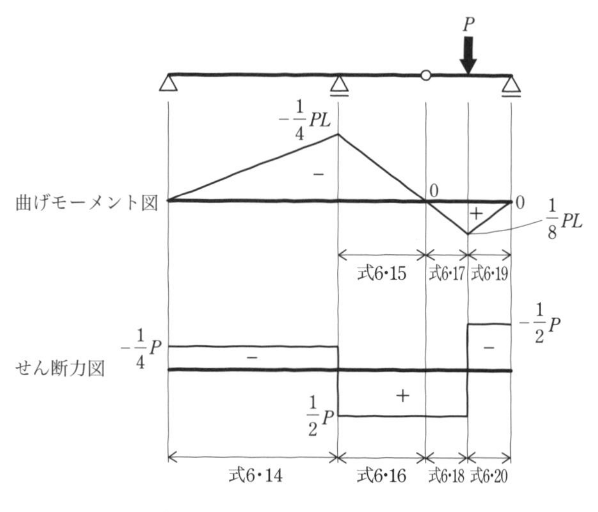

図6・13　断面力図

練習問題② 練習問題①で反力を求めた図6･5～6･6に示すゲルバーばりの断面力を求め、断面力図を描きましょう。

応用問題② 応用問題①で反力を求めた図6･7～6･10に示すゲルバーばりの断面力を求め、断面力図を描きましょう。

6･2 間接載荷とトラス構造

トラス橋、アーチ橋、吊橋、斜張橋などの実際の橋を設計する場合には、車や列車の荷重を考える際に、主な構造に対して間接荷重の考え方を用いることにより設計を進めていきます。本節では、トラス構造を例に間接荷重の考え方と解き方を解説します。

6･2･1 トラス構造とトラス部材の仮定

直線部材をヒンジで結合して三角形に組み立てた構造を「**トラス構造**」といいます。図6･14に示す2つの構造を比べてみてください。部材を四角形を組んだ構造は横向きの力で簡単に変形してしまうのに対して、三角形に組んだトラス構造が力に対して強いことは簡単にイメージできるかと思います。このトラス構造は、橋やタワーといった構造物のほか、クレーンのアームなど様々なものに用いられています（図6･15、写真6･2）。

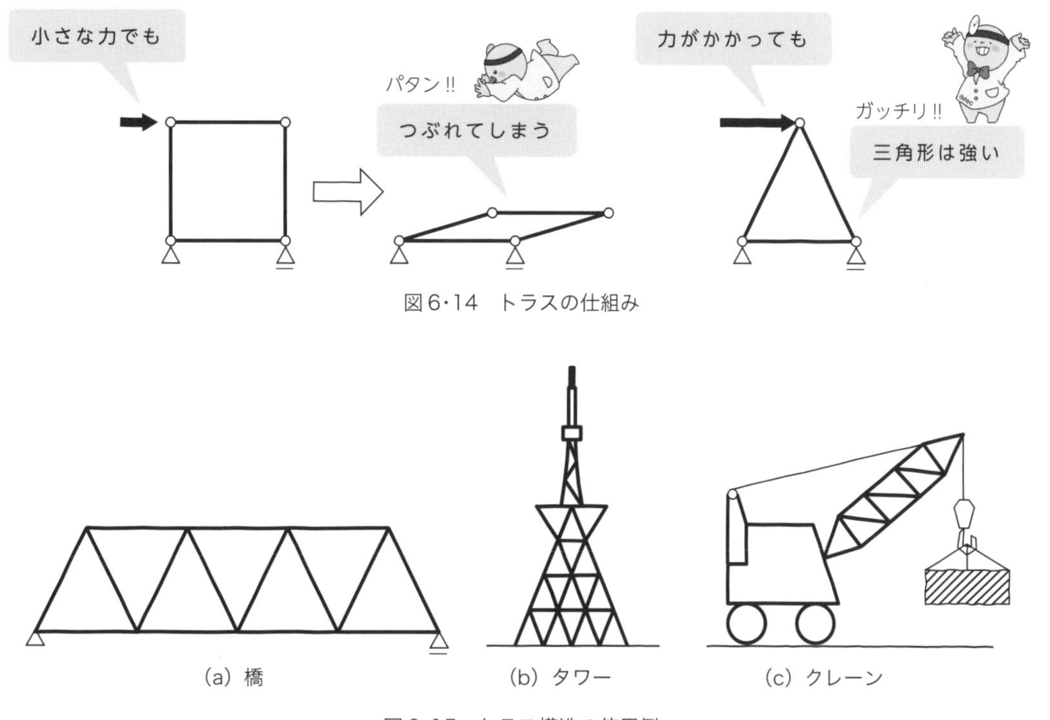

図6･14 トラスの仕組み

図6･15 トラス構造の使用例

写真6･2　トラス橋

ヒンジで部材を連結するトラス構造は、正確には図6･14のように描きますが、構造力学では図6･15(a)のようにヒンジを省略して描く場合もあります。

トラス構造を構成する部材のことを「**トラス部材**」といいます。トラス部材の構造力学上の仮定としては、以下の4点が挙げられます（図6･16）。

①部材の両端にヒンジが取り付けられている

②部材は直線で曲がっていない

③他の部材とはヒンジを介して結合されている

④外力や支点反力はヒンジのみに作用し、部材に直接荷重は作用しない

これらの仮定が満たされたトラス部材には、軸力のみが発生します。したがって、せん断力や曲げモーメントが発生しない分、断面力がシンプルで設計しやすい構造であるといえます。

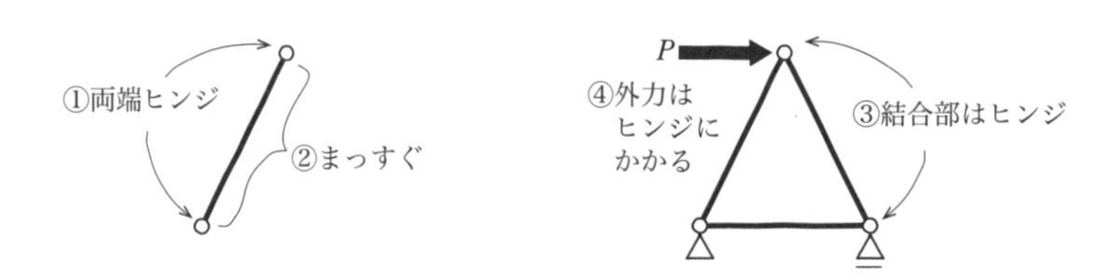

図6･16　トラス部材の４つの仮定

6･2･2　間接載荷

トラス橋に車や人が載っている状態を考えてみましょう。橋を走行する車であれば、図6･17のようにヒンジ間の部材上で停車することもあります。この場合、ヒンジのみに外力が働くというトラス部材の仮定が成り立ちません。

図6・17　部材上に車が停車したときトラス部材の仮定は成り立つのか？

そこで、実際のトラス橋ではトラス部材の仮定が成り立つように構造が工夫されています。詳しい説明は橋梁工学の専門書に譲りますが、簡単にいうと、図6・18のように車が走る路面をトラス部材に直接つくるのではなく、小さな単純ばりで路面をつくり、単純ばりの支点をトラスのヒンジ部分に置くことによって、ヒンジ間に停まった車の重さが単純ばりを介してトラスのヒンジ部にかかるようになっています。実際の橋ではこのような原理で構造が工夫されており、荷重が間接的にトラスに働いていることから、「**間接載荷**」と呼んでいます。したがって、トラス構造の断面力の計算では、小さな単純ばりの支点反力を求めた後、その支点反力をトラスのヒンジに「**間接荷重**」としてかけた状態でトラス全体の構造計算を行います。

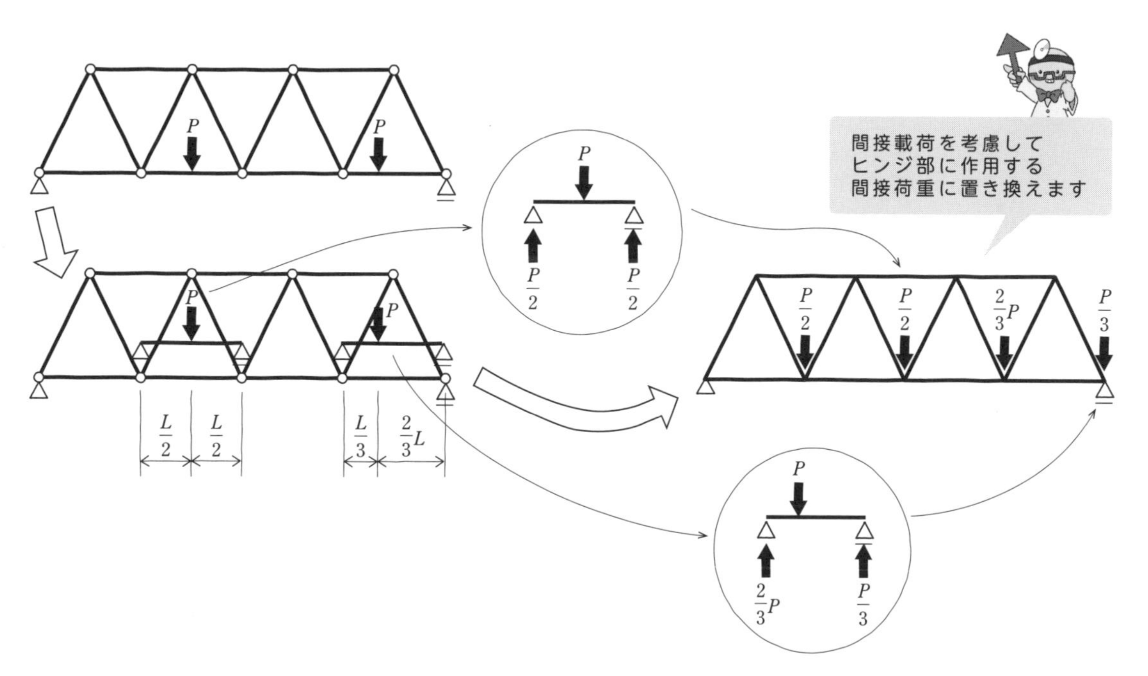

図6・18　間接載荷の考え方

6章　もう一歩先の構造力学

6・2・3　支点反力の求め方

前項で間接載荷について説明しましたが、トラスの支点反力を求める際には、間接荷重に置換せずにその位置のままの荷重で計算しても差し支えありません。間接荷重に置き換える方法が本来の正しい計算手順ですが、トラス全体を剛体と見立てて反力を考えることで同じ計算結果が得られるのです。基本問題で確認してみましょう。

基本問題③　図6・19のトラスの支点反力を求めましょう。

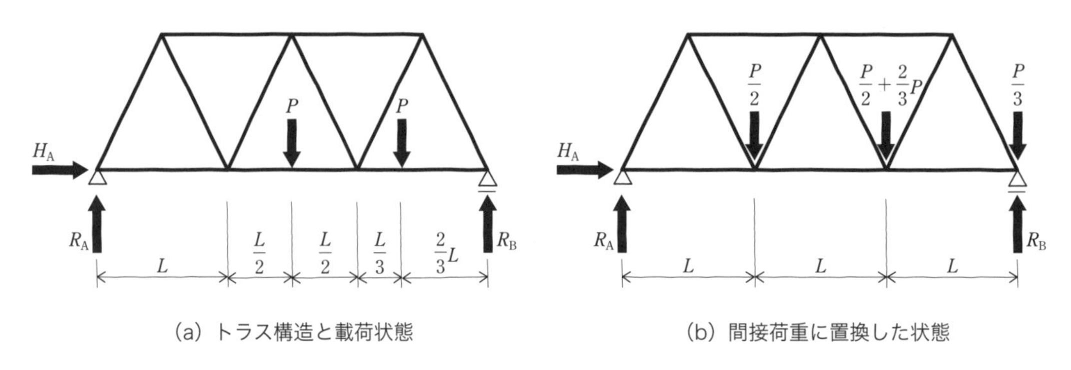

図6・19　トラス構造

解答例

まずは、荷重を間接荷重に置換せずに、図6・19(a)に示すそのままの状態から支点反力を計算してみましょう。力のつり合い条件から、

$\rightarrow \Sigma H=0$ より　$H_A=0$

$\downarrow \Sigma V=0$ より　$-R_A-R_B+P+P=-R_A-R_B-2P=0$

$\curvearrowright \Sigma M_{\text{at A点}}=0$ より　$P\times\frac{3}{2}L+P\times\frac{7}{3}L-R_B\times 3L=0 \;\Rightarrow\; \frac{23}{6}PL-3R_BL=0$

となり、R_B と R_A は、

$$R_B=\frac{23}{18}P$$

$$R_A=2P-R_B=\frac{13}{18}P$$

と求められます。

一方、間接荷重に置換して2つの荷重 P をヒンジに載荷した図6・19(b)の場合で力のつり合い式を立ててみましょう。

$\rightarrow \Sigma H=0$ より　$H_A=0$

$\downarrow \Sigma V=0$ より　$-R_A-R_B+\frac{1}{2}P+\left(\frac{1}{2}+\frac{2}{3}\right)P+\frac{1}{3}P=0 \;\Rightarrow\; R_A+R_B-2P=0$

$\curvearrowright \Sigma M_{\text{at A点}}=0$ より $\frac{1}{2}P\times L+\left(\frac{1}{2}+\frac{2}{3}\right)P\times 2L+\frac{1}{3}P\times 3L-R_B\times 3L=0$

$$\Rightarrow \frac{23}{6}PL-3R_BL=0$$

となり、間接荷重を考慮しない場合と同じ計算式になりました。すなわち、支点反力の計算では、間接荷重に置換しなくても同じ結果が得られることがわかります。

練習問題③ 図6･20～6･24に示すトラスの支点反力を求めましょう。

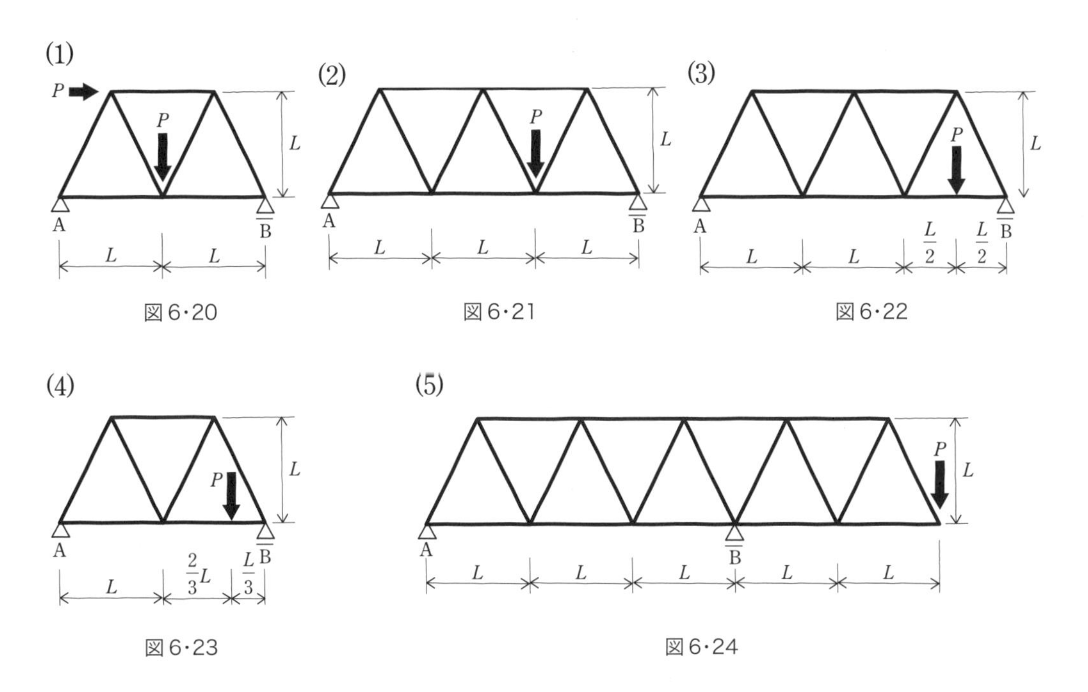

図6･20　図6･21　図6･22

図6･23　図6･24

6･2･4　断面力の求め方

先に説明したとおり、トラス部材にはせん断力および曲げモーメントは生じず、軸力しか発生しないため、トラスの断面力を求める際には軸力のみ計算すればよいことになります。計算手順としては、まず支点反力を求め、次に断面力を計算します。断面力を求めるときにも、ほとんどの場合で支点反力の算定時と同様に荷重を間接荷重に置換せずに計算しても差し支えありませんが、図6･25のように仮想的に切断する部材に荷重が作用している場合には荷重を間接荷重に置換して計算する必要があります。

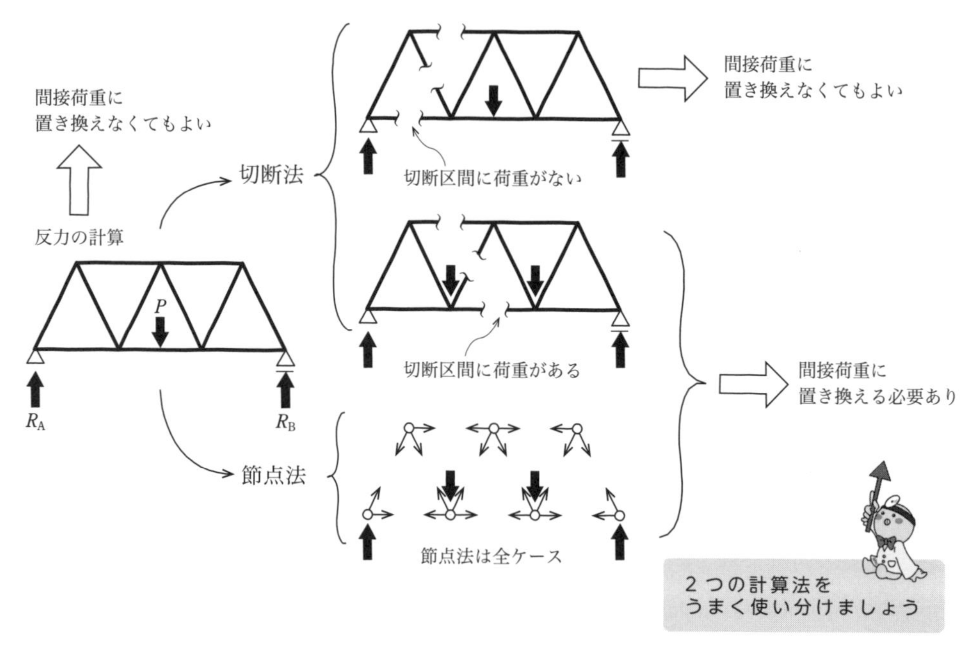

図6・25　トラス構造の２つの計算方法

図6・25に示すように、トラス部材の軸力の求め方には「**切断法**」と「**節点法**」の２つの方法があります。どちらの計算方法でも得られる断面力の計算結果は同じになりますが、断面力を求める部材の位置によって計算量に違いが出てきますので、状況に応じて使い分けるとよいでしょう。基本問題を解きながら、切断法と節点法の計算のしかたについて詳しく見ていきましょう。

基本問題④　図6・26に示す荷重Pが作用するトラス構造の部材U_2、D_3、L_2に生じる軸力を求めましょう。

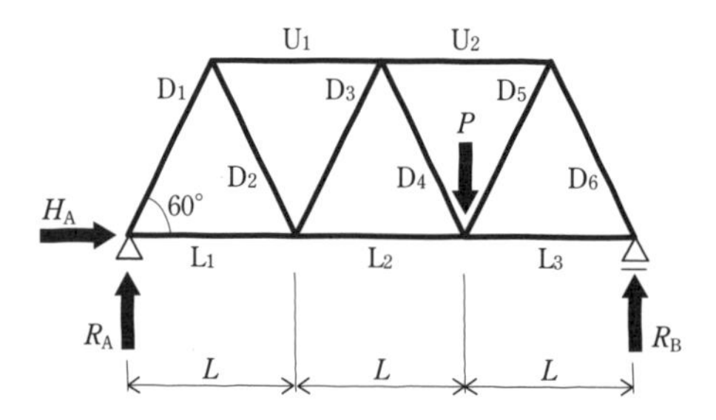

図6・26　荷重が作用するトラス構造と各部材の名称

解答例

まず、支点反力を求めます。支間長が$3L$のはりの反力を求めることと同等と考え、力のつり合い条件から下記のとおりとなります。

$$H_A=0、R_A=\frac{1}{3}P、R_B=\frac{2}{3}P$$

トラス部材に生じる断面力は軸力のみですので、各部材の切断面にはせん断力とモーメントは描かずに軸力だけ描きます。軸力の記号には一般にNを使用しますが、ここでは区別しやすいよう部材名$\mathrm{U_2}$、$\mathrm{D_3}$、$\mathrm{L_2}$をそのまま軸力の記号U_2、D_3、L_2とします。また、各部材の切断面には引張を正とする軸力が発生すると仮定して解いていきます。

1）切断法による求め方

まずは、切断法で計算してみましょう。軸力を求めたい部材を含むように仮想的に切断して、トラスを左右に分割します。

軸力L_2を求める場合には、図6·27(a)に示すように部材L_2を含めたU_1、D_3、L_2で切断します（なお、図6·27(b)に示すように部材L_2を含める形で違う場所で切断した場合でも、計算経過は異なりますが、最終的な軸力L_2の計算結果は同じ値になります）。

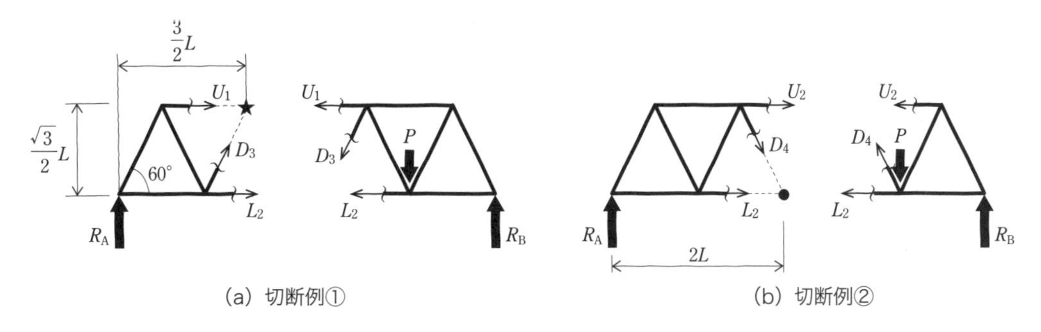

図6·27　切断法によるトラスの切断

軸力L_2を求めるには、図6·27(a)の左側のピースでU_1とD_3が交差する点（図中の★印）まわりのモーメントのつり合いを考えます（★印まわりではU_1とD_3のモーメントアーム長がゼロとなるためモーメントもゼロとなり、軸力L_2のみを考えればよいことになりますので計算が楽になります）。

$$\curvearrowleft \Sigma M_{at★点}=0 \text{ より} \quad R_A\times\frac{3}{2}L-L_2\times\frac{\sqrt{3}}{2}L=0$$

したがって、L_2の軸力は、

$$L_2=\frac{1}{3}P\times\frac{3}{2}\times\frac{2}{\sqrt{3}}=\frac{\sqrt{3}}{3}P$$

と求められます（プラスの値なので引張力）。

なお、図6·27(a)の右側のピースでも計算結果は同じになりますが、外力Pのない左側のピー

6章 もう一歩先の構造力学

スで計算することで手間が少し省けます。U_2 や D_3 を求めるときも同様で、支点反力や外力の少ない側のピースで計算するのがポイントです。

次に、軸力 U_2 を求めましょう。ここでは、図6･27(b) の左側のピースで L_2 と D_4 の交差する点（図中の●印）まわりのモーメントのつり合いを考えます。

$$\curvearrowright \Sigma M_{\text{at}\,\bullet\text{点}}=0 \text{ より} \quad R_A\times 2L+U_2\times\frac{\sqrt{3}}{2}L=0$$

したがって、U_2 の軸力は、

$$U_2=-\frac{1}{3}P\times 2\times\frac{2}{\sqrt{3}}=-\frac{4\sqrt{3}}{9}P$$

となります(マイナスの値なので圧縮力)。

最後に、軸力 D_3 は図6･27(a) における鉛直方向の力のつり合いから求められます。

$$\downarrow \Sigma V=0 \text{ より} \quad -R_A-D_3\times\sin 60°=-R_A-D_3\times\frac{\sqrt{3}}{2}=0$$

したがって、D_3 の軸力は、

$$D_3=-\frac{2}{\sqrt{3}}R_A=-\frac{2}{\sqrt{3}}\times\frac{1}{3}P=-\frac{2\sqrt{3}}{9}P$$

と求められます（マイナスの値なので圧縮力)。

2）節点法による求め方

次に、節点法で計算してみましょう。節点法は、節点すなわちヒンジに作用する力のつり合い(水平方向と鉛直方向）を考えることにより軸力を求める方法です。

まず、図6･28に示すように、ヒンジ部分を中心にトラス全体を各ピースに分割します。なお、この計算例ではヒンジに荷重 P が作用しているので問題ありませんが、部材の中間に荷重が作用している場合には間接荷重を求め、ヒンジに荷重が作用する形にする必要があります。

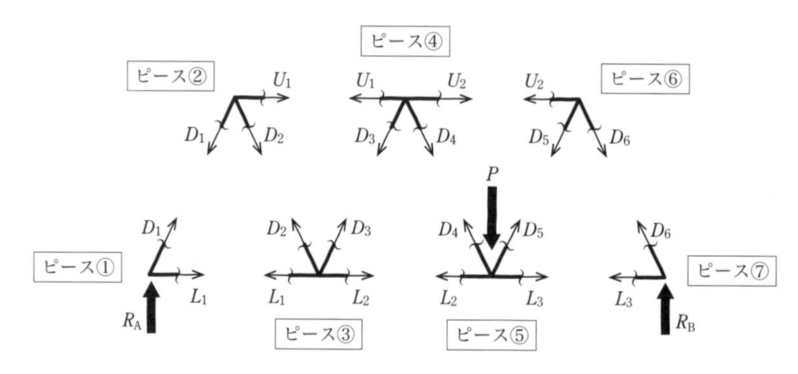

図6･28　節点法によるトラスの分割

続いて、軸力を求めたい部材に近い支点から順番に計算していきます。D_3 と L_2 を求めるには、ピース①の力のつり合い計算→ピース②の力のつり合い計算→ピース③の力のつり合い計算と計算を進めていきます。なお、ピース⑦→ピース⑥→ピース⑤→ピース④と反対側から計算しても同じ計算結果になります。

・ピース①の力のつり合い

$$\left.\begin{array}{l}\downarrow \Sigma V=0 \text{ より } -R_{\mathrm{A}}-\dfrac{\sqrt{3}}{2}D_1=0 \\ \rightarrow \Sigma H=0 \text{ より } L_1+\dfrac{1}{2}D_1=0\end{array}\right] \rightarrow \left[\begin{array}{l}D_1=-R_{\mathrm{A}}\times\dfrac{2}{\sqrt{3}}=-\dfrac{1}{3}P\times\dfrac{2}{\sqrt{3}}=-\dfrac{2\sqrt{3}}{9}P \\ L_1=-\dfrac{1}{2}D_1=\dfrac{\sqrt{3}}{9}P\end{array}\right.$$

・ピース②の力のつり合い

$$\left.\begin{array}{l}\downarrow \Sigma V=0 \text{ より } \dfrac{\sqrt{3}}{2}D_1+\dfrac{\sqrt{3}}{2}D_2=0 \\ \rightarrow \Sigma H=0 \text{ より } -\dfrac{1}{2}D_1+U_1+\dfrac{1}{2}D_2=0\end{array}\right] \rightarrow \left[\begin{array}{l}D_2=-D_1=\dfrac{2\sqrt{3}}{9}P \\ U_1=\dfrac{1}{2}(D_1-D_2)=-\dfrac{2\sqrt{3}}{9}P\end{array}\right.$$

・ピース③の力のつり合い

$$\left.\begin{array}{l}\downarrow \Sigma V=0 \text{ より } -\dfrac{\sqrt{3}}{2}D_2-\dfrac{\sqrt{3}}{2}D_3=0 \\ \rightarrow \Sigma H=0 \text{ より } -L_1-\dfrac{1}{2}D_2+\dfrac{1}{2}D_3+L_2=0 \\ \end{array}\right] \rightarrow \left[\begin{array}{l}D_3=-D_2=-\dfrac{2\sqrt{3}}{9}P \\ L_2=L_1+\dfrac{1}{2}(D_2-D_3) \\ \quad =\dfrac{\sqrt{3}}{9}P+\dfrac{2\sqrt{3}}{9}P=\dfrac{\sqrt{3}}{3}P\end{array}\right.$$

と求められ、D_3 と L_2 は切断法で求めた結果と一致しています。

続けて、ピース④の力のつり合い式より U_2 を計算します。

・ピース④の力のつり合い

$$\left.\begin{array}{l}\downarrow \Sigma V=0 \text{ より } \dfrac{\sqrt{3}}{2}D_3+\dfrac{\sqrt{3}}{2}D_4=0 \\ \rightarrow \Sigma H=0 \text{ より } -U_1-\dfrac{1}{2}D_3+\dfrac{1}{2}D_4+U_2=0 \\ \end{array}\right] \rightarrow \left[\begin{array}{l}D_4=-D_3=\dfrac{2\sqrt{3}}{9}P \\ U_2=U_1+\dfrac{1}{2}(D_3-D_4) \\ \quad =-\dfrac{2\sqrt{3}}{9}P-\dfrac{2\sqrt{3}}{9}P=-\dfrac{4\sqrt{3}}{9}P\end{array}\right.$$

と、U_2 についても切断法と同じ結果が得られました。以上の結果を軸力図に表すと、図6・29のようになります。

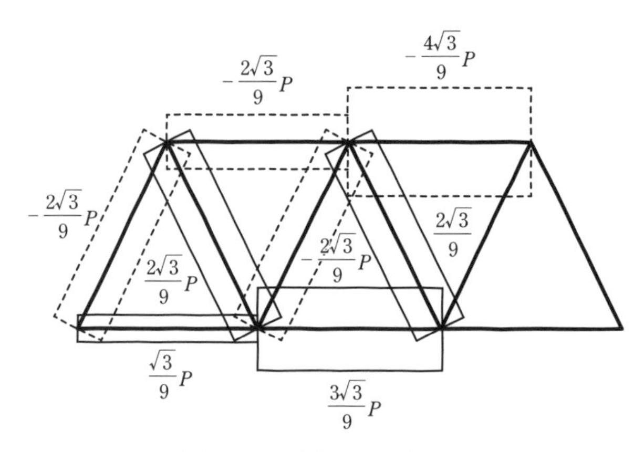

図6・29　図6・26のトラス構造の軸力図

なお、節点法は、つり合い式が水平力と鉛直力の2つで少ない反面、支点反力のかかる節点から順次計算する必要があります。そのため、支点から離れた部材の断面力の計算には手間がかかります。一方、切断法では、着目する部材の断面力を直接計算できる点で手間が少なくなりますが、モーメントのつり合い式の回転中心をうまく設定する必要があります。ですので、軸力を求めたい部材の位置や荷重の位置に応じて切断法と節点法の2つの方法をうまく使い分け、計算を省力化するように心がけましょう。

練習問題④　基本問題④の図6・26に示すトラスの軸力D_5、D_6、L_3を節点法を用いて求め、図6・29の軸力図を完成させましょう。

6・3　座屈

6・3・1　座屈とは

柱や板を圧縮すると、図6・30(a)のように圧縮力の大きさに応じて柱や板は縮みます。しかし、細長い柱や薄い板に圧縮力を加え、少しずつ力を大きくしていくと、最初はまっすぐ縮みますが、突然、荷重に直角な方向へ大きくたわみだし、最終的に折れてしまう破壊現象が生じます（図6・30(b)）。これを「**座屈**」と呼びます。身近な例としては、図6・31のように下敷きを手で挟んで圧縮すると上下にたわむ現象が挙げられます。なお、柱の座屈現象はドイツ人数学者のレオンハルト・オイラーによって明らかにされたので、彼の名前をとって「**オイラー座屈**」とも呼ばれています。

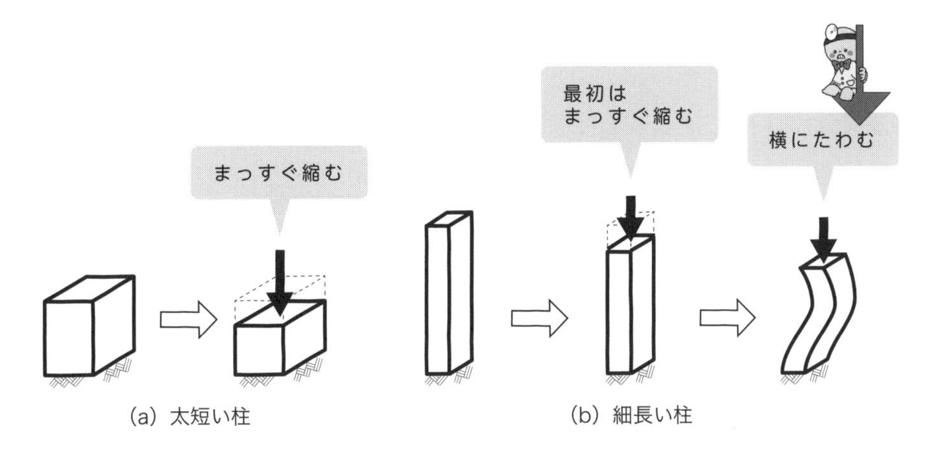

図6・30　柱の座屈

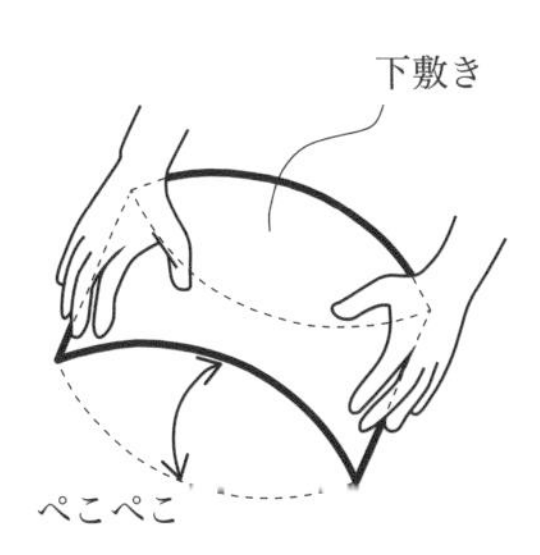

図6・31　身近な座屈の例

座屈を生じないように、部材をいくらまっすぐにつくっても、また荷重をまっすぐに作用させても、座屈は生じます。そして、座屈による横方向のたわみがいったん生じると、荷重を取り除かない限り途中でたわみを止めることはできず、最後には部材は折れてしまいます。そのため、構造物を設計する際には、座屈が生じないように慎重に設計する必要があります。

座屈が生じるときの荷重を「**座屈荷重**」と呼びます。構造物にかかる圧縮力が大きくなり、座屈が発生すると、座屈荷重を超える力を支えることができなくなります。したがって、座屈荷重は構造物の設計において重要な値となります。次節で座屈荷重の計算方法を見てみましょう。

6・3・2　柱の座屈荷重

柱の座屈荷重P_{cr}は、次式で求められます。

$$P_{cr}=\frac{\pi^2}{L_e^2}EI$$　式6・21

π：円周率（≒3.14）

L_e：有効座屈長（表6・1）

E：ヤング係数

I：柱の断面2次モーメント

有効座屈長 L_e は、柱の長さとその両端の拘束条件によって決まる長さです。座屈したときの柱の形を図6·32に示すようなsin波形に合わせたときの半波長分の長さが有効座屈長になります。代表的な有効座屈長 L_e を表6·1に示します。例えば、両端固定の柱の有効座屈長は、実際の柱の長さの2分の1になります。

表6·1　柱の有効座屈長

	両端ピン	両端固定	固定－ピン	固定－自由
柱の両端の拘束条件	L	L	L	L
有効座屈長 L_e	$L_e = L$	$L_e = \frac{1}{2}L$	$L_e = 0.7L$	$L_e = 2L$
座屈波形	L　L_e　sin 波の1波長	$L_e = \frac{L}{2}$　1波長	L　$L_e = 0.7L$	L　$L_e = 2L$　sin 波の1波長
座屈荷重 P_{cr}	$\frac{\pi^2}{L^2}EI$	$4\frac{\pi^2}{L^2}EI$	$2\frac{\pi^2}{L^2}EI$	$\frac{1}{4}\frac{\pi^2}{L^2}EI$

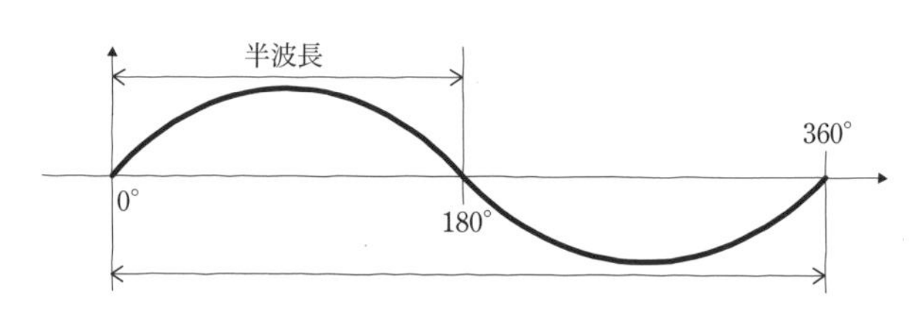

図6·32　sin 波形の例

柱の断面2次モーメントは、長方形断面の場合であれば強軸まわりと弱軸まわりの断面2次モーメントを計算できますが、実際には最も小さな座屈荷重で座屈が発生します。そのため、座屈荷重を求める際には最も小さな断面2次モーメントの値、すなわち弱軸まわりの断面2次モーメントで計算することになります。さらに、強軸まわりと弱軸まわりの柱の拘束条件が異なる場合には、断面2次モーメントだけでなく、有効座屈長も含めて座屈荷重の最も小さくなる組み合わせを考えなければなりません。

では、基本問題で座屈荷重を求めてみましょう。

基本問題⑤　図6･33に示す断面が1辺120mmの正方形で、長さが3mの柱の座屈荷重を求めましょう。ただし、ヤング係数は$2 \times 10^5 \mathrm{N/mm^2}$とします。

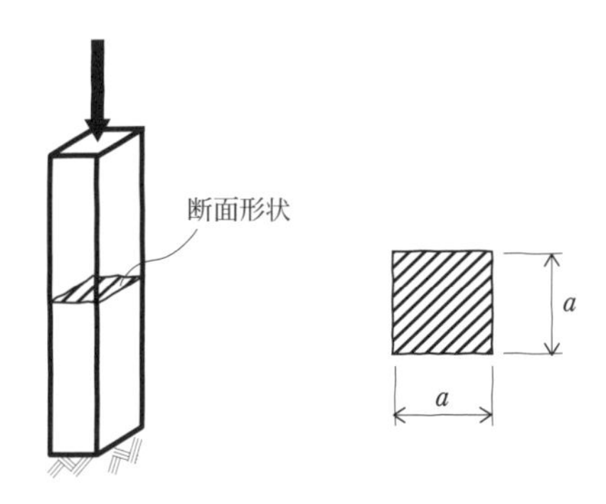

図6･33　下端固定・上端自由の柱

解答例

柱の断面2次モーメントIは、

$$I = \frac{a^4}{12} = 17{,}280{,}000 \mathrm{mm}^4$$

となります。図6･33を見ると柱の下端は固定、上端は自由で、拘束条件は固定-自由となり、有効座屈長L_eは柱の長さの2倍で6mとなります。

したがって、座屈荷重P_{cr}は、

$$P_{cr} = \frac{\pi^2}{L_e^2} EI = \frac{3.14^2}{6{,}000^2} \times 2 \times 10^5 \times 17{,}280{,}000 = 946{,}521\mathrm{N} = 946.521\mathrm{kN}$$

と計算できます。

6章　もう一歩先の構造力学

練習問題⑤ 表6･2に示す柱の座屈荷重を計算し、その値が大きい順に並べましょう。㊡

表6･2

	(a)	(b)	(c)	(d)
固定条件	両端ピン	両端固定	固定―ピン	固定―自由
柱の長さ	L	$1.5L$	$1.2L$	$0.7L$
ヤング係数	E	$\frac{1}{3}E$	E	E
柱の断面 2次モーメント	I	$1.6I$	$0.6I$	$2.6I$
座屈荷重 P_{cr}				

6･4 エネルギー法

6･4･1 エネルギー法の原理

エネルギー法は、後述する「エネルギー保存則」の考え方を構造力学に適用した計算法です。この計算法を用いることで、一見複雑そうなトラス構造のたわみ量を簡単に求めることができます。

ここで、エネルギーについて簡単におさらいしておきましょう。図6･34に示すばね定数kのばねを指で押し縮めると力が発生します。この力Pは、物理学で習った**フックの法則**にしたがってばねの縮み量xに比例し、

$$P=kx \qquad \text{式6･22}$$

と表されます。このフックの法則をグラフに描くと、図6･35のようになります。

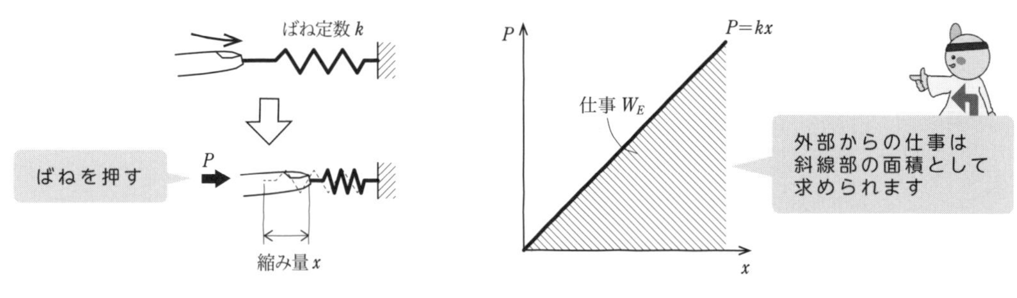

図6･34　指で縮められたばね

図6･35　フックの法則

一方、ばねに対して指がした仕事W_Eは、力×距離で求められますので、図6･35の斜線部の三角形の面積として下式により計算できます。

$$W_E=\frac{1}{2}Px=\frac{1}{2}kx^2$$ 式6･23

となります。なお、ばねに対して指がした仕事は「**外部からの仕事**」であり、記号W_Eの添え字Eは「外部」を意味するExternalの頭文字を表しています。

さて、この指がした仕事は最終的にどこに行ったのでしょうか？　ばねを押す指には、ばねから反発する力が働いています。つまり、ばね内部には指を押し返そうとするエネルギーが蓄積しているのです。このようなエネルギーを「**内部エネルギー**」と呼び、記号にはW_Iを使います（添え字Iは「内部」を意味するInternalの頭文字を表しています）。

つまり、ばね内部には

$$W_I=\frac{1}{2}kx^2$$ 式6･24

の内部エネルギーが溜まっていることになり、この内部エネルギーと指がした仕事（外部からの仕事）が等しく、

$$W_E=W_I$$ 式6･25

という関係が成立しています。この関係は「**エネルギー保存則**」と呼ばれています。

構造力学ではばね以外も扱いますので、力と距離を一般化して考えてみましょう。式6･22における力Pを応力σに、距離xをひずみεに、ばね定数kをヤング係数Eに置き換えると、応力σとひずみεの関係は、

$$\sigma=E\varepsilon$$ 式6･26

となります。これをグラフに表すと、図6･36のようになります。

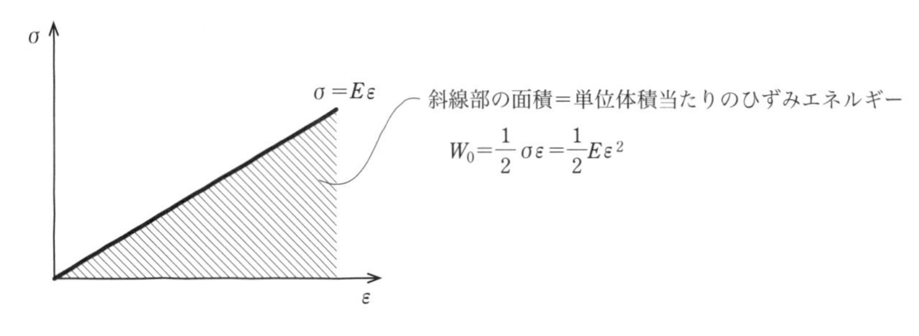

図6･36　応力–ひずみ関係

応力は単位面積当たりの力、ひずみは単位長さ当たりの変位を表しています。したがって、図6･35と図6･36を比較すると、図6･36の縦軸は長さの2乗、横軸は長さの1乗で割っていることになるので図6･36の斜線部は単位体積当たりに溜まる内部のひずみエネルギーを表していることになります。この単位体積当たりの内部エネルギーW_0はグラフ$\sigma=E\varepsilon$の下の面積で求められ、

6章　もう一歩先の構造力学

$$W_0=\frac{1}{2}\sigma\varepsilon=\frac{1}{2}E\varepsilon^2$$ 式6・27

となります。このW_0のことを「**内部ひずみエネルギー密度**」と呼びます。

次に、軸力のみが生じるトラス部材でひずみエネルギーを考えてみましょう。図6・37に示すようなヤング係数がE、断面積がA、長さがLのトラス部材を荷重Pで圧縮し、そのときの縮み量をΔLとします。

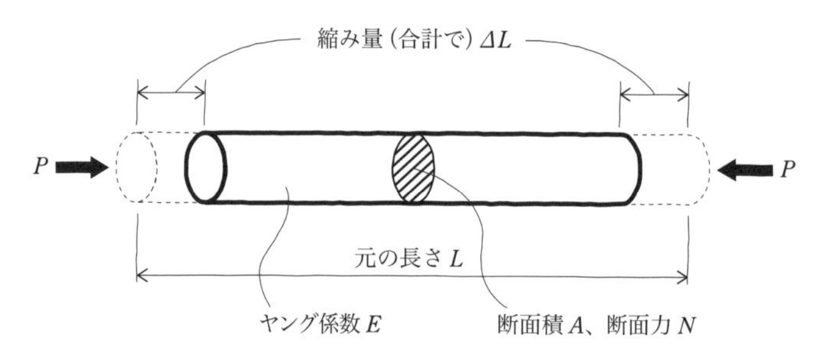

図6・37　圧縮力が働くトラス部材

部材内部に発生する応力σは、4章に示した式4・1により、断面力N（＝荷重P）を用いて、

$$\sigma=\frac{N}{A}$$ 式6・28

と表されます。

一方、式6・26を変形し、式6・28を代入すると、ひずみεは、

$$\varepsilon=\frac{\sigma}{E}=\frac{N}{EA}$$ 式6・29

と表すことができます。

また、縮み量ΔLは、ひずみεの定義式（4章の式4・4）を変形して、

$$\Delta L=\varepsilon L$$ 式6・30

と表されます。

式6・28～6・30より荷重Pと縮み量ΔLの関係式を導くことができます。

$$N=\sigma A=EA\varepsilon=\frac{EA}{L}\Delta L=P$$ 式6・31

縦軸を荷重P、横軸を縮み量ΔLとして、この関係式をグラフに表したものが図6・38です。図6・35や図6・36のグラフと比較すると、縦軸と横軸がPとΔLに置き換わったグラフになっていることがわかります。

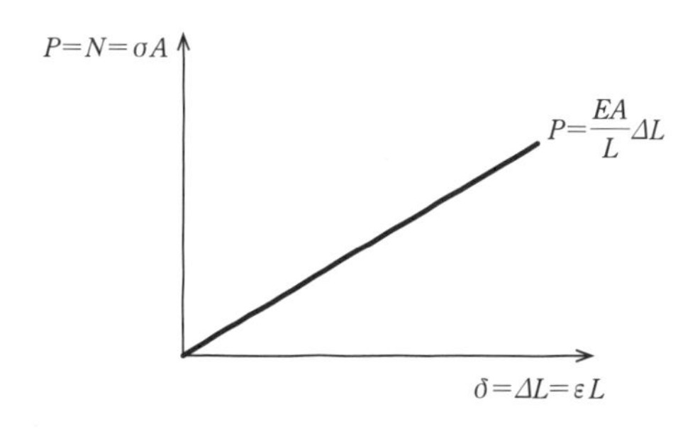

図6･38　トラス部材の荷重と縮み量の関係

このグラフから、トラス部材の外部からの仕事 W_E は縦軸の荷重 P と横軸の縮み量 ΔL により、

$$W_E=\frac{1}{2}P\Delta L \qquad \text{式6･32}$$

と表されます。

一方、内部エネルギー W_I は縦軸の σA と横軸の εL により、

$$W_I=\frac{1}{2}\sigma A\varepsilon L \qquad \text{式6･33}$$

と表すことができます。ここで、式6･33の右辺は単位体積当たりのひずみエネルギー（式6･27の $\frac{1}{2}\sigma\varepsilon$）にトラス部材の体積（$A\times L$）を乗じたものと考えることができます。

続いて、式6･33に式6･28と式6･29を代入すると、

$$W_I=\frac{1}{2}\times\frac{N}{A}\times A\times\frac{N}{EA}\times L=\frac{N^2L}{2EA} \qquad \text{式6･34}$$

となります。エネルギー保存則より外部仕事と内部エネルギーは等しいことから、次式が成立します。

$$W_I=\frac{N^2L}{2EA}=\frac{1}{2}P\Delta L=W_E \qquad \text{式6･35}$$

6･4･2　エネルギー法によるトラス構造のたわみ計算

本項では、エネルギー法の具体的な計算例を見てみましょう。図6･39に示すような、中央部に荷重が作用するトラス構造を考えます。荷重 P が作用している節点のたわみ量 δ（デルタ）はどのようにして求められるでしょうか。例えば、断面力を断面積で割ることで応力、応力をヤング係数で割ることでひずみ、ひずみにトラス部材の長さをかけることで部材の伸び縮み量を求めることができますが、各部材の伸び縮み量からたわみ量 δ を正確に計算することは至難の業です。それに対して、このエネルギー保存則の考え方を適用することで簡単にたわみ量 δ を求めることが可能になります。

では、エネルギー法の計算手順を見ていきましょう。

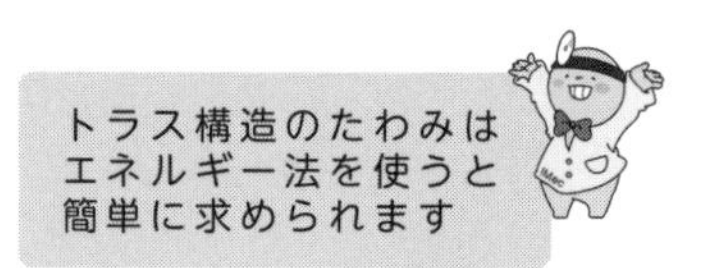

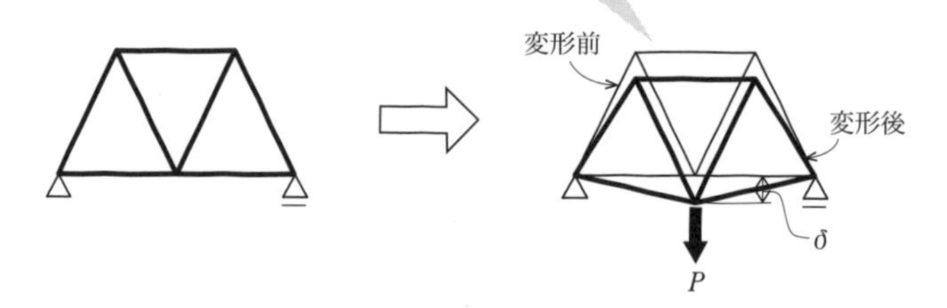

図6･39　荷重が作用するトラス構造

まず、外部仕事W_Eを考えます。外部仕事は、式6･23より荷重Pとたわみ量δを用いて下式で表されます。

$$W_E=\frac{1}{2}P\delta \qquad \text{式6･36}$$

一方、内部エネルギーW_Iは、式6･35で求められる各部材の内部エネルギーの総和として求められ、

$$W_I=\Sigma\frac{N^2L}{2EA} \qquad \text{式6･37}$$

と表されます。各トラス部材では、荷重Pが作用することによりなんらかの断面力Nが発生し、変形が生じており、それぞれに内部エネルギーしているを蓄積しています。したがって、右辺の総和記号（Σ）は、個々の部材について個別に内部エネルギー$\frac{N^2L}{2EA}$を求め、合計することを意味しています。

エネルギー保存則$W_E=W_I$より、たわみ量δの計算式が得られます。

$$\frac{1}{2}P\delta=\Sigma\frac{N^2L}{2EA}$$

$$\delta=\frac{\Sigma\frac{N^2L}{EA}}{P}$$

基本問題①　図6･40に示すトラスのC点の鉛直たわみ量δ_Cをエネルギー法を用いて求めましょう。部材の伸び剛性はすべてEAとします。

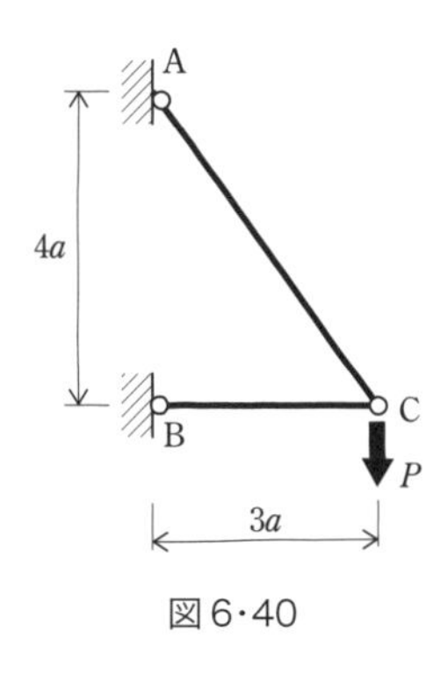

図6･40

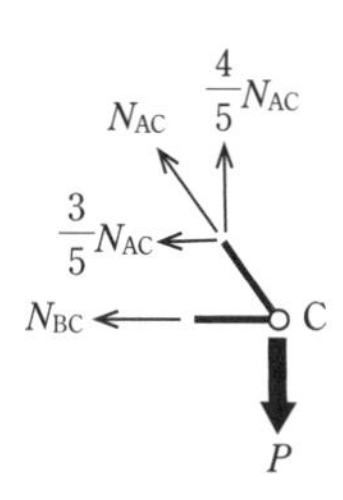

図6･41　C点まわりの軸力の算定

解答例

まず、節点法でトラス部材の軸力を求めます。図6･41に示すようにC点まわりでトラスを切断し、鉛直方向の力のつり合いからA–C部材の軸力N_{AC}が求められます。

$$\downarrow \Sigma V=0 \text{より}\quad -\frac{4}{5}N_{AC}+P=0 \quad \Rightarrow \quad N_{AC}=\frac{5}{4}P$$

続いて、水平方向の力のつり合いからB–C部材の軸力N_{BC}が求められます。

$$\rightarrow \Sigma H=0 \text{より}\quad -N_{BC}-\frac{3}{5}N_{AC}=0 \quad \Rightarrow \quad N_{BC}=-\frac{3}{5}\times\frac{5}{4}P=-\frac{3}{4}P$$

これらを式6･37に代入し、内部ひずみエネルギーW_Iを計算します。ここで、A–C部材の部材長が$5a$であることに注意してください。

$$W_I=\frac{\left(\frac{5}{4}P\right)^2\times 5a}{2EA}+\frac{\left(-\frac{3}{4}P\right)^2\times 3a}{2EA}=\frac{19P^2a}{4EA}$$

一方、外部仕事W_Eは、

$$W_E=\frac{1}{2}P\delta_C$$

と表されます。したがって、エネルギー保存則$W_I=W_E$よりC点の鉛直たわみは、

$$\frac{19P^2a}{4EA}=\frac{1}{2}P\delta_C$$

$$\delta_C=\frac{19Pa}{2EA}$$

と求められます。

6･4･3　相反作用の定理

本項で取り上げる**相反作用の定理**は、先に解説したエネルギー法の一種で、複数の荷重をかけるときの順番は影響しないことから導かれる、荷重の大きさとたわみ量を関係づけた定理です。図6･42のように単純ばりに2つの荷重を作用させる場合を考えてみましょう。荷重を載せる順番としては、先にP_1を載せて後からP_2を載せる場合と、先にP_2を載せて後からP_1を載せる場合の2通りが考えられますが、両方の荷重が載る最終的な状態は同一になるため、順序に関係なく外部仕事は等しくなります。したがって、$P_1 \to P_2$の順に載せたときの外部仕事をW_{E1+2}、$P_2 \to P_1$の順に載せたときの外部仕事をW_{E2+1}とすると、2つの外部仕事は等しく、

$$W_{E1+2} = W_{E2+1} \quad \text{式6･38}$$

という関係が成立します。

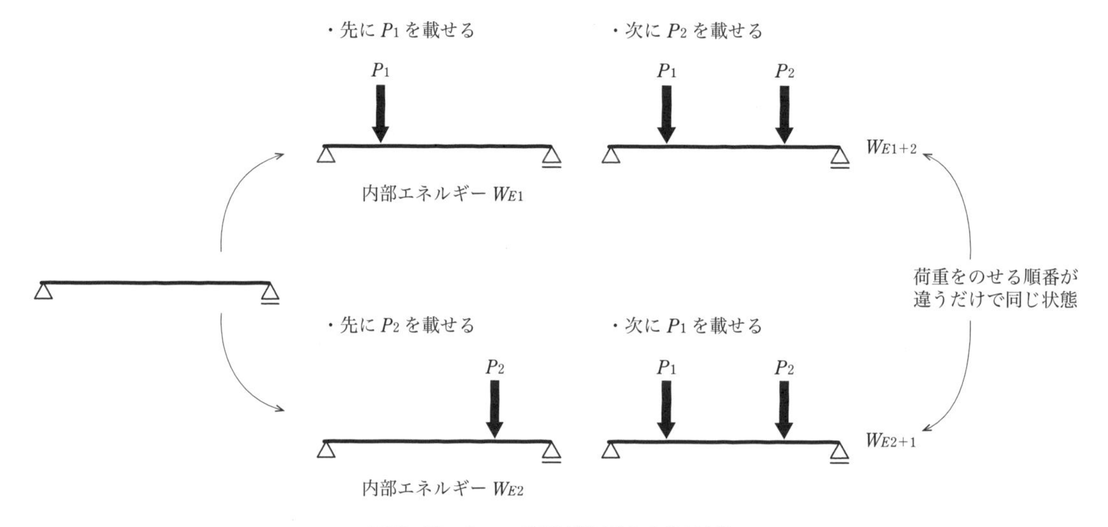

図6･42　2つの荷重が作用する単純ばり

ここで、$P_1 \to P_2$の順番で荷重を載せる場合を考えてみましょう。図6･43のようにP_1を載せたとき、P_1の位置のたわみ量をδ_{11}とします。このときの外部仕事W_{E1}は、

$$W_{E1} = \frac{1}{2} P_1 \delta_{11} \quad \text{式6･39}$$

と表されます。荷重Pとたわみδの関係をグラフで表すと、図6･44(a)のようになります。

次に、図6･45のようにP_1が載った状態でP_2を載せます。P_2を載せたことによるP_1位置のたわみ量をδ_{12}、P_2位置のたわみ量をδ_{22}とすると、P_2を載せたことによる外部仕事$W_{E1\to2}$は、

$$W_{E1\to2} = P_1 \delta_{12} + \frac{1}{2} P_2 \delta_{22} \quad \text{式6･40}$$

となります。ここで、荷重P_1が載る位置では荷重P_2が載ることによるたわみδ_{12}が生じますが、力の大きさに変化はなく単に下に移動しているだけであるため、仕事は$P_1 \delta_{12}$と求められること

に注意してください（荷重P_1とたわみ量δ_{12}は、図6･44 (a) に示すフックの法則のような比例関係にはないため、仕事はグラフにおける三角形の面積ではなく、図6･44 (b) のように力と距離の積として表されます)。

以上より、$P_1 \rightarrow P_2$の順で荷重を載せた場合の外部仕事W_{E1+2}は、

$$W_{E1+2}=W_{E1}+W_{E1\rightarrow 2}=\frac{1}{2}P_1\delta_{11}+\frac{1}{2}P_2\delta_{22}+P_1\delta_{12} \quad \text{式6･41}$$

となります。

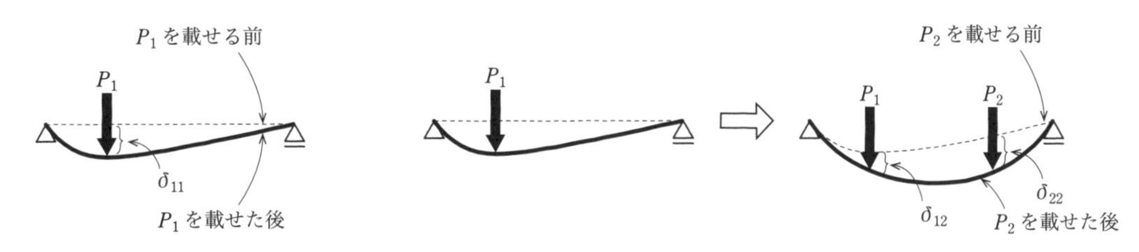

図6･43　荷重P_1を載せた状態

図6･45　さらに荷重P_2を載せた状態

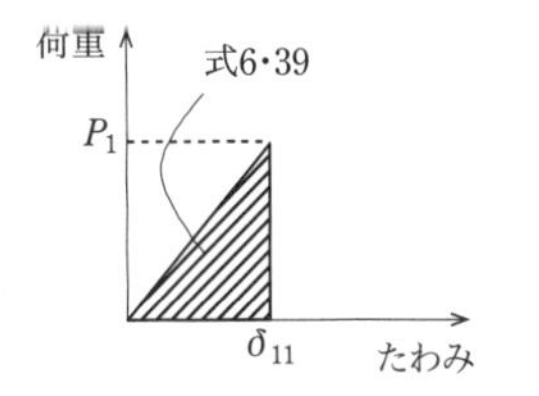

(a) 荷重P_1を載せ終わったときのP_1の仕事

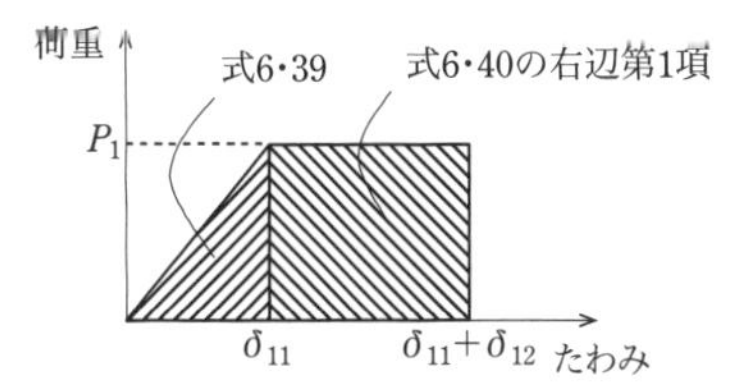

(b) 荷重P_2を載せ終わったときのP_1の仕事

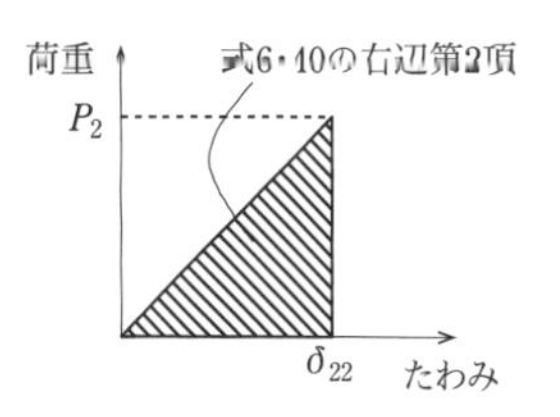

(c) 荷重P_2を載せ終わったときのP_1の仕事

図6･44　荷重、たわみと仕事の関係

続いて、逆の$P_2 \rightarrow P_1$の順で荷重を載せる場合を考えてみましょう。荷重P_2をはりに載せたときの外部仕事W_{E2}は、

$$W_{E2}=\frac{1}{2}P_2\delta_{22} \quad \text{式6･42}$$

と表されます（図6･46)。ここにさらにP_1を載せたときの外部仕事$W_{E2\rightarrow 1}$は、

$$W_{E2\rightarrow 1}=P_2\delta_{21}+\frac{1}{2}P_1\delta_{11} \quad \text{式6･43}$$

となります（図6･47)。以上より、外部仕事の合計W_{E2+1}は、

$$W_{E2+1}=W_{E2}+W_{E2\rightarrow 1}=\frac{1}{2}P_2\delta_{22}+\frac{1}{2}P_1\delta_{11}+P_2\delta_{21} \quad \text{式6･44}$$

と表されます。

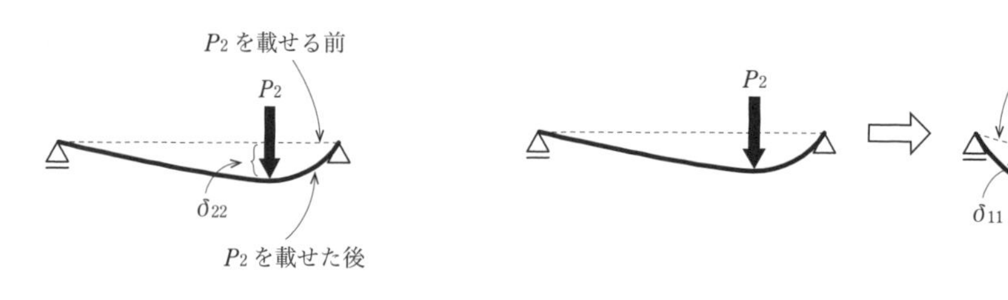

図6･46　荷重P_2を載せた状態　　図6･47　さらに荷重P_1を載せた状態

荷重を載せる順番に関係なく外部仕事の合計は等しくなりますので（式6･38に式6･41と式6･44に代入）、

$$\frac{1}{2}P_1\delta_{11}+\frac{1}{2}P_2\delta_{22}+P_1\delta_{12}=\frac{1}{2}P_2\delta_{22}+\frac{1}{2}P_1\delta_{11}+P_2\delta_{21}$$

これを整理すると、下式が得られます。

$$P_1\delta_{12}=P_2\delta_{21} \qquad \text{式6･45}$$

この式6･45を「**ベッティの相反作用の定理**」といい、「荷重P_1」と「荷重P_2によりP_1の作用点に生じたたわみ量δ_{12}」との積は、「荷重P_2」と「荷重P_1によりP_2の作用点に生じたたわみ量δ_{21}」との積に等しいことを示しています（図6･48）。なお、δの添字の1桁目はたわみ量を示す位置、2桁目は荷重の載荷位置を表しています。

また、$P_1=P_2$の場合、式6･45は下式となります。

$$\delta_{12}=\delta_{21} \qquad \text{式6･46}$$

この式6･46を「**マクスウェルの相反作用の定理**」といい、荷重P_1とP_2の大きさが等しい場合にはたわみ量δ_{12}とδ_{21}も等しくなることを示しています（図6･48）。

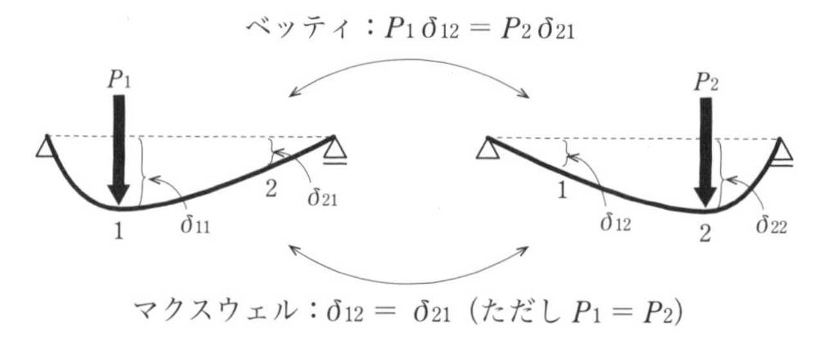

図6･48　相反作用の定理

基本問題⑦　図6･49に示す片持ばりの中央に荷重P_1をかけたときの先端のたわみ量δ_{21}と、片持ばりの先端に荷重P_2をかけたときの中央のたわみ量δ_{12}を計算して相反作用の定理が成り立つことを確かめてみましょう。はりの長さをL、曲げ剛性をEIで一定とします。

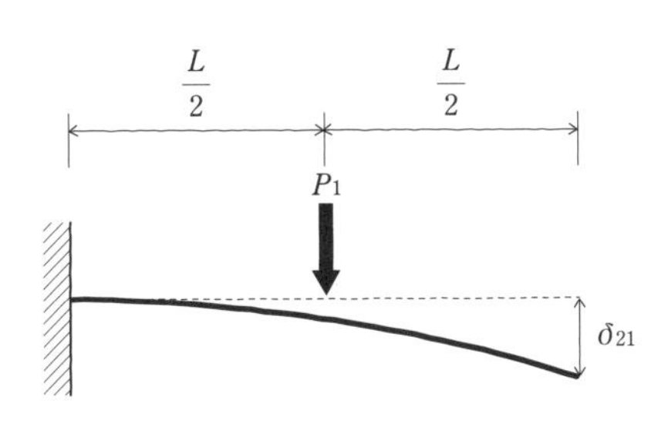

(a) 中央に荷重が作用する場合

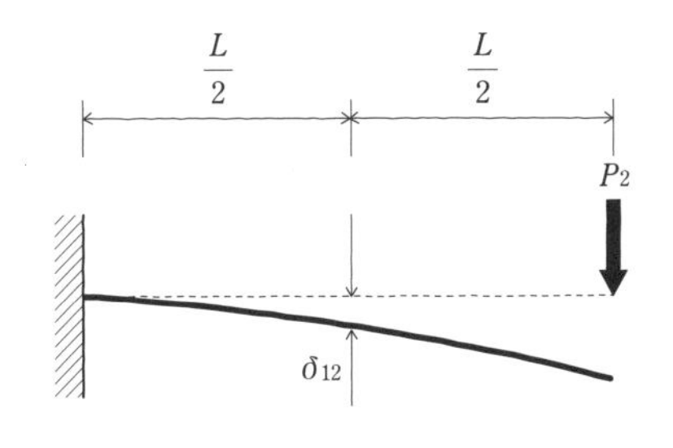

(b) 先端に荷重が作用する場合

図6･49　荷重が作用する片持ばり

解答例

はりのたわみを単位荷重法（5･6節）で求めてみましょう。図6･50に図6･49(a)(b) それぞれの実系と仮想系およびそのモーメント図を示します。

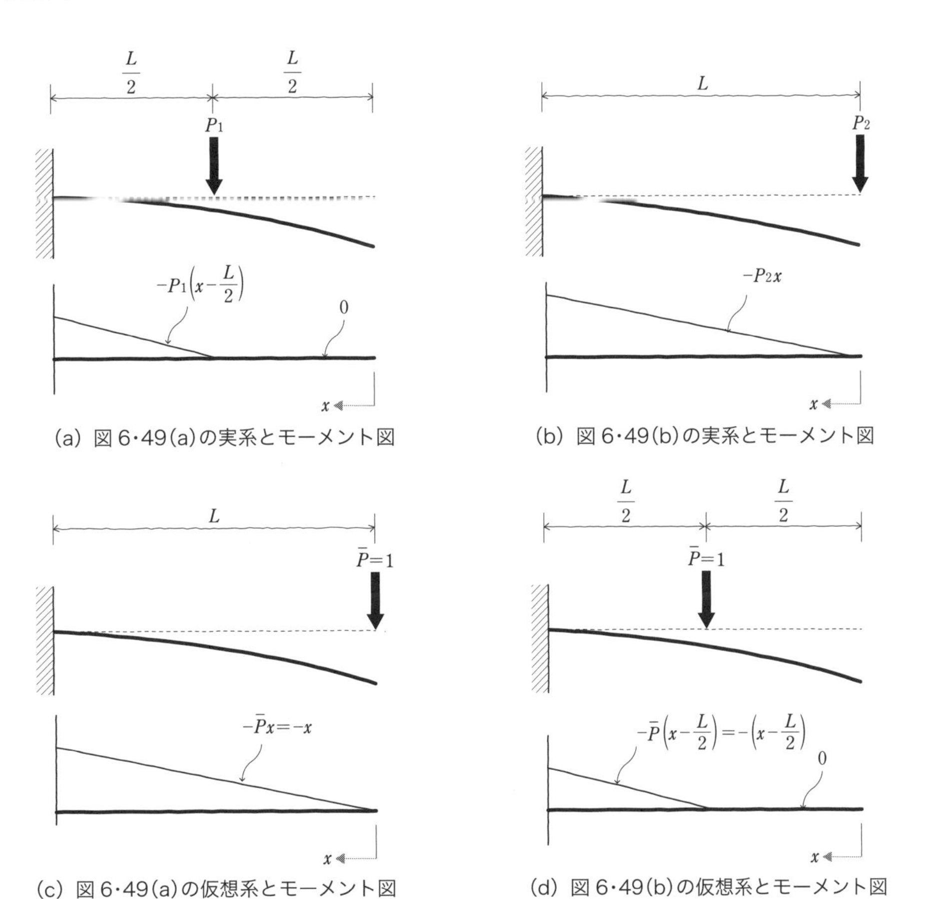

図6･50　単位荷重法による片持ばりのたわみの計算（実系と仮想系）

まず図6･49(a) のたわみ δ_{21} を求めます。実系の曲げモーメントの計算式が $x=\frac{L}{2}$ を境にして異なるため、積分区間を分けて、

$$\delta_{21}=\int_0^{\frac{L}{2}}\frac{M\bar{M}}{EI}\mathrm{d}x+\int_{\frac{L}{2}}^{L}\frac{M\bar{M}}{EI}\mathrm{d}x$$

で計算します。右辺の第1項は$M=0$であることから積分も0となりますので、第2項のみを計算すると、

$$\delta_{21}=\int_{\frac{L}{2}}^{L}\frac{-P_1\left(x-\frac{L}{2}\right)(-x)}{EI}\mathrm{d}x=\frac{P_1}{EI}\int_{\frac{L}{2}}^{L}\left(x^2-\frac{L}{2}x\right)\mathrm{d}x=\frac{P_1}{EI}\left[\frac{x^3}{3}-\frac{Lx^2}{4}\right]_{\frac{L}{2}}^{L}=\frac{5P_1L^3}{48EI}$$

と求められます。図6･49(b)のたわみδ_{12}も同様に計算することで、

$$\delta_{12}=\int_0^{\frac{L}{2}}\frac{\bar{M}M}{EI}\mathrm{d}x+\int_{\frac{L}{2}}^{L}\frac{\bar{M}M}{EI}\mathrm{d}x=\int_{\frac{L}{2}}^{L}\frac{-P_2x\left\{-\left(x-\frac{L}{2}\right)\right\}}{EI}\mathrm{d}x=\frac{P_2}{EI}\int_{\frac{L}{2}}^{L}\left(x^2-\frac{L}{2}x\right)\mathrm{d}x=\frac{5P_2L^3}{48EI}$$

となります。

これらの計算結果から、

$$P_1\delta_{12}=P_2\delta_{21}=\frac{5P_1P_2L^3}{48EI}$$

となり、ベッティの相反作用の定理が成り立っていることが確かめられました。

また、$P_1=P_2=P$とすると、

$$\delta_{12}=\delta_{21}=\frac{5PL^3}{48EI}$$

となり、マクスウェルの相反作用の定理も成り立っていることが確かめられます。

7章 構造力学で用いる数学

7・1 数学は構造力学の道具

図7・1に示すように、構造物に作用する力や、それによって発生する力や変形は、単に「大きい」「小さい」という数値で表されない定性的な尺度では、実際の大きさが明確ではないため、構造物として設計や施工ができません。このため、構造力学では、図7・2に示すように力や変形を定量的に数値として表し、構造物に作用する力から断面力や変形をベクトルや微分・積分などの数学を使って求めます。いわば、数学は構造力学の問題を解くための道具なのです。

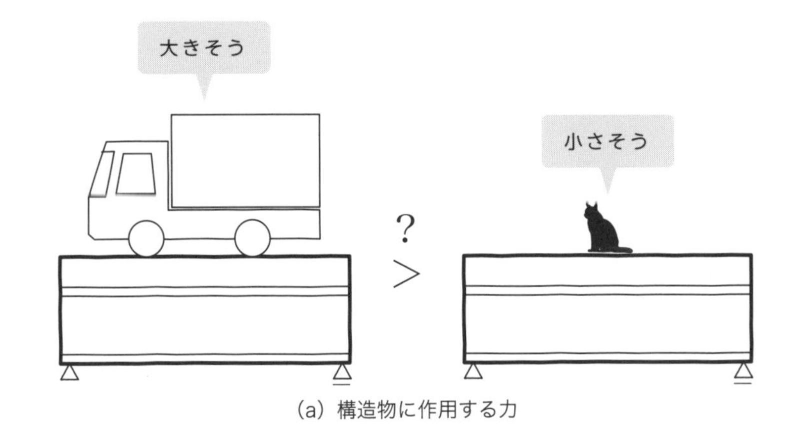

(a) 構造物に作用する力

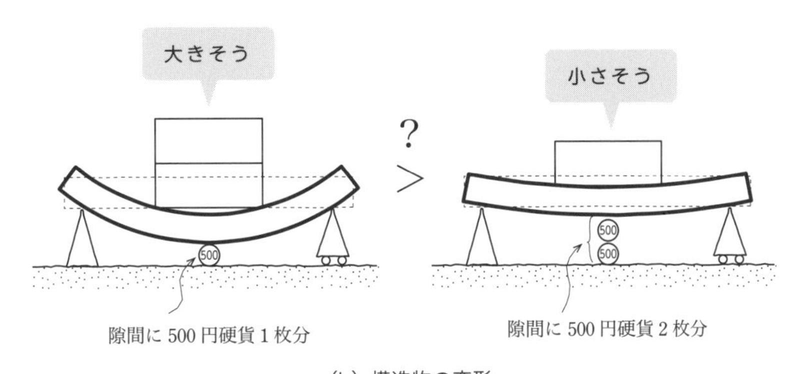

(b) 構造物の変形

図7・1 力と変形の定性的な表現

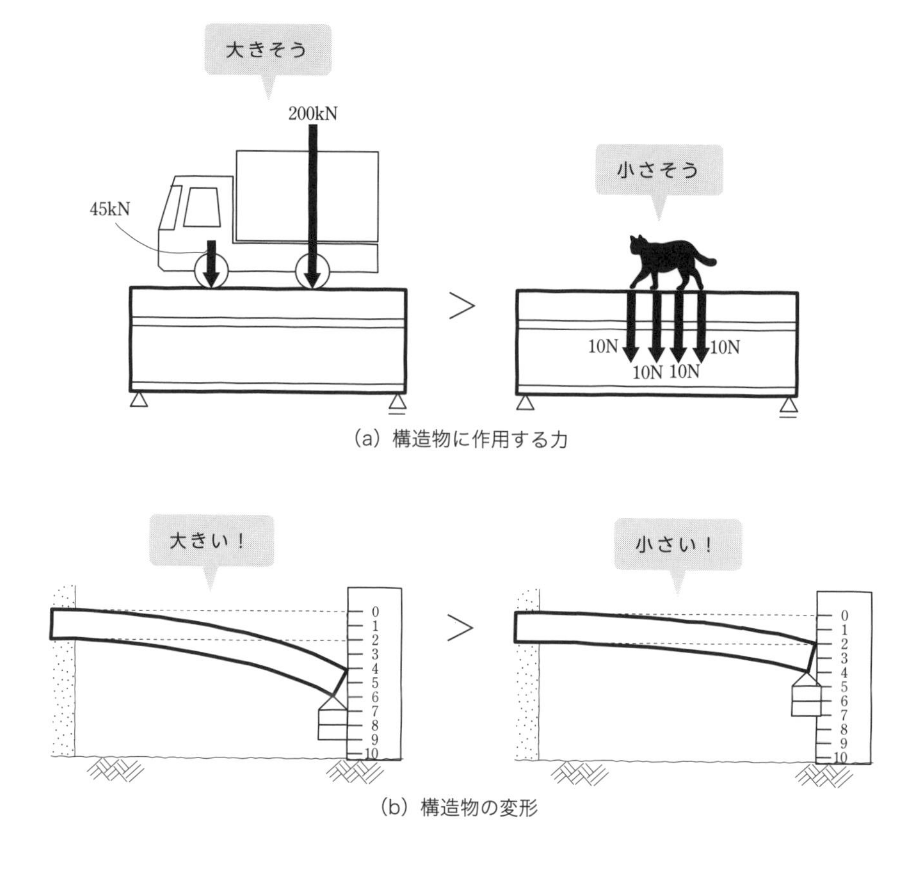

図7･2　力と変形の定量的な表現

本章では、構造力学において断面力や変形を表現する際に使用される多項式関数について説明します。加えて、変形を計算するために必要な微分・積分、さらにはたわみ曲線を求める際に必要となる微分方程式とその解き方についても解説していきます。

7･2　力の数学的表現

まったく手ごたえがないことを、ことわざで「暖簾に腕押し」といいます。これは、図7･3に示すように、暖簾に力をかけて押しても暖簾はめくれあがり、力をかけている人間が前のめりになってしまうことが語源になっています。一方、図7･4に示すように、丈夫な壁に力をかけて押しても壁は微動だにせず、人間が前のめりになってしまうことはありません。

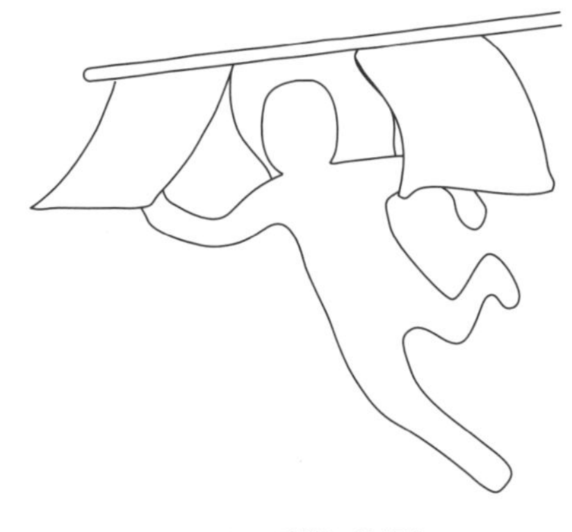

図7･3　暖簾に腕押し

図7･4　壁を押す状況

暖簾は押された力に抵抗できないため、暖簾を手で押すと前のめりになりますが、丈夫な壁は押し付ける力と同じ力で人を押し返すため、壁も人も微動だにしません。このように、力は我々にとって非常に身近なものですが、目には見えないため、何らかの形で目に見えるように表す必要があります。そこで、人が壁を押す状況であれば図7･5、人が荷物を持ち上げる状況であれば図7･6に示すように、力を「**ベクトル**」と呼ばれる矢印で表します。

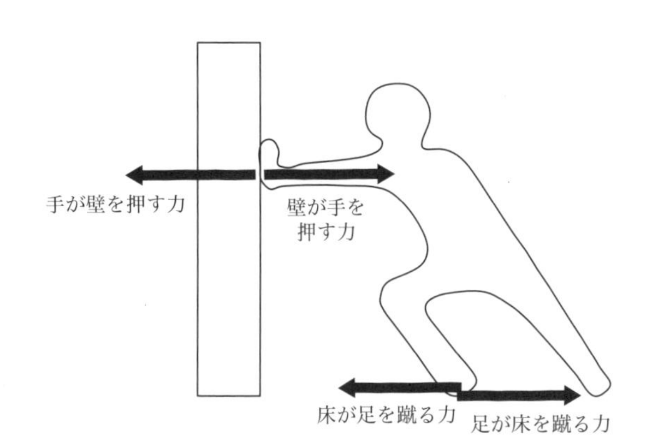

図7･5　壁と人、人と床に生じる力

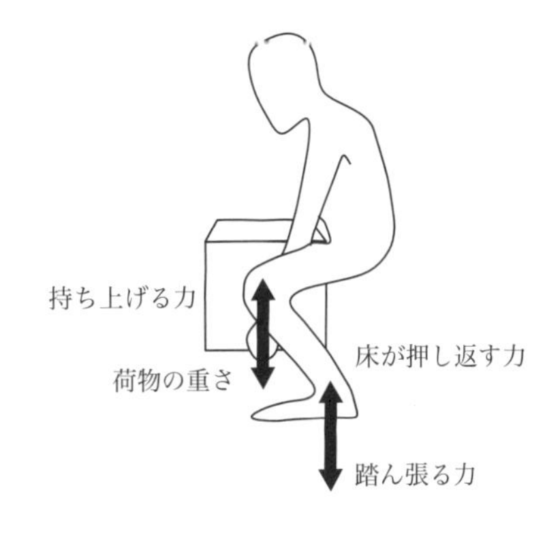

図7･6　荷物と人、人と床に生じる力

構造力学で扱う力は、「**大きさ**」「**作用点**」と「**方向**」の3つの要素で表され、これらを「**力の3要素**」と呼びます。この力の3要素は、図7･7に示すように、ベクトルを使うことで容易に表現でき、力の大きさは矢印の長さ、力の作用点は矢印の始点、そして力の作用方向は矢印の向きで表されます（表7･1）。

表7･1　力の3要素とベクトルの対応

力の3要素		ベクトル
力の大きさ	⇔	矢印の長さ
力の作用点	⇔	矢印の始点
力の方向	⇔	矢印の方向

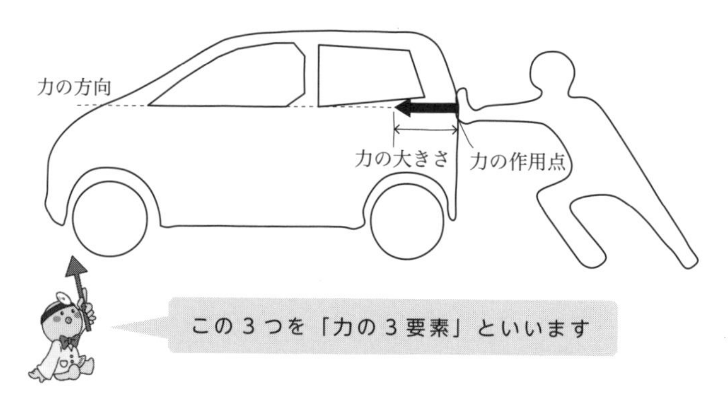

図7･7　手が車を押す力のベクトルによる表現

7･3　多項式関数

図7･8に示すように、自動販売機に硬貨を入れて、ボタンを押すとジュースが出てきます。紙幣を使ったとしても、選んだジュースやお釣りが出てきます。すなわち、自動販売機はお金をジュースに変える役目を持っています。この自動販売機と同じような役目を果たすのが関数です。図7･9に示すように、関数にある値aを入れるとbという値が、ある値cを入れるとdという値が出てきます。

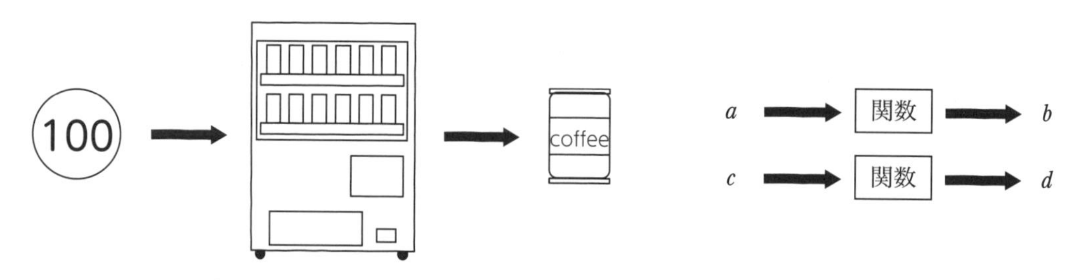

図7･8　自動販売機でジュースを買う状況

図7･9　関数の役目

まずは簡単な関数の例から見ていきましょう。構造力学では、本書の3章で説明したはりの曲げモーメントやせん断力、5章で説明したはりのたわみ曲線やたわみ角の分布を表すのに関数が用いられていました。例として、図7･10に示す片持ばりについて、固定端A点から右向きにx軸をとった場合の曲げモーメントMとせん断力Qを考えてみましょう。曲げモーメントとせん断力はxの関数としてそれぞれ次式で表されます。ここで、曲げモーメントMとせん断力Qは図7･11に示す向きを正とします。

$$M=-P(L-x) \qquad \text{式7･1}$$

$$Q=P \qquad \text{式7･2}$$

曲げモーメントMはA点からの距離xの大きさによって値が変化する関数ですが、せん断力Qはxに関係なく一定の値をとります。このせん断力Qのように一定の値をとる場合も関数ということができます。

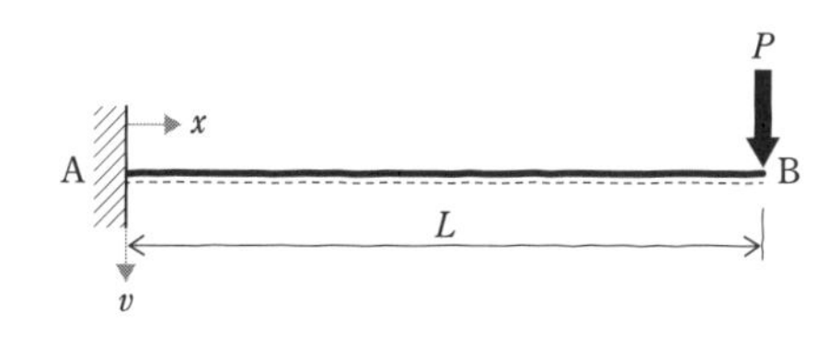

図7･10　集中荷重を受ける片持ばり

図7･11　断面力の正の向き

また、図7･10において、はりの曲げ剛性をEI、たわみをv（下向きを正）とすると、たわみ曲線は次式で表されます。

$$v=-\frac{P}{EI}\left(\frac{x^3}{6}-\frac{L}{2}x^2\right)=-\frac{P}{6EI}x^3+\frac{PL}{2EI}x^2 \qquad \text{式7･3}$$

式7･1～7･3に示すPやL、EIは定数、xは場所を表す変数ですので、これらは次のようにxを含まない定数（式7･4）、xの1乗を含む1次式（式7･5）、xの3乗を含む3次式（式7･6）などと同じ関数になります。ここで、$f(x)$は変数xの関数であることを意味しています。

$$f(x)=5 \qquad \text{式7･4}$$

$$f(x)=2x-3 \qquad \text{式7･5}$$

$$f(x)=2x^3+4x^2+3x-1 \qquad \text{式7･6}$$

式7･4～7･6を一般化すると、次のように表されます。

$$f(x)=a_n x^n+a_{n-1}x^{n-1}+\cdots\cdots+a_1x+a_0x^0 \qquad \text{式7･7}$$

ここで、a_nは定数、nは0、1、2、…の自然数を表しています。

構造力学で取り扱う関数の多くは、このような形で表される関数であり、「**多項式関数**」と呼ばれています。本章ではこの多項式関数を中心として、微分・積分や微分方程式の解法について学んでいきます。

基本問題①　式7･1～7･3をもとに、図7･10に示す片持ちばりの曲げモーメント図、せん断力図、たわみ曲線を図示しましょう。

解答例

図7･10に示すようにA点から右向きにx軸をとった場合、曲げモーメント図、せん断力図とたわみ曲線は、それぞれ図7･12(a)～(c)になります。

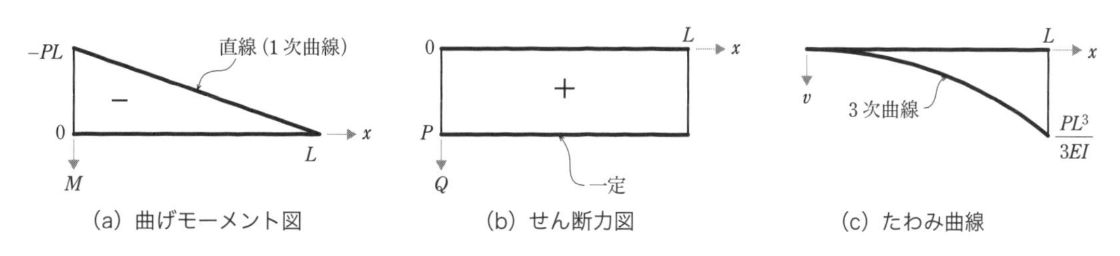

図7･12　片持ばりの曲げモーメント図、せん断力図、たわみ曲線

7・4　微分

本節では、微分の最低限の知識について説明します（より理解を深めたい人は、巻末に示す参考文献5などを参照してください）。

7・4・1　微分の考え方

始発駅を出発して速度120km/hまで加速し、その速度を保って走る特急列車を考えます（図7・13）。この特急列車の速度を分速［km/min］に換算すると、次のようになります。

$$120\text{km/h}=\frac{120\text{km}}{60\text{min}}=2\text{km/min}$$

一方、特急列車の速度が120km/hの一定速度になった状態での走行距離L［km］と経過時間t［min］の関係は次式で表されます。

$$L=2t \qquad \text{式7・8}$$

加えて、300km/hで走行する新幹線の場合を考えてみましょう。この新幹線の分速は5km/minで、走行距離Lと経過時間tの関係は$L=5t$と表されます。

両者の走行距離と経過時間の関係をグラフに図示すると、図7・14のようになります。直線の傾きを比べると、特急列車の場合よりも新幹線の場合の方が急であり、これを「傾きが大きい」といいます。すなわち、図7・14のグラフでは、速度が大きいほど傾きが大きくなっています。

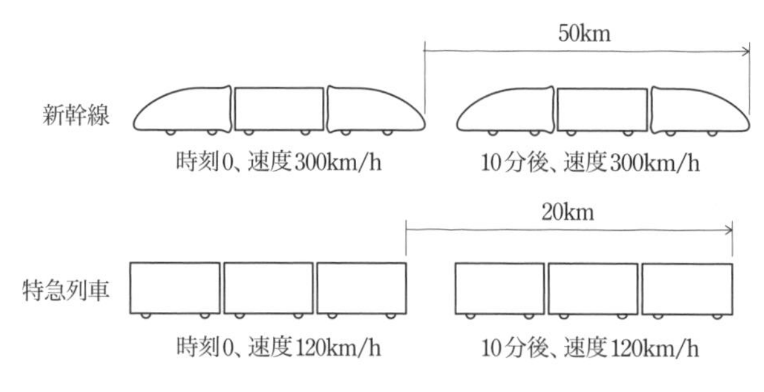

図7・13　新幹線と特急列車（等速度走行時）

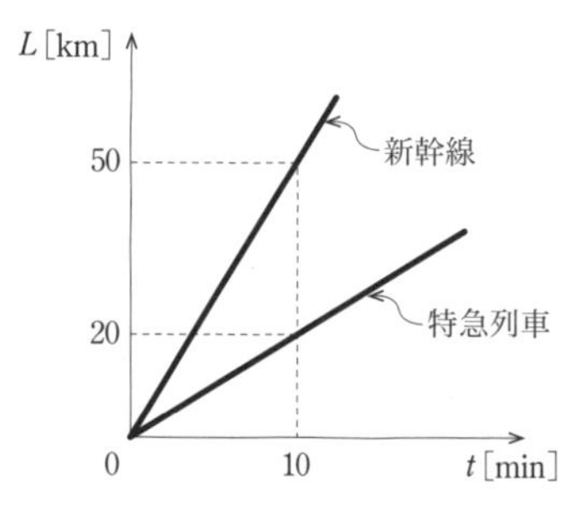

図7・14　各列車の走行距離と時間の関係

しかし、実際の列車では、出発時の速度はゼロで、徐々に速度を上げていきます。また、停車する際には徐々に減速し、停車した際に速度がゼロになります。

このような状況を図7・15に示す自動車のスピードメーターで考えてみましょう。0km/hからメーターの針が動きはじめて、20km/h、40km/hと徐々に速度が上がっていき、最高速度に到達し、しばらく走行した後に再び0km/hに戻ることになります。すなわち、時間とともに速度が変化するため、1分あたりに進む距離も時々刻々と変化し、出発直後は1分間あたりに進む距離は短く、徐々に長くなります。また、停車直前には1分間あたりに進む距離が徐々に短くなります。したがって、走行距離と時間の関係は図7・16のようなグラフに表されます。

図7·15　自動車のスピードメーター

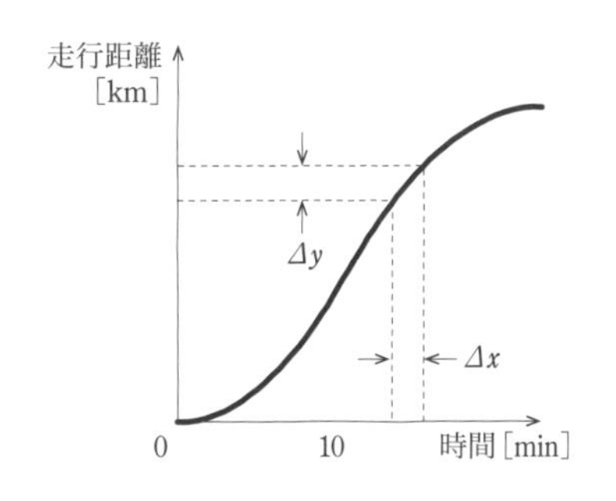

図7·16　一般的な走行距離と時間の関係

一般的に、自動車のスピードメーターでは図7·15に示すように時速が表示されますが、これは1時間かけて走行した距離から求めた速度ではなく、瞬間的な短い時間Δxの間に移動した距離Δyから求めた速度vであり、次式で表されます。

$$v=\frac{\Delta y}{\Delta x} \quad \text{式7·9}$$

ここで、Δ（デルタ）は時間や距離の変化や差を表す記号になります。例えば、図7·13の新幹線は、300km/h＝300km/60min＝5km/min＝5,000m/60s＝83.3m/s、すなわち秒速約83.3mで走行しており、時刻10秒と11秒の間に進んだ距離の変化は833mから917mになります。この場合、式7·9のΔyとΔxは次のようになります。

$$\Delta y=917-833=84\mathrm{m}$$

$$\Delta x=11-10=1\mathrm{s}$$

さて、式7·9のΔyは時間xの関数$f(x)$を使ってどのように表すことができるでしょうか。時間が$x+\Delta x$のときに進んだ距離は$f(x+\Delta x)$、時間がxのときに進んだ距離は$f(x)$と表され、Δyはその差として求められますので、

$$\Delta y=f(x+\Delta x)-f(x)$$

と書くことができます。この式を用いて、式7·9は次のように表されます。

$$v=\frac{\Delta y}{\Delta x}=\frac{f(x+\Delta x)-f(x)}{\Delta x} \quad \text{式7·10}$$

瞬間の速度を表すためには、Δxは短いほどよいことになります。この瞬間速度をより極限的に短い時間で表すために、Δの代わりに差（difference）を表す記号dを使って式7·9を表すことにします。

$$v=\lim_{\Delta x\to 0}\frac{\Delta y}{\Delta x}=\frac{\mathrm{d}y}{\mathrm{d}x} \quad \text{式7·11}$$

ここで、$\lim_{\Delta x\to 0}$はΔxが無限にゼロに近づくことを意味しています。式7·11右辺の「無限に小さい距離dyを無限に小さい時間dxで割った数」が「**微分**」になります。すなわち、物理学が教えるように、速度は距離の時間微分であり、速度は距離の時間に対する変化率を表しています。図7·14では速度の大小がグラフの傾きの大小として表されていましたが、式7·11にあてはめてい

い換えると、微分の値の大小が傾きの大小として表されることになります。

さらに、式7·11を式7·10を用いて表すと次のようになります。

$$v=\frac{\mathrm{d}y}{\mathrm{d}x}=\lim_{\Delta x\to 0}\frac{\Delta y}{\Delta x}=\lim_{\Delta x\to 0}\frac{f(x+\Delta x)-f(x)}{\Delta x} \qquad \text{式7·12}$$

また、yを関数$f(x)$で表すと、

$$\frac{\mathrm{d}y}{\mathrm{d}x}=\frac{\mathrm{d}f(x)}{\mathrm{d}x}=\frac{\mathrm{d}}{\mathrm{d}x}f(x)=f'(x)$$

これを「**導関数**」と呼びます。

以上をまとめると、

$$\frac{\mathrm{d}}{\mathrm{d}x}f(x)=f'(x)=\lim_{\Delta x\to 0}\frac{f(x+\Delta x)-f(x)}{\Delta x} \qquad \text{式7·13}$$

となり、この式7·13が微分の定義式になります。

さらに、無限に小さい速度の変化dvを無限に小さい時間dxで割ったものが加速度（一般に記号aで表す）であり、下式で表されます。

$$a=\lim_{\Delta x\to 0}\frac{\Delta v}{\Delta x}=\frac{\mathrm{d}v}{\mathrm{d}x} \qquad \text{式7·14}$$

この式7·14は、速度の時間微分が加速度であることを表しています。続けて、式7·14に式7·12を代入すると、

$$a=\frac{\mathrm{d}v}{\mathrm{d}x}=\frac{\mathrm{d}}{\mathrm{d}x}\frac{\mathrm{d}y}{\mathrm{d}x}=\frac{\mathrm{d}^2y}{\mathrm{d}x^2}=\frac{\mathrm{d}^2}{\mathrm{d}x^2}y=y'' \qquad \text{式7·15}$$

すなわち、加速度aは距離yを時間xで2回微分したものになります。このような微分を「**2階微分**」と呼び、$\frac{\mathrm{d}^2}{\mathrm{d}x^2}$または●″（●には$y$や$f(x)$などの関数が入る）で表します（この微分の回数のことを「階数」といいます。「回」でなく「階」を用いる点に注意してください）。同じく、1階微分は式7·13に示すように$\frac{\mathrm{d}}{\mathrm{d}x}$または●′と表し、また3階微分やさらに高階の微分も同様です。

7·4·2　多項式関数の微分

本項では、式7·13で表される微分の定義式を使って、いくつかの多項式関数について具体的な微分の計算方法を学んでいきましょう。まずは手始めに、1次関数の微分について説明します。ここでは、話を一般化するため、aを定数として、xの1次関数$f(x)$を次のように表すことにします。

$$f(x)=ax \qquad \text{式7·16}$$

一方、xからΔxだけ離れた$x+\Delta x$では、関数は次のように表されます。

$$f(x+\Delta x)=a(x+\Delta x) \qquad \text{式7·17}$$

式7·16と式7·17を式7·13に代入すると、微分（導関数）は、

$$\frac{\mathrm{d}}{\mathrm{d}x}f(x)=f'(x)=\lim_{\Delta x\to 0}\frac{f(x+\Delta x)-f(x)}{\Delta x}=\lim_{\Delta x\to 0}\frac{a(x+\Delta x)-a(x)}{\Delta x}=\lim_{\Delta x\to 0}a=a \qquad \text{式7・18}$$

すなわち、xの1次式を微分すると係数aが残ることになります。この係数aは、グラフでいえば傾きに相当します。

続いて、式7・19に示すaを係数とするxの2次関数の微分（導関数）を計算してみましょう。

$$f(x)=ax^2 \qquad \text{式7・19}$$

$x+\Delta x$では、関数は次のように表されます。

$$f(x+\Delta x)=a(x+\Delta x)^2 \qquad \text{式7・20}$$

式7・19と式7・20を式7・13に代入すると、微分は、

$$\frac{\mathrm{d}}{\mathrm{d}x}f(x)=f'(x)=\lim_{\Delta x\to 0}\frac{f(x+\Delta x)-f(x)}{\Delta x}=\lim_{\Delta x\to 0}\frac{a(x+\Delta x)-a(x)}{\Delta x}$$

$$=\lim_{\Delta x\to 0}\frac{a\{x^2+2x\Delta x+(\Delta x)^2\}-ax^2}{\Delta x}=\lim_{\Delta x\to 0}(2ax+a\Delta x) \qquad \text{式7・21}$$

式7・21において、$\Delta x\to 0$の極限をとるとΔxはゼロとなるので、$a\Delta x$はゼロとなります。よって、

$$\frac{\mathrm{d}}{\mathrm{d}x}f(x)=f'(x)=2ax \qquad \text{式7・22}$$

xの3次式や4次式についても、同様に微分を求めることができます。以上より、次のn次式

$$f(x)=ax^n \qquad \text{式7・23}$$

の微分は、

$$\frac{\mathrm{d}}{\mathrm{d}x}f(x)=\frac{\mathrm{d}}{\mathrm{d}x}(ax^n)=anx^{n-1} \qquad \text{式7・24}$$

で求めることができます。この式は覚えておくと便利です。

ここで、定数aを係数とする関数$af(x)$の微分に関する公式を示しておきます（関数$f(x)$は微分可能な関数とします）。

$$\frac{\mathrm{d}}{\mathrm{d}x}\{af(x)\}=\lim_{\Delta x\to 0}\frac{af(x+\Delta x)-af(x)}{\Delta x}=\lim_{\Delta x\to 0}a\frac{f(x+\Delta x)-f(x)}{\Delta x}$$

$$=a\lim_{\Delta x\to 0}\frac{f(x+\Delta x)-f(x)}{\Delta x}=a\frac{\mathrm{d}}{\mathrm{d}x}f(x)=af'(x) \qquad \text{式7・25}$$

この公式から、係数aは微分には無関係であることがわかります。

なお、次のような定数aのみで表される関数（「**定数関数**」といいます）は、xの0次式と考えることができます。

$$f(x)=a \qquad \text{式7・26}$$

$x+\Delta x$においても関数は一定値aをとるため、$x+\Delta x$における関数は次のように表されます。

$$f(x+\Delta x)=a \qquad \text{式7・27}$$

式7・26と式7・27を式7・13に代入すると、微分は、

$$\frac{\mathrm{d}}{\mathrm{d}x}f(x)=f'(x)=\lim_{\Delta x \to 0}\frac{f(x+\Delta x)-f(x)}{\Delta x}=\lim_{\Delta x \to 0}\frac{a-a}{\Delta x}=0 \qquad \text{式7·28}$$

すなわち、定数関数の微分は0になります。

最後に、式7·29に示す2次式と1次式および定数からなる多項式関数の微分を求めてみましょう。ここで、a、b、cはいずれも定数とします。

$$f(x)=ax^2+bx+c \qquad \text{式7·29}$$

xからΔxだけ離れた$x+\Delta x$では、関数は次のように表されます。

$$f(x+\Delta x)=a(x+\Delta x)^2+b(x+\Delta x)+c=ax^2+2ax\Delta x+a(\Delta x)^2+bx+b\Delta x+c \qquad \text{式7·30}$$

式7·29と式7·30を式7·13に代入すると、微分は、

$$\frac{\mathrm{d}}{\mathrm{d}x}f(x)=f'(x)=\lim_{\Delta x \to 0}\frac{f(x+\Delta x)-f(x)}{\Delta x}$$

$$=\lim_{\Delta x \to 0}\frac{ax^2+2ax\Delta x+a(\Delta x)^2+bx+b\Delta x+c-ax^2-bx-c}{\Delta x}$$

$$=\lim_{\Delta x \to 0}\frac{2ax\Delta x+a(\Delta x)^2+b\Delta x}{\Delta x}=\lim_{\Delta x \to 0}(2ax+a\Delta x+b) \qquad \text{式7·31}$$

式7·31において、$\Delta x \to 0$の極限をとるとΔxはゼロとなるので、$a\Delta x$はゼロとなります。よって、

$$\frac{\mathrm{d}}{\mathrm{d}x}f(x)=f'(x)=2ax+b \qquad \text{式7·32}$$

すなわち、式7·29の微分は、次のように式の各項に対して式7·24を適用すればよいことになります。

$$\frac{\mathrm{d}}{\mathrm{d}x}f(x)=f'(x)=\frac{\mathrm{d}}{\mathrm{d}x}(ax^2)+\frac{\mathrm{d}}{\mathrm{d}x}(bx)+\frac{\mathrm{d}}{\mathrm{d}x}(c)=2ax+b$$

以上の関係は、一般化することができます。例えば、a_0、a_1、…、a_nを定数とする次のn次多項式

$$f(x)=a_nx^n+a_{n-1}x^{n-1}+\cdots\cdots+a_1x+a_0$$

の微分は、

$$f'(x)=a_nnx^{n-1}+a_{n-1}(n-1)x^{n-2}+\cdots\cdots+a_1 \qquad \text{式7·33}$$

と表されます。

構造力学では、曲げモーメントの1階微分としてせん断力（3章参照）、たわみ曲線の1階微分としてたわみ角分布（5章参照）が求められるように、関数の微分が必要となることが多々ありますので、しっかりと理解しておきましょう。

基本問題②　以下の設問(1)～(4)に示す多項式関数の微分を求めましょう。xは変数、EI、L、qとPは定数とします。

(1)　$f(x)=4x^2+5x+1$　　(2)　$f(x)=-10x^4+8x^3+4$

(3)　$f(x)=\frac{P}{6EI}(L^2x-x^3)$　　(4)　$f(x)=\frac{q}{24EI}(x^4-2Lx^3+L^3x)$

解答例

式7･33に基づいて、それぞれ次のように求められます。

(1)　$f'(x)=8x+5$　　(2)　$f'(x)=-40x^3+24x^2$

(3)　$f'(x)=\frac{P}{6EI}(L^2-3x^2)$　　(4)　$f'(x)=\frac{q}{24EI}(4x^3-6Lx^2+L^3)$

基本問題③　図7･17に示す大きさqの等分布荷重が作用する片持ばりの曲げモーメント$M(x)$とせん断力$Q(x)$は、図7･11のように各々の正の向きを定義し、固定端から右向きにx座標を設定した場合、力のつり合い条件からそれぞれ式7･34、式7･35のように表されます。$M(x)$をxで1階微分すると、せん断力$Q(x)$が得られることを確認しましょう。

$$M(x)=-\frac{q}{2}(L-x)^2 \qquad \text{式7･34}$$

$$Q(x)=q(L-x) \qquad \text{式7･35}$$

解答例

式7･34をxで1階微分すると、次のようになります。

$$\frac{\mathrm{d}}{\mathrm{d}x}f(x)=\frac{\mathrm{d}}{\mathrm{d}x}\left\{-\frac{q}{2}(L-x)^2\right\}=\frac{\mathrm{d}}{\mathrm{d}x}\left(-\frac{q}{2}L^2+qLx-\frac{q}{2}x^2\right)=qL-qx=q(L-x)=Q(x)$$

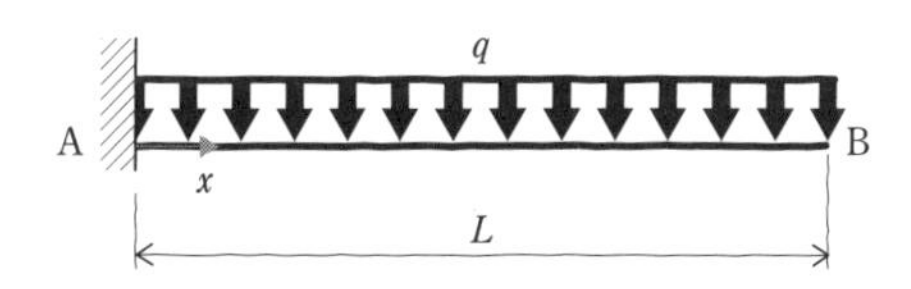

図7･17　等分布荷重が作用する片持ばり

基本問題④　図7･18に示す三角形分布荷重が作用する単純ばりのたわみ曲線は、A点から右向きにx座標をとり、下向きのたわみ$v(x)$を正とした場合、式7･36で表されます（EIは曲げ剛性）。A点とB点に生ずるたわみ角θ_A、θ_Bを求めましょう。

$$v(x)=\frac{qL^4}{360EI}\left(\frac{3}{L^5}x^5-\frac{10}{L^5}x^3+\frac{7}{L}x\right) \qquad \text{式7･36}$$

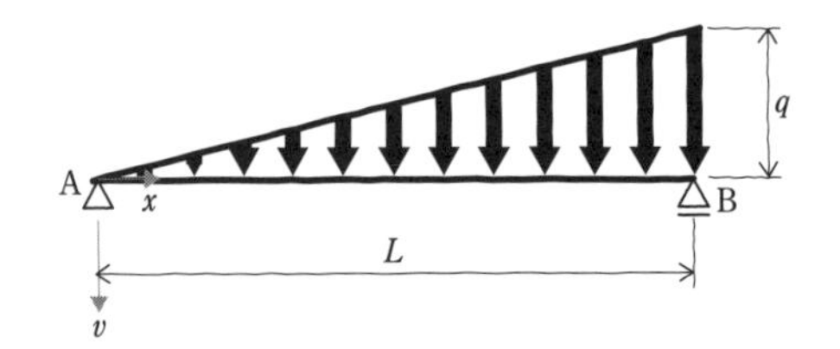

図7·18　三角形分布荷重を受ける単純ばり

解答例

たわみの式である式7·36をxで1階微分すると、たわみ角$\theta(x)$の分布を表す次式が得られます。

$$\theta(x)=\frac{\mathrm{d}v}{\mathrm{d}x}=\frac{qL^4}{360EI}\left(\frac{15}{L^5}x^4-\frac{30}{L^5}x^2+\frac{7}{L}\right) \qquad \text{式7·37}$$

A点とB点に生ずるたわみ角θ_{A}、θ_{B}は、式7·37にA点のx座標$x=0$、B点のx座標$x=L$を代入することによって、それぞれ次のように求められます。

$$\theta_{\mathrm{A}}=\theta(x=0)=\frac{qL^4}{360EI}\left(0-0+\frac{7}{L}\right)=\frac{7qL^3}{360EI}$$

$$\theta_{\mathrm{B}}=\theta(x=L)=\frac{qL^4}{360EI}\left(\frac{15}{L}-\frac{30}{L}+\frac{7}{L}\right)=-\frac{qL^3}{45EI}$$

7·5　積分

構造力学では、複雑な図形の断面2次モーメントの計算（4章4·2·3項）や単位荷重法による変形の計算（5章5·6節）などで積分を使用します。端的にいえば、積分とは「微分の逆の計算」になります。

本節では、前節の微分に関する解説と同様に、積分の最低限の知識について説明します（より理解を深めたい人は、巻末に示す参考文献5などを参照してください）。

7·5·1　積分の考え方

図7·19に示すように、始発駅を出発した新幹線が一定速度300km/hまで加速し、A駅を通過した場合を考えてみましょう。A駅を通過してから30分（=0.5時間）後の移動距離は次式で表されます。

300km/h×0.5h=150km

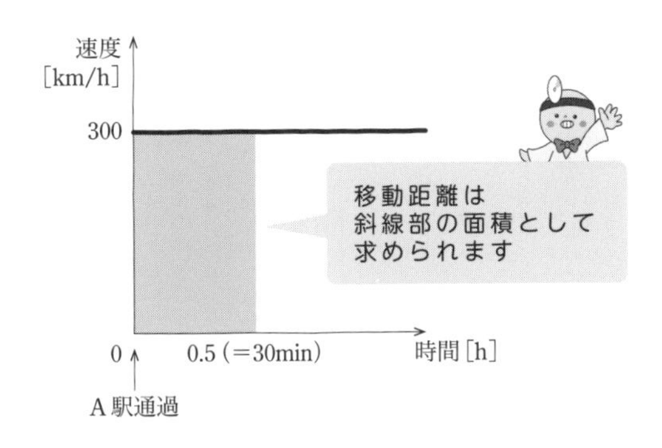

図7·19　新幹線の速度と時間の関係

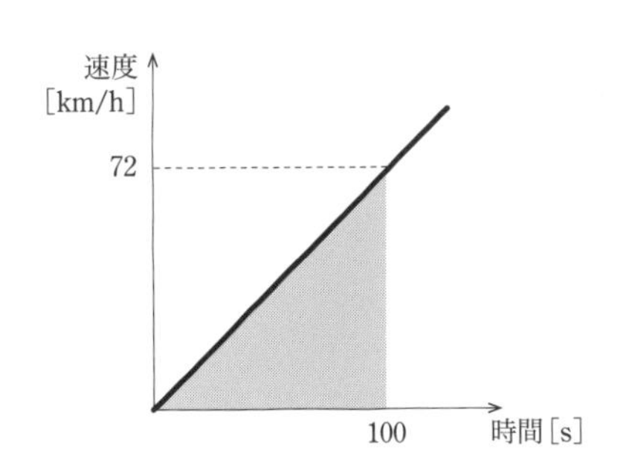

図7·20　列車の速度と時間の関係

図7·19において、移動距離は速度×時間で求められますので、斜線部の面積で表されることがわかります。次に、図7·20に示すように、駅を出発した列車が一定の加速度で走行し、100秒後に速度が72km/h（=72,000/3,600m/s=20m/s）になったものとします。図7·19に示したように、移動距離は速度と時間の関係の面積で表されますので、出発から100秒後の移動距離は、図7·20に示す斜線部の面積として次のように求められます。

$$\frac{1}{2}\times 20\text{m/s}\times 100\text{s}=1{,}000\text{m}$$

一方、列車の出発から100秒後の移動距離Lは、下に示す式のように時間間隔$\Delta t=1$秒の移動距離、すなわち図7·21の斜線を施した短冊部分の面積を足し合わせることで、上記の値1,000mに近い値を求めることできます。

$$L=(0秒の速度)\times 1秒+(1秒の速度)\times 1秒+(2秒の速度)\times 1秒+(3秒の速度)\times 1秒+$$
$$\cdots\cdots+(97秒の速度)\times 1秒+(98秒の速度)\times 1秒+(99秒の速度)\times 1秒$$

計算過程は省略しますが、この計算では、図7·20に示す斜線部の三角形よりもやや小さな面積を計算しているため、移動距離は990mと求められます。そこで、図7·22に示すように、時間間隔をさらに短くし、$\Delta t=0.2$秒として同じ計算をすると移動距離は998mとなり、実際の移動距離である1,000mに近づきます。

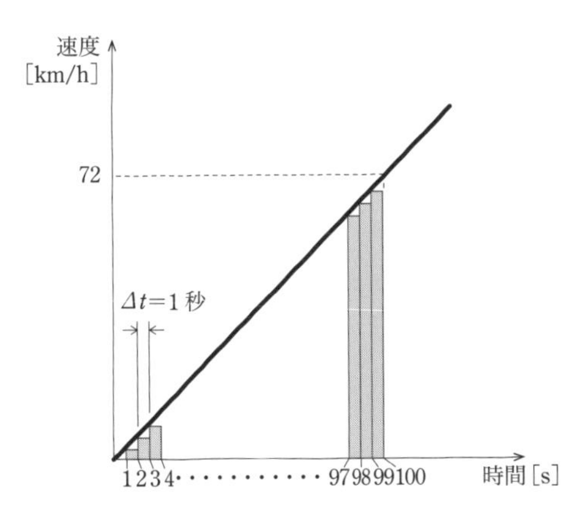

図7·21　1秒ごとの移動距離に基づく計算

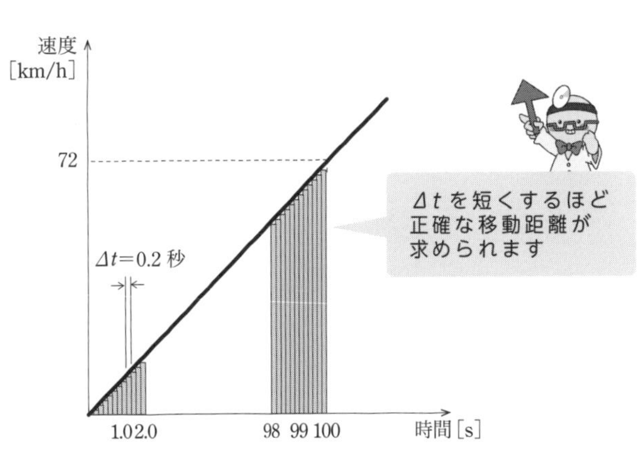

図7·22　0.2秒ごとの移動距離に基づく計算

数学では、上記のような足し算を表す記号としてΣを使用します。ここで、各時間の速度を v_i で表すと、移動距離 L の算定式はΣを用いて下式で表されます。

$$L=(\text{ある時間の速度})\times\Delta t+(\text{次の時間の速度})\times\Delta t+(\text{その次の時間の速度})\times\Delta t+\cdots\cdots$$
$$=\Sigma\{(\text{各時間の速度})\times\Delta t\}=\Sigma(v_i\times\Delta t)$$

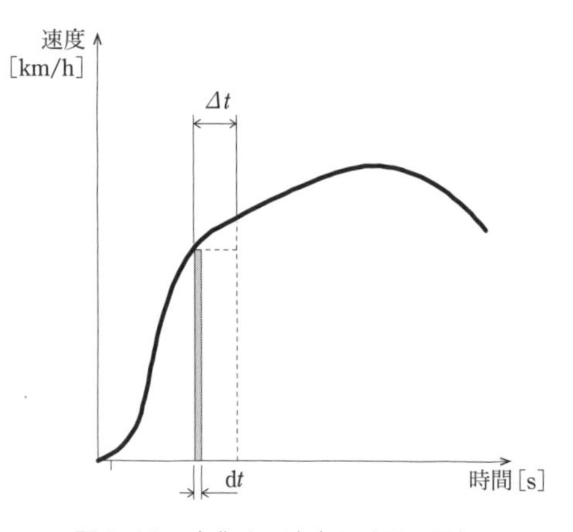

図7・23　変化する速度と時間の関係

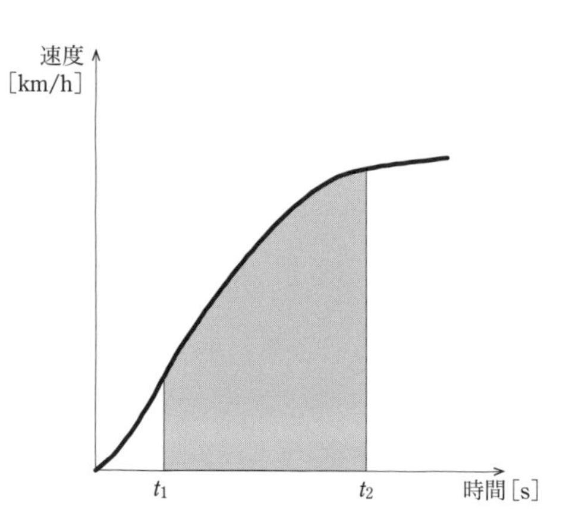

図7・24　時間 t_1 から t_2 までの定積分

しかしながら、実際の列車が一定の加速度で走行することはほとんどなく、図7・23に示すように速度は時間の経過とともに複雑に変化するのが普通です。そこで、このような場合にも計算できるように、時間間隔 Δt に代えて、極限的に短い時間間隔 $\mathrm{d}t$ ごとに和を求めることを考えます。この操作を「**積分**」と呼んでいます。

積分では、合計を表す記号として、Σではなく $\int$ (「積分記号」といい、「インテグラル」と読みます)を使用します。この $\int$ を用いて、移動距離 L を積分で表すと次のようになります。

$$L=\int_{t_1}^{t_2} v\,\mathrm{d}t \qquad \text{式7・38}$$

式7・38を「距離は速度の時間積分である」と呼びます。インテグラルの右下と右上の t_1 と t_2 は、図7・24に示しているように時間 t_1 から t_2 までの区間を積分することを意味しており、式7・38は斜線部の面積を求めることに相当します。このように区間が指定された積分を「**定積分**」と呼びます。

7・5・2　不定積分

定積分のほかに、「**不定積分**」と呼ばれるものがあり、関数 $f(x)$ の不定積分は $\int f(x)\mathrm{d}x$ と表されます。定積分との違いは、積分区間が指定されていない点になります。なお、積分される関数 $f(x)$ を「**被積分関数**」と呼びます。

ある関数 $F(x)$ を微分して関数 $f(x)$ となるとき、この $F(x)$ は「**原始関数**」と呼ばれます。不定積分を理解するためには、この原始関数について知っておく必要があります。数式で表すと、

$$\frac{\mathrm{d}}{\mathrm{d}x}F(x)=f(x)$$ 式7･39

となります。ここで、7･4･2項で述べたように、定数をxで微分するとゼロになるため、$F(x)$に定数Cを加えた$F(x)+C$を微分しても、次のように$f(x)$になります。

$$\frac{\mathrm{d}}{\mathrm{d}x}\{F(x)+C\}=f(x)$$ 式7･40

このCを「**積分定数**」といいます。不定積分は、この式の逆の計算、すなわち$f(x)$から$F(x)+C$を求める計算であり、原始関数との関係で表すと次のようになります。

$$\int f(x)\mathrm{d}x=F(x)+C$$ 式7･41

また、積分範囲がx_1からx_2までの定積分と原始関数との関係は、記号［　］を用いて、以下のように表されます。

$$\int_{x_1}^{x_2} f(x)\mathrm{d}x=F(x_2)-F(x_1)=\Big[F(x)\Big]_{x_1}^{x_2}$$ 式7･42

ここで、最も簡単な不定積分の公式を誘導します。7･4･2項に示した微分の公式である式7･25の関係は、原始関数$F(x)$についても次のように成立します。

$$\frac{\mathrm{d}}{\mathrm{d}x}\{aF(x)\}=a\frac{\mathrm{d}}{\mathrm{d}x}F(x)$$ 式7･43

式7･43の右辺に式7･39を代入すると、

$$\frac{\mathrm{d}}{\mathrm{d}x}\{aF(x)\}=af(x)$$ 式7･44

積分定数をC_0として、式7･44両辺で不定積分を求めると、

$$\int\frac{\mathrm{d}}{\mathrm{d}x}\{aF(x)\}+C_0=\int af(x)\mathrm{d}x$$ 式7･45

式7･45の左辺第1項について、$aF(x)$を微分したものの不定積分は$aF(x)$に戻りますので（式7･40および7･41）、

$$aF(x)+C_0=\int af(x)\mathrm{d}x$$ 式7･46

一方、式7･41の両辺をa倍すると、

$$a\int f(x)\mathrm{d}x=aF(x)+a\times C$$ 式7･47

ここで、積分定数C_0も$a\times C$も任意の定数ですから、$C_0=a\times C$と置き直すことができます。したがって、

$$a\int f(x)\mathrm{d}x=aF(x)+C_0$$ 式7･48

式7･48を式7･46に代入すると、

$$a\int f(x)\mathrm{d}x=\int af(x)\mathrm{d}x \qquad \text{式7·49}$$

この式7·49は、定数の係数が積分の外に出せることを意味しています。同様に、定積分についても、aを定数として次式が成り立ちます。

$$\int_{x_1}^{x_2} af(x)\mathrm{d}x=a\int_{x_1}^{x_2} f(x)\mathrm{d}x \qquad \text{式7·50}$$

このほか、詳細な誘導は省略しますが、関数$f_1(x)$と$f_2(x)$の足し算あるいは引き算で表される関数に対しては、以下のような不定積分、定積分の公式が成り立ちます。

$$\int\{f_1(x)\pm f_2(x)\}\mathrm{d}x=\int f_1(x)\mathrm{d}x\pm\int f_2(x)\mathrm{d}x \qquad \text{式7·51}$$

$$\int_{x_1}^{x_2}\{f_1(x)\pm f_2(x)\}\mathrm{d}x=\int_{x_1}^{x_2} f_1(x)\mathrm{d}x\pm\int_{x_1}^{x_2} f_2(x)\mathrm{d}x \qquad \text{式7·52}$$

さらに、多項式関数の積分は、式7·33を参照すると次のように表すことができます。a_0、a_1、…a_nを定数とする次のn次多項式

$$f(x)=a_nx^n+a_{n-1}x^{n-1}+\cdots\cdots+a_1x+a_0$$

の積分は、

$$\int f(x)\mathrm{d}x=\frac{a_n}{n+1}x^{n+1}+\frac{a_{n-1}}{n}x^n+\cdots\cdots+\frac{a_1}{2}x^2+a_0x+C \qquad \text{式7·53}$$

と表されます。

基本問題⑤　以下の設問(1)～(4)に示す定積分を求めましょう。xは変数、EI、L、qとPは定数とします。

(1) $\int_0^4(3x^2+4x+2)\mathrm{d}x$

(2) $\int_{-8}^{-3}(-10x^4+5x^2+3x)\mathrm{d}x$

(3) $\frac{q}{8EI}\int_0^L x^2(L-x)^2\,\mathrm{d}x$

解答例

それぞれ次のように求められます。

(1) $\int_0^4(3x^2+4x+2)\mathrm{d}x=[x^3+2x^2+2x]_0^4=4^3+2\times4^2+2\times4=64+32+8=104$

(2) $\int_{-8}^{-3}(-10x^4+5x^2+3x)\mathrm{d}x=\left[-2x^5+\frac{5}{3}x^3+\frac{3}{2}x^2\right]_{-8}^{-3}$

$$=(-2)\times(-3)^5+\frac{5}{3}\times(-3)^3+\frac{3}{2}\times(-3)^2+2\times(-8)^5-\frac{5}{3}\times(-8)^3-\frac{3}{2}\times(-8)^2$$

$$=486-45+\frac{27}{2}-65536+\frac{2560}{3}-96=-\frac{385,945}{6}$$

(3) $$\frac{q}{8EI}\int_0^L x^2(L-x)^2\mathrm{d}x=\frac{q}{8EI}\int_0^L (x^4-2Lx^3+L^2x^2)\mathrm{d}x=\frac{q}{8EI}\left[\frac{x^5}{5}-\frac{Lx^4}{2}+\frac{L^2x^3}{3}\right]_0^L$$

$$=\frac{q}{8EI}\left(\frac{L^5}{5}-\frac{L^5}{2}+\frac{L^5}{3}\right)=\frac{qL^5}{240EI}$$

7･6　微分方程式

以下に示すような、関数$y=f(x)$の導関数、などを含む方程式を「**微分方程式**」といいます。

$$\frac{\mathrm{d}y}{\mathrm{d}x}+y=0 \quad \Rightarrow \quad y'+y=0$$

$$\frac{\mathrm{d}^2y}{\mathrm{d}x^2}+2\frac{\mathrm{d}y}{\mathrm{d}x}+y=\cos x \quad \Rightarrow \quad y''+2y'+y=\cos x$$

$$\frac{\mathrm{d}^3y}{\mathrm{d}x^3}-x\left(\frac{\mathrm{d}y}{\mathrm{d}x}\right)^3+y=0 \quad \Rightarrow \quad y'''-x(y')^3+y=0$$

より具体的には、方程式に含まれる導関数の最大階数に応じて、上から「1階線形微分方程式」「2階線形微分方程式」「3階非線形微分方程式」と呼ばれています。つまり、微分方程式における「1階」「2階」といった階数は、通常の方程式における「1次」「2次」といった次数に相当します。一方、通常の方程式との違いとしては、1次方程式$x-5=0$の解であれば$x=5$、2次方程式$x^2-7x+12=0$の解であれば$x=3$と4というように通常の方程式の解が数値で求められるのに対して、微分方程式の解は関数として与えられます。

次式に示す自由落下運動に関する微分方程式を例に、微分方程式の解法を学んでいきましょう。

$$\frac{\mathrm{d}^2x}{\mathrm{d}t^2}=g \qquad \text{式7･54}$$

この微分方程式は2階微分方程式で、xは物体の落下距離、tは時間、gは重力加速度を表しています。

まずは、両辺をtで1階積分します（「1階」は、微分の場合と同様、積分の回数を表しています）。

$$\int\frac{\mathrm{d}^2x}{\mathrm{d}t^2}\mathrm{d}t=\int g\,\mathrm{d}t \qquad \text{式7･55}$$

式7･55の左辺は、xのtに関する2階微分をtに関して1階積分しますので、xのtに関する1階微分になります。一方、右辺は時間に無関係なgの不定積分ですので、積分定数C_0を用いて次のように表され、式7･55は次式となります。

$$\frac{\mathrm{d}x}{\mathrm{d}t}=gt+C_0 \qquad \text{式7･56}$$

さらに、式7･56を時間tに関して1階積分すると、

$$\int \frac{dx}{dt}dt = \int (gt + C_0)dt = \int gt\,dt + \int C_0 dt \qquad 式7･57$$

式7･57の左辺は、xのtに関する1階微分をtに関して1階積分することでxに戻ります。一方、右辺は、さらに積分定数C_1を加えて次のように表され、解が求められます。

$$x = \frac{1}{2}gt^2 + C_0 t + C_1 \qquad 式7･58$$

式7･58に示すように、2階微分方程式の解には2つの積分定数C_0、C_1が含まれています。一般に、n階微分方程式にはn個の積分定数が含まれ、この解は「**一般解**」と呼ばれています。

式7･58で示される一般解では、2つの積分定数C_0、C_1の値に応じて様々な値をとることになります。一方、実際のxとtの関係を満たす解はそのうちの一つであり、各種の条件を考えることで求めることができます。それらの条件のうち、特に$t=0$における条件を「**初期条件**」、tがとり得る最大値もしくは最小値における条件を「**境界条件**」と呼んでいます。例えば、$t=0$における座標が$x=0$、$t=2$秒における座標が$x=10$mである場合、C_0、C_1の値は次のように求められます。

$t=0$、$x=0$を式7･58に代入すると、

$$0 = \frac{1}{2}g \times 0^2 + C_0 \times 0 + C_1$$

となることから、$C_1=0$となります。次に、$C_1=0$と$t=2$、$x=10$を式7･58に代入すると、

$$10 = \frac{1}{2}g \times 2^2 + C_0 \times 2 + 0$$

となり、$C_0=5-g$と求められます。ここで、便宜的に重力加速度を$g=10\text{m/s}^2$とすると、$C_0=-5$m/sとなり、式7･58にこれらを代入することで、解は次式となります。

$$x = 5t^2 - 5t \qquad 式7･59$$

このように初期条件や境界条件を用いて積分定数を求め、1つに絞り込んだ解は「**特殊解**」と呼ばれます。また、式7･59において、tは物体が自由落下し始める瞬間(時刻0)から、地上に到達するまでの任意の時間を表すため、「**変数**」と呼ばれます。さらに、xも式7･59のtに代入される値によって異なる値を示すので変数です。図7･8に示した自動販売機の例で説明すると、tはお金に相当し、他の何の影響も受けないので「独立変数」と呼ばれます。これに対して、xはジュースに相当し、tに依存して値が変化するので「従属変数」と呼ばれます。

構造力学では様々な微分方程式を取り扱いますが、初歩的な構造力学で最も重要な微分方程式は、5章で学んだ「はりの曲げの微分方程式」です。

$$\frac{d^2v(x)}{dx^2} = -\frac{M(x)}{EI} \qquad 式7･60$$

ここで、xははり上の位置を表す変数、$v(x)$は位置xにおけるたわみ(xの従属関数)、Eは弾性係数(一般にxには無関係な定数)、Iは断面2次モーメント(一般にxには無関係な定数)を

表しています。また、$M(x)$ は位置 x における曲げモーメントであり、x の関数としてあらかじめ求めることが可能です。

式7･60は、微分方程式の中でも一般解を求めるのが最も容易な「直接積分形の線形微分方程式」と呼ばれるものになります。このほかの微分方程式の種類やその解法については、巻末に示す参考文献6および7などを参考にしてください。では、実際の問題例に沿って解き方を学んでいきましょう。

基本問題⑥　曲げモーメント $M(x)$ とせん断力 $Q(x)$ の正の向きを図7･25のように定義したとき、図7･26に示す等分布荷重 q が作用する単純ばりの曲げモーメント $M(x)$ は次式で表されます。

$$M(x)=\frac{qL}{2}x-\frac{q}{2}x^2 \qquad \text{式7･61}$$

式7･60を用いてたわみ曲線 $v(x)$ を求めましょう。曲げ剛性 EI は一定とし、図7･26中に示されている初期条件と境界条件を用いてください。

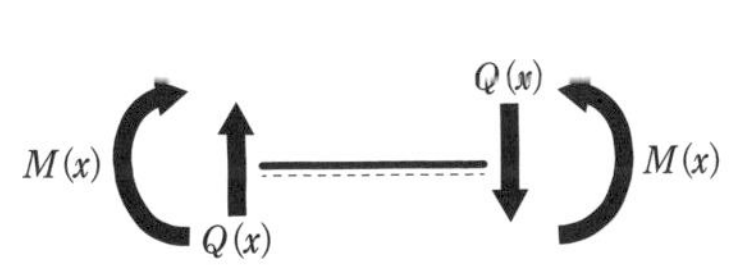

図7･25　断面力の正の向き

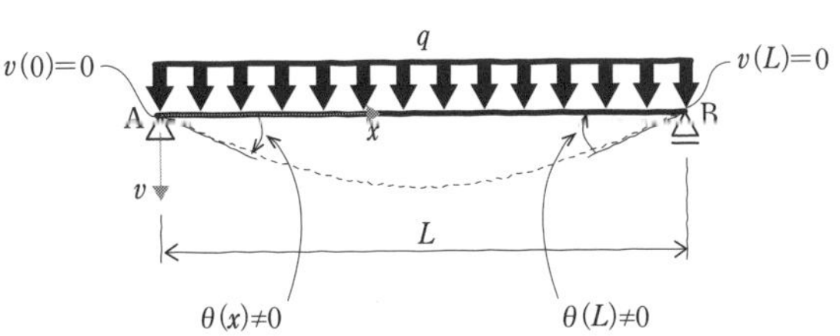

図7･26　等分布荷重が作用する単純ばり

解答例

式7･60に式7･61を代入すると、

$$\frac{\mathrm{d}^2v(x)}{\mathrm{d}x^2}=-\frac{1}{EI}\left(\frac{qL}{2}x-\frac{q}{2}x^2\right)=\frac{q}{2EI}(x^2-Lx) \qquad \text{式7･62}$$

積分定数を C_0、C_1 として、式7･62を2階積分すると次のようになります。

$$\frac{\mathrm{d}v(x)}{\mathrm{d}x}=\frac{q}{2EI}\left(\frac{x^3}{3}-\frac{L}{2}x^2\right)+C_0 \qquad \text{式7･63}$$

$$v(x)=\frac{q}{2EI}\left(\frac{x^4}{12}-\frac{L}{6}x^3\right)+C_0x+C_1 \qquad \text{式7･64}$$

境界条件 $x=0$ のとき $v(0)=0$ より、

$$0=\frac{q}{2EI}\left(\frac{0^4}{12}-\frac{L}{6}\times 0^3\right)+C_0\times 0+C_1$$

よって、$C_1=0$ となります。さらに、$C_1=0$ と境界条件 $x=L$ のとき $v(L)=0$ を式7･64に代入すると、

$$0=\frac{q}{2EI}\left(\frac{L^4}{12}-\frac{L}{6}\times L^3\right)+C_0\times L$$

これをC_0について解くと、$C_0=\frac{qL^3}{24EI}$と求められます。したがって、たわみ曲線は、

$$v(x)=\frac{q}{2EI}\left(\frac{x^4}{12}-\frac{L}{6}x^3\right)+\frac{qL^3}{24EI}x=\frac{q}{24EI}(x^4-2Lx^3+L^3x)=\frac{qL^3}{24EI}\left\{\left(\frac{x}{L}\right)^4-2\left(\frac{x}{L}\right)^3+\frac{x}{L}\right\}$$

となります。

基本問題⑦　図7･27に示すように、x軸、分布荷重$q(x)$、曲げモーメント$M(x)$とせん断力$Q(x)$の正の向きを定義したとき、$M(x)$と$Q(x)$の関係は式7･65で、$Q(x)$の$q(x)$との関係は式7･66で表されます。

$$Q(x)=\frac{\mathrm{d}M(x)}{\mathrm{d}x} \qquad \text{式7･65}$$

$$\frac{\mathrm{d}Q(x)}{\mathrm{d}x}=-q(x) \qquad \text{式7･66}$$

図7･28に示すように、式7･67で表される分布荷重$q(x)$が作用する単純ばりの曲げモーメント$M(x)$とせん断力$Q(x)$を求めましょう。

$$q(x)=q_0\sin\left(\frac{\pi x}{L}\right) \qquad \text{式7･67}$$

ここで、q_0は分布荷重の最大値を表しており、xに無関係な定数です。

また、代表的な三角関数の不定積分の公式は、a、bとCを定数として、次式で表されます。

$$\int\cos x\,\mathrm{d}x=\sin x+C \qquad \text{式7･68}$$

$$\int\sin x\,\mathrm{d}x=-\cos x+C \qquad \text{式7･69}$$

$$\int\cos ax\,\mathrm{d}x=\frac{1}{a}\sin ax+C \qquad \text{式7･70}$$

$$\int\sin ax\,\mathrm{d}x=-\frac{1}{a}\cos ax+C \qquad \text{式7･71}$$

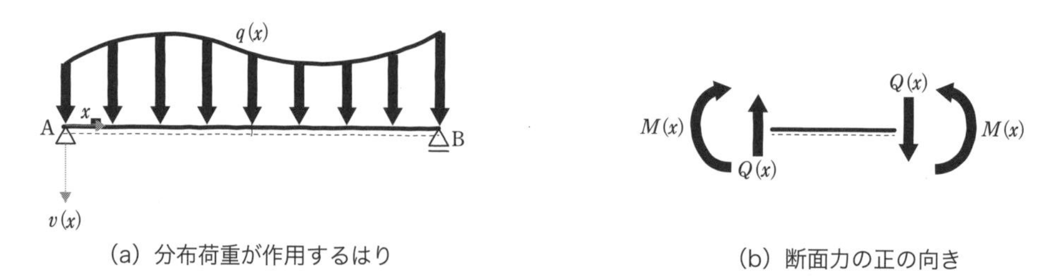

図7･27　分布荷重が作用するはりと断面力の正の向きの定義

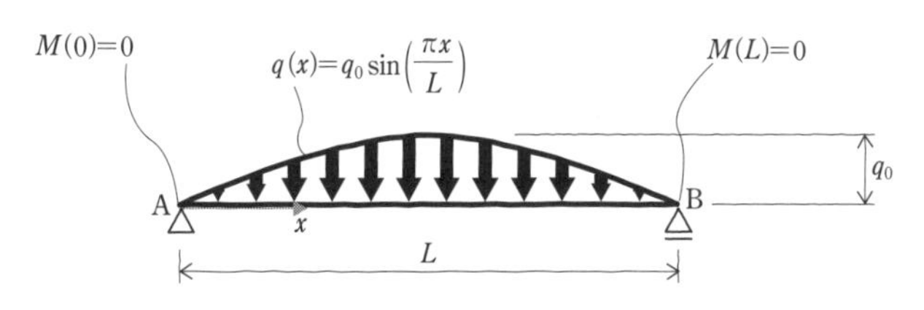

図7･28　正弦半波形状の分布荷重が作用する単純ばり

解答例

式7･67を式7･66に代入すると、せん断力に関する次の1階微分方程式が得られます。

$$\frac{\mathrm{d}Q(x)}{\mathrm{d}x}=-q_0\sin\left(\frac{\pi x}{L}\right) \qquad \text{式7･72}$$

積分定数をC_0として、式7･72の両辺を1階積分すると、

$$\int\frac{\mathrm{d}Q(x)}{\mathrm{d}x}\mathrm{d}x=\int\left\{-q_0\sin\left(\frac{\pi x}{L}\right)\right\}\mathrm{d}x+C_0$$

$$Q(x)=q_0\frac{L}{\pi}\cos\left(\frac{\pi x}{L}\right)+C_0 \qquad \text{式7･73}$$

式7･73を式7･65に代入すると、

$$\frac{\mathrm{d}M(x)}{\mathrm{d}x}=q_0\frac{L}{\pi}\cos\left(\frac{\pi x}{L}\right)+C_0 \qquad \text{式7･74}$$

積分定数をC_1として、式7･74の両辺を1階積分すると、

$$\int\frac{\mathrm{d}M(x)}{\mathrm{d}x}\mathrm{d}x=\int\left\{q_0\frac{L}{\pi}\cos\left(\frac{\pi x}{L}\right)+C_0\right\}\mathrm{d}x+C_1$$

$$M(x)=q_0\left(\frac{L}{\pi}\right)^2\sin\left(\frac{\pi x}{L}\right)+C_0x+C_1 \qquad \text{式7･75}$$

式7･75に境界条件$x=0$のとき$M(0)=0$を代入して、

$$0=q_0\left(\frac{L}{\pi}\right)^2\sin\left(\frac{\pi\times 0}{L}\right)+C_0\times 0+C_1$$

より、$C_1=0$。

また、式7･75に境界条件$x=L$のとき$M(x)=0$および$C_1=0$を代入して、

$$0=q_0\left(\frac{L}{\pi}\right)^2\sin\left(\frac{\pi\times L}{L}\right)+C_0\times L+0$$

より、$C_0=0$。

よって、式7･73および7･75に$C_0=C_1=0$を代入すると、せん断力と曲げモーメントは、

$$Q(x)=q_0\frac{L}{\pi}\cos\left(\frac{\pi x}{L}\right)$$

$$M(x)=q_0\left(\frac{L}{\pi}\right)^2\sin\left(\frac{\pi x}{L}\right)$$

と求めることができます。この式を図示したものを図7･29に示します。

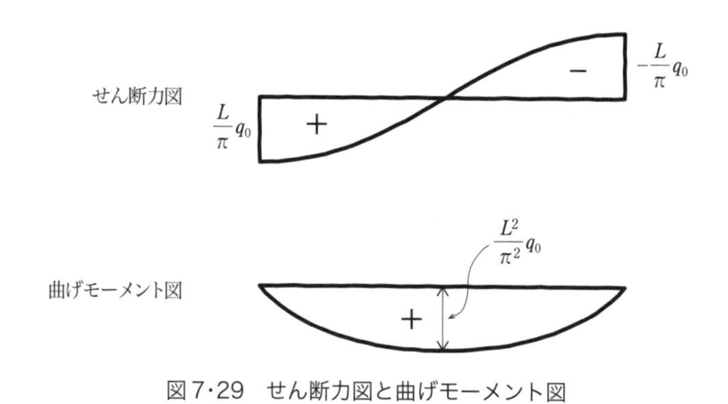

図7･29　せん断力図と曲げモーメント図

参考文献

1) 鷹部屋福平『構造力学 第2(材料強弱篇)』彰国社、1953年
2) 土木学会編『土木用語大辞典』技報堂出版、1999年
3) 青木徹彦『土木系大学講義シリーズ⑤　構造力学』コロナ社、1986年
4) 﨑元達郎『構造力学[第2版]〈上〉〈下〉』森北出版、1993年
5) 竹内淳『理系のための微分・積分復習帳　高校の微積分からテイラー展開まで』講談社、2017年
6) 古山竜司『これだけ！ 微分方程式』秀和システム、2015年
7) 小寺平治『なっとくする微分方程式』講談社、2000年

索　引

著者略歴

〈編著者〉
玉田和也（たまだ かずや）……………………………………担当：1～3章
舞鶴工業高等専門学校建設システム工学科教授。
1964年兵庫県生まれ。明石工業高等専門学校土木工学科卒業。長岡技術科学大学・長岡技術科学大学大学院工学研究科建設工学専攻。博士（工学）。駒井鉄工株式会社橋梁設計部を経て、2009年より現職。

〈著者〉
三好崇夫（みよし たかお）……………………………………担当：5章、7章
明石工業高等専門学校都市システム工学科准教授。
1975年岡山県生まれ。福山大学工学部土木工学科卒業、大阪大学大学院工学研究科土木工学専攻博士後期課程修了。博士（工学）。日立造船株式会社機械・インフラ本部鉄構ビジネスユニット設計部を経て、2012年より現職。

高井俊和（たかい としかず）……………………………………担当：4章、6章
九州工業大学大学院工学研究院建設社会工学研究系助教。
1979年兵庫県生まれ。大阪市立大学工学部土木工学科卒業、同大学院修了。博士（工学）。株式会社ダイハツテクナー、石川工業高等専門学校環境都市工学科助教、講師を経て、2017年より現職。

図説　わかる土木構造力学

2020年1月15日　第1版第1刷発行
2021年6月20日　第2版第1刷発行

編 著 者　玉田和也
著　　者　三好崇夫・高井俊和
発 行 者　前田裕資
発 行 所　株式会社 学芸出版社
京都市下京区木津屋橋通西洞院東入
〒600-8216　電話075-343-0811
http://www.gakugei-pub.jp/
E-mail info@gakugei-pub.jp
編集担当　岩切江津子・森國洋行

装　　丁　KOTO DESIGN Inc. 山本剛史
D T P　梁川智子（KST Production）
印　　刷　イチダ写真製版
製　　本　山崎紙工

ISBN978-4-7615-3251-2